WYDAWNICTWO
SZKOLNE
PWN
WARSZAWA
2004

JĘZYK ANGIELSKI

REPETYTORIUM GRAMATYKI Z ĆWICZENIAMI

Bronisława Jasińska
Janina Jaślan
Monika Woytowicz-Neymann

Projekt okładki **Maryna Wiśniewska**
Redaktor naukowy **Janina Smólska**

ISBN 83-7195-065-9

Wydawnictwo Szkolne PWN Sp. z o.o.
ul. Świętojerska 5/7, 00-236 Warszawa
Wydanie XXIV
Arkuszy drukarskich 19
Druk ukończono w styczniu 2004 r.
Druk i oprawa: Toruńskie Zakłady Graficzne „ZAPOLEX" Sp. z o.o.
ul. Gen. Sowińskiego 2/4, 87-100 Toruń

Spis treści

Część druga. Struktura zdań pojedynczych i złożonych. Wybrane za-
gadnienia

4

Przedmowa

Niniejsza książka jest gruntownie przerobioną i znacznie rozszerzoną wersją książki pt. „Język angielski. Repetytorium dla kandydatów na studia ekonomiczne", wydaną przez Wydawnictwa SGPiS w 1978 r. W odróżnieniu od wersji pierwotnej, książka w obecnej postaci nie jest przeznaczona wyłącznie dla przyszłych ekonomistów; autorki opracowały ją z myślą o wszystkich tych absolwentach szkoły średniej, którzy — czy to ze względu na wymagania egzaminacyjne na studia wyższe lub potrzeby związane z samymi studiami, czy też z jakichkolwiek innych względów — chcą nie tylko powtórzyć, ale także pogłębić i rozszerzyć wiadomości z gramatyki angielskiej wyniesione ze szkoły. Autorki przeznaczają książkę przede wszystkim do samodzielnej pracy nad językiem, choć nie wykluczają oczywiście pracy z nauczycielem.

Zakres tematów uwzględnionych w niniejszym repetytorium został dość znacznie rozszerzony w stosunku do wersji pierwotnej; dodano przy tym słowotwórstwo jako zupełnie nowy dział. Natomiast zasady układu materiału gramatycznego zostały w zasadzie te same. Jest to układ oparty tradycyjnie na formalnych kategoriach gramatycznych. Autorki rozważały możliwość zastąpienia go układem według kategorii pojęciowych oraz funkcji komunikacyjnych, zrezygnowały jednakże z tego zamiaru z następujących powodów.

Po pierwsze, próbując takiego układu, na przykład według propozycji D. A. Wilkinsa („Notional Syllabuses", London 1976, Oxford University Press) dajemy uczącemu się nie system, lecz raczej daleki od kompletności spis tematów, nie dających się logicznie uporządkować, ani ująć w hierarchię. Ukazanie uczącemu się gramatyki angielskiej jako spójnej, uporządkowanej całości nie wydaje się jak dotychczas możliwe inaczej niż w kategoriach formalnych.

Po drugie, tradycyjne i wciąż utrzymujące się sposoby egzaminowania z gramatyki języka obcego w naszych szkołach, uczelniach, na egzaminach resortowych itp. z reguły biorą za punkt wyjścia kategorie formalne a nie pojęciowe.

Po trzecie wreszcie — i jest to chyba wzgląd najważniejszy — jeżeli książka ma umożliwić samodzielną pracę nad językiem, ćwiczenia w niej zawarte powinny mieć jednoznaczne rozwiązania, które można podać w kluczu do tych ćwiczeń i w ten sposób umożliwić samokontrolę. Zadania, w których chodzi nie o poprawne użycie określonych środków gramatycznych, lecz o znalezienie odpowiednich środków gramatycznych dla wyrażenia określonej intencji komunikacyjnej, mają z reguły wiele możliwych rozwiązań, które byłoby bardzo trudno zgromadzić w kluczu, a często nawet przewidzieć. Ograniczyłoby to w znacznym stopniu przydatność książki dla samouka.

Trzeba jednak mocno podkreślić, że mimo zachowania układu materiału według formalnych kategorii gramatycznych, autorki wprowadziły daleko idące zmiany w sposobie przedstawiania tego materiału. Gruntownie przerobione i unowocześnione objaśnienia gramatyczne ujmują bardzo zwięźle sprawę form i schematów gramatycznych jako takich, koncentrują się natomiast na ich funkcjach komunikacyjnych — na tym, co wyrażamy (w sensie komunikacji językowej) stosując okreslone środki gramatyczne.

W tym samym kierunku poszły zmiany w doborze i charakterze ćwiczeń. Starano się, aby zdania lub serie zdań, które ma tworzyć uczący się wykonując ćwiczenie, zbliżały się jak najbardziej do aktów normalnej komunikacji językowej. Inaczej mówiąc, aby ćwiczenie gramatyczne stawało się w pewnym stopniu także ćwiczeniem w komunikacji językowej. Czytelnika może zastanowić to, że w zakresie zagadnień elementarnych ćwiczeń jest stosunkowo mało. Bardzo rozbudowane są natomiast ćwiczenia dotyczące zagadnień trudniejszych. Autorki zdecydowały się na taki dobór, aby nie powielać tematów szeroko uwzględnionych w stosowanych u nas podręcznikach języka angielskiego, lecz raczej uzupełnić braki tych podręczników.

W formułowaniu objaśnień gramatycznych autorki opierały się głównie na obowiązujących podręcznikach szkolnych oraz na pracy Janiny Smólskiej „Gramatyka języka angielskiego", Warszawa 1974, WSiP. Autorki pragną Jej serdecznie podziękować za wnikliwą opiekę merytoryczną.

Partie materiału opracowane przez poszczególne autorki przeplatają się ze sobą i byłoby trudno precyzyjnie je rozgraniczyć. Główne tematy autorki podzieliły między siebie następująco:

Bronisława Jasińska: zaimek, przymiotnik, konstrukcje pytające, okresy warunkowe, następstwo czasów i mowa zależna, konstrukcje w stronie biernej, konstrukcje rozkazujące.

Janina Jaślan: rzeczownik, przysłówek, liczebniki, czasowniki specjalne, konstrukcje bezokolicznikowe, konstrukcje imiesłowowe, konstrukcje z rzeczownikiem odsłownym, zdania przydawkowe, zdania czasowe, zdania celowe.

Monika Neymann: czasownik, przyimek, słowotwórstwo.

Sformułowania dotyczące określnika (s. 17), zestawienia konstrukcji there + be i it + be (s. 137) oraz struktury zdań z dwoma dopełnieniami (s. 143) zaczerpnięto — za zgodą autorki — z nie drukowanych materiałów dr J. Smólskiej.

Autorki

CZĘŚĆ PIERWSZA

Formy wyrazów i struktura grup wyrazowych

Wybrane zagadnienia

---

1. Określnik—the Determiner

W języku angielskim wyróżnia się klasę wyrazów, które towarzyszą rzeczownikowi podobnie jak przymiotniki, lecz różnią się od przymiotników tym, że nie opisują osób lub rzeczy, lecz je wskazują, identyfikują, klasyfikują, wyliczają itp.

1.1. Przedimek

Najważniejszą grupę określników stanowią przedimki — the Articles. Są to wyrazy **the** i **a/an** (forma a [ə] występuje przed wyrazami zaczynającymi się od spółgłoski, forma an [ən] przed wyrazami zaczynającymi się od samogłoski). Użycie przedimków jest ściśle związane z podziałem rzeczowników na tzw. Count Nouns i Non-Count Nouns (patrz rozdz. 2.1.).

1.1.1. Przedimek nieokreślony

Przedimek nieokreślony występuje przed rzeczownikami typu Count, tj. nazwami rzeczy policzalnych, w liczbie pojedynczej. Oto jego główne zastosowania:

Przedimek nieokreślony **a/an** stawiamy przed rzeczownikiem, gdy chcemy powiedzieć, że mamy na myśli pewien pojedynczy egzemplarz spośród rzeczy (osób, zjawisk) o danej nazwie. Na przykład:

John has bought a car.
John kupił samochód.

I met a girl at a party last Saturday.
Poznałem (pewną) dziewczynę na przyjęciu w zeszłą sobotę.

Dla mówiącego (piszącego) osoba lub rzecz, której nazwę wymienia, może być w pełni zidentyfikowana, znana, „określona", ale jego rozmówca (czytelnik) dowiaduje się tylko o jaki rodzaj osoby lub rzeczy chodzi. Możemy ten rodzaj sprecyzować dokładniej, dodając do rzeczownika przydawki. Nie zmienia to jednak istoty przekazywanej informacji i nie powoduje zmiany przedimka.

John has bought a new car.
John kupił nowy samochód.

John has bought a very expensive sports car.
John kupił bardzo kosztowny samochód sportowy.

I met a charming French girl at a garden party last Saturday.
Poznałem czarującą młodą Francuzkę na garden party w zeszłą sobotę.

Rzeczowniki w liczbie mnogiej przeważnie występują w takich sytuacjach z określnikiem **some.** Na przykład:

John has bought some flowers for his girl-friend.
John kupił kwiaty dla swojej dziewczyny.

I met some very interesting people at a party last night.
Poznałem bardzo interesujących ludzi na przyjęciu w zeszłą sobotę.

Określnik **some** występuje w tego typu wypowiedziach także przed rzeczownikami typu Non-Count (które, jak wiadomo, występują tylko w liczbie pojedynczej — patrz rozdz. 2.1.).

John has bought some wine for our party.
John kupił wino na nasze przyjęcie.

Można więc powiedzieć, że w powyższym zastosowaniu przedimek nieokreślony **a/an** przed rzeczownikiem typu Count w liczbie pojedynczej ma jako odpowiednik określnik **some** przed rzeczownikami typu Count w liczbie mnogiej i przed rzeczownikami typu Non-Count.

Drugim ważnym zastosowaniem przedimka nieokreślonego jest jego użycie przy stwierdzaniu przynależności danej rzeczy (osoby, zjawiska itp.) do takiej a takiej klasy rzeczy (osób, zjawisk itp.). Na przykład:

John Smith is a singer.
John Smith jest śpiewakiem.

Gold is a metal.
Złoto jest metalem.

Przez dodanie przydawek do rzeczownika możemy ograniczyć klasę, do której zaliczamy daną rzecz (osobę, zjawisko itp.), ale nie wpływa to na użycie przedimka.

John Smith is an opera singer.
John Smith jest śpiewakiem operowym.

John Smith is a very talented opera singer.
John Smith jest bardzo utalentowanym śpiewakiem operowym.

John Smith is a very talented opera singer of world-wide fame.
John Smith jest bardzo utalentowanym śpiewakiem operowym o światowej sławie.

Gold is a precious metal.
Złoto jest metalem szlachetnym.

Gold is a precious yellow metal used for making coins and jewellery.
Złoto jest żółtym metalem szlachetnym używanym do wyrobu monet i biżuterii.

Rzeczowniki w liczbie mnogiej występują w wypowiedziach analogicznych do powyższych bez przedimka.

John and Peter are singers.
John i Peter są śpiewakami.

John and Peter are pop singers.
John i Peter są piosenkarzami.

John and Peter are well-known pop singers.
John i Peter są dobrze znanymi piosenkarzami.

These stones are emeralds.
Te kamienie to szmaragdy.

These stones are very fine emeralds.
Te kamienie to bardzo piękne szmaragdy.

These stones are very fine emeralds of great value.
Te kamienie to bardzo piękne szmaragdy o wielkiej wartości.

Przedimek nieokreślony **a/an** stosujemy także, gdy wymieniamy rzecz (osobę, zjawisko) mając na myśli każdy obiekt o danej nazwie. Na przykład:

An emerald is green.
Szmaragd jest zielony.

Rzeczownik w liczbie mnogiej występuje w takich sytuacjach bez przedimka:

Emeralds are green.
Szmaragdy są zielone.

Przedimek nieokreślony **a/an** może niekiedy wystąpić przed rzeczownikiem typu Non-Count, tj. nazwą rzeczy niepoliczalnej; zbliża się wtedy zna-
czeniem do wyrażenia **a kind of**... — „taki rodzaj", „pewien rodzaj". Na
przykład:

The girl spoke with courage.
Dziewczyna przemówiła z odwagą.

The girl spoke with a courage which surprised everybody.
Dziewczyna przemówiła z (taką) odwagą, która wszystkich za-
dziwiła.

1.1.2. Przedimek określony

Użycie przedimka **the** przed rzeczownikiem wskazuje, że mówiący (pi-
szący) ma na myśli wybrany, konkretny, zidentyfikowany egzemplarz rzeczy
(osoby, zjawiska itp.) o danej nazwie i zakłada, że jego słuchacz (czytelnik)
wie, o który egzemplarz chodzi.

Dzieje się tak w następujących okolicznościach:

a) Obiekt (lub zbiór obiektów) został już wskazany w rozmowie (opowiadaniu). Mówiąc o nim w dalszym ciągu poprzedzamy jego nazwę przedimkiem określonym. Na przykład:

I have bought a scarf and some handkerchiefs.
The scarf will be a very good present for Mary. I'll keep the
handkerchiefs for myself.

Przedimka określonego użyjemy także, gdy dla wymienionego już obiektu
użyjemy innej nazwy wymieniając go ponownie. Na przykład:

The Smiths have a son.   The boy is very keen on sport.
Państwo Smith mają syna.   Chłopiec bardzo interesuje się
                             sportem.

b) W danym otoczeniu, okolicy, kręgu naszych doświadczeń lub zain-
teresowań znajduje się tylko jeden obiekt (lub grupa obiektów) o danej
nazwie:

Gdy w klasie jest jedna tablica, nauczyciel powie:

Come to the blackboard, please.
Podejdź do tablicy, proszę.

Gdy w mieście jest jeden dworzec kolejowy, powiemy:

Let's meet at the station.
Spotkajmy się na dworcu.

O słońcu powiemy **the sun,** ponieważ w naszym codziennym doświadczeniu chodzi o jedno słońce wszystkim dobrze znane.

c) Rzeczownik występuje z przydawką, która ogranicza zakres odnoszenia się tego rzeczownika do jednego obiektu. Na przykład:

> The capital of England.
> Stolica Anglii.

> The head of our department.
> Kierownik naszego wydziału.

> The man who wrote this letter.
> Człowiek, który napisał ten list.

Uwaga: Nie zawsze przydawka w postaci zwrotu z przyimkiem **of** ma funkcję identyfikującą. Porównajmy:

> the head of the department
> kierownik wydziału (wydział ma jednego kierownika)

> a member of our club
> członek naszego klubu (klub nasz ma wielu członków).

Podobnie ma się rzecz ze zdaniami przydawkowymi. Porównajmy:

> the man who wrote this letter
> człowiek, który napisał ten list (list miał jednego autora)

> a man who knows seven languages
> człowiek, który zna siedem języków (ludzi znających siedem języków może być więcej).

1.1.3. Nieobecność przedimka

Brak przedimka, czyli tzw. przedimek zerowy, występuje w następujących wypadkach:

a) przed rzeczownikami typu Count w liczbie mnogiej, gdy mowa jest o przynależności obiektów do takiej a takiej klasy obiektów — patrz przykłady w rozdz. 1.1.1:

> John and Peter are singers.
> John i Peter są śpiewakami.
> These stones are emeralds.
> Te kamienie to szmaragdy.

b) Przed rzeczownikami typu Non-Count — jak np.: music, courage, history, tea, silk — gdy mówimy o danych pojęciach oderwanych lub substancjach w sensie ogólnym, nie ograniczając się do konkretnego przypadku ich występowania. Na przykład:

John is studying history.
John studiuje historię (w ogóle historię, przedmiot zwany historią).

I always drink tea for breakfast.
Zawsze piję na śniadanie herbatę (napój zwany herbatą, herbatę a nie co innego).

Użycie przydawki z rzeczownikiem Non-Count — o ile nie ogranicza jego zastosowania do jakiegoś wybranego jednostkowego przypadku — nie pociąga za sobą konieczności użycia przedimka:

John is studying ancient history.
John studiuje historię starożytną.

I always drink China tea for breakfast.
Zawsze piję na śniadanie herbatę chińską.

Powiemy jednak:

John is particularly interested in the history of ancient Greece.
John interesuje się szczególnie historią starożytnej Grecji.

Bring in the tea, Mary.
Przynieś herbatę, Mary.

Oto przykłady niektórych szczególnych zastosowań rzeczowników i przedimków **a/an** i **the,** a także bez przedimka:

once (twice, three times, etc.) a day (week, month, etc.)
raz (dwa razy, trzy razy itd.) na dzień (tydzień, miesiąc, itd.)

sixty (eighty, etc.) miles an hour
sześćdziesiąt (osiemdziesiąt itd.) mil na godzinę

three (five, ten, etc.) pounds a yard
trzy (pięć, dziesięć itd.) funtów za jard

to play the violin (the piano, the guitar, etc.)
grać na skrzypcach (na fortepianie, na gitarze, itd.)

to have flu (mumps, pneumonia, etc.)
mieć grypę (świnkę, zapalenie płuc itd.)

to have a headache
mieć ból głowy

the blind   – niewidomi (ludzie)
the rich etc. – bogaci (ludzie) itd.
the English   – Anglicy
the French etc. – Francuzi itd.

Uwaga: Nie można użyć takiego wyrażenia, gdy wyraz określający narodowość funkcjonuje zarówno jako rzeczownik, jak i jako przymiotnik, np.:

German — niemiecki, a German — Niemiec, Germans — Niemcy
American — amerykański, an American — Amerykanin, Americans —
Amerykanie itd.

> to be at school (at college, in hospital)
> być w szkole (w uczelni, w szpitalu)

> To go to school (to college, to hospital)
> iść do szkoły (do uczelni, do szpitala)

> to travel by train (by bus, by car, by plane)
> podróżować pociągiem (autobusem, samochodem, samolotem)

1.1.4. Przedimki przed imionami własnymi

Imiona własne najczęściej nie są poprzedzane przedimkiem. Przed nie-
którymi jednak występuje przedimek określony **the**, a mianowicie
   a) przed nazwiskiem w liczbie mnogiej: the Browns, the Smiths, gdy mamy
na myśli małżonków lub całą rodzinę o danym nazwisku;
   b) przed nazwą kraju w liczbie mnogiej i taką, w której skład wchodzi
rzeczownik pospolity, np.: the United States of America, the Commonwealth
of Independent States, the Netherlands, the West Indies;
   c) przed nazwami łańcuchów górskich i archipelagów: the Alps, the
Himalayas, the Falklands, the Philippines;
   d) przed nazwami rzek: the Thames, the Nile, the Mississippi;
   e) przed nazwami oceanów i mórz, np.: the Baltic (Sea), the North Sea,
the Atlantic (Ocean);
   f) przed nazwami statków: the Titanic, the Queen Mary, the Invincible;
   g) przed nazwami hoteli: the Russell (Hotel), the Ritz, the Carlton;
   h) przed tytułami gazet: the Times, the Guardian, the Observer, the
Morning Star;
   i) przed wszelkimi nazwami o konstrukcji **the** + rzeczownik pospolity
+ **of** + imię własne: the Isle of Man, the Bay of Biscay, the Lake of Geneva.

ĆWICZENIE I

Przetłumacz następujące zdania na angielski:

a) Wzór: Muszę kupić prezent dla znajomego.
           I must buy a present for a friend.

           Spotkałem znajomych na przyjęciu.
           I met some friends at a party.

1. Otrzymałem list od kuzyna.
2. Kupiłem gramofon i trochę płyt.

3. Zamierzam napisać powieść o człowieku, który mieszkał na bezludnej wyspie.
4. W pokoju było łóżko, stół i parę krzeseł.
5. Jacyś studenci chcą z tobą rozmawiać.

b) Wzór: Mój ojciec był architektem.
   My father was an architect.
   Moi bracia są muzykami.
   My brothers are musicians.

1. Ten kamień to brylant.
2. Tom Brown jest lotnikiem.
3. Te kwiaty to tulipany.
4. Nasi goście to cudzoziemcy.
5. Profesor Jones jest uczonym i wynalazcą.

ĆWICZENIE II

W następujących zdaniach uzupełnij przydawkami rzeczowniki podane tłustym drukiem:

Przykład: I have bought myself a **coat.**
   I have bought myself a warm woollen coat with a fur collar.

1. I like **films.**
2. Mary has left some **records** here.
3. We spent our last holidays in a **village.**
4. On the other side of the street there is a **house.**
5. In the park we met some **girls.**

ĆWICZENIE III

Do każdego z następujących zdań dopisz jedno lub więcej zdań na temat rzeczy (osób), których nazwy podane są tłustym drukiem.

1. When I lived in the country, I had a **cat** and a **dog.**
2. My friend George has written a **novel** and some short stories.
3. There are a few **eggs** and some **cheese** in the fridge.
4. A **boy** and a **girl** were sitting on a bench in the park.
5. The envelope contained a **letter** and some **photographs.**

ĆWICZENIE IV

Uzupełnij następujące zdania wstawiając rzeczowniki z odpowiednim przedimkiem:

1. The Vistula is ... longest ... in Poland.
2. Leeds is ... ... in England.
3. Dickens was ... famous English ... who lived in ... 19th century.

16

4. Uranium is ... radioactive ... .
5. Armstrong, Collins and Aldrin are ... who made ... first ... to ... moon
6. How do you like ... I am wearing? ... who gave it to me is going
   to be my wife.
7. ... Second World ... broke out on ... 1st September 1939.
8. ... ... of 7 and 8 is 56.
9. The Browns have bought ... new ... They are moving in next week.
10. Could you show me ... ... to ... nearest ..., please? There is ... ... just
    round the corner.

ĆWICZENIE V

Wstaw brakujące przedimki:

1. Uranium is ... name of ... radioactive element.
2. Uranos is ... name of ... planet and of ... Greek god.
3. Do you remember ... title of ... film we saw together last week?
4. „As You Like It" is ... title of ... comedy written by Shakespeare.
5. John is ... member of several clubs and ... president of ... important
   learned society.
6. Who is ... owner of that beautiful villa over there?
7. Mr. Smith is ... owner of ... house in London and of ... cottage in the
   country.
8. What was ... cause of John's absence from school yesterday?
9. Christine is ... student of English literature and ... great admirer of ...
   works of Byron.
10. Professor Watkins has ... big collection of first editions.

1.2. Inne określniki

1.2.1. Określniki dzierżawcze

Określniki dzierżawcze, tj. formy: my, your, his, her, its, our, their, charak-
teryzują się tym, że tak jak przedimki mogą wystąpić tylko łącznie z rzeczownikiem. Samodzielnie natomiast występują zaimki dzierżawcze, tj. formy:
mine, yours, his, hers (its), ours, theirs (patrz rozdz. 3. Zaimek). Zauważmy,
że forma **his** jest zarówno określnikiem, jak i zaimkiem dzierżawczym. Forma
its praktycznie nie jest używana jako zaimek.

1.2.2. Określniki wskazujące

Określniki wskazujące to wyrazy: this, that, these, those, gdy są użyte
łącznie z rzeczownikiem. Gdy występują samodzielnie, wyrazy te traktuje się
jako zaimki (patrz rozdz. 3). Do określników zaliczamy także wyraz **such.**

Przed rzeczownikiem typu Count w liczbie pojedynczej występuje on zawsze łącznie z przedimkiem nieokreślonym **a/an.** Oto przykłady użycia **such.**

> such a man — taki człowiek
>
> such a long journey — taka długa podróż
>
> such men — tacy ludzie
>
> such long journeys — takie długie podróże
>
> such courage — taka odwaga
>
> such extraordinary courage — taka niezwykła odwaga.

1.2.3. Określniki pytające i względne

Określniki pytające i względne są to wyrazy: what, which, whose, gdy są użyte łącznie z rzeczownikiem. Gdy występują samodzielnie, wyrazy te traktuje się jako zaimki (patrz rozdz. 3).

1.2.4. Określniki analogiczne do zaimków nieokreślonych

a) Some, any, no. Określnika **some** i **any** używa się z rzeczownikami typu Count w liczbie mnogiej i z rzeczownikami typu Non-Count. Użycie ich w zdaniach twierdzących pytających i przeczących jest analogiczne do użycia tych samych wyrazów jako zaimków nieokreślonych (patrz rozdz. 3.3).

Określniki **some** i **any** użyte z rzeczownikami typu Count w liczbie mnogiej spełniają podobną rolę jak określnik **a/an** z rzeczownikiem w liczbie pojedynczej (patrz rozdz. 1.1.1.).

> I have bought a new record — some new records.
>
> Kupiłam nową płytę — kilka nowych płyt.
>
> Have you bought a new record — any new records?
>
> Czy kupiłeś nową płytę — (jakieś) nowe płyty?
>
> I haven't bought a new record — any new records.
>
> Nie kupiłem nowej płyty — (żadnych) nowych płyt.

Określnik **no** występuje z rzeczownikami typu Count i Non-Count:

> This book has no title.
>
> Ta książka nie ma tytułu.
>
> This book has no pictures.
>
> Ta książka nie ma obrazków.
>
> This book is of no importance.
>
> Ta książka jest bez znaczenia.

Określnikowi **no** odpowiada zaimek **none.**

> Have you any friends?   No, I have none.
>
> Czy masz przyjaciół?   Nie, nie mam (żadnych).

Have you any money?   No, I have none.
Czy masz pieniądze?   Nie, nie mam (żadnych).

b) Each, every, either (neither), all, other, another. Wyrazy te, z wyjąt-kiem **every,** mogą także wystąpić jako zaimki (tj. samodzielnie, bez towarzy-szącego rzeczownika) — patrz rozdz. 3.3.

Porównajmy użycie **each** i **every:**

every (określnik)   every student in this group
                     każdy student w tej grupie
each (określnik)   each student of this group
                     każdy student tej grupy
each (zaimek)   each of the students in this group
                     każdy ze studentów w tej grupie
                     There are three groups and twenty students in each.
                     Są trzy grupy i po dwudziestu studentów w każdej.

Określnik **all** może wystąpić z przedimkiem **the,** przy czym **the** następuje po **all:**

        all the students of this group
        wszyscy studenci tej grupy

1.2.5. Określniki „ilościowe"

Określniki „ilościowe" można podzielić na dwie grupy. Pierwsza obejmuje wyrazy „oceniające" ilość (mało, dużo, kilka itp.), druga — wyrazy „wyzna-czające" liczbę lub ilość, czyli liczebniki.

1.2.5.1. Określniki „oceniające"

Jako główne określniki „oceniające" ilość lub liczbę występują wyrazy: many, much, few i little.

Many używamy z rzeczownikami w liczbie mnogiej, np.:

        Have you got many friends in London?
        Czy masz wielu przyjaciół w Londynie?

Much używamy z rzeczownikiem w liczbie pojedynczej, np.:
        I never drink much coffee in the evening.
        Nigdy nie piję dużo kawy wieczorem.

Many i **much** używamy głównie w zdaniach pytających i przeczących. W zdaniach twierdzących używane są częściej wyrażenia: **a lot of** lub **plenty of,** np.:

        We've got a lot of French books in our library.
        Mamy wiele francuskich książek w naszej bibliotece.

He drinks a lot of wine.
On pije mnóstwo wina.

There are plenty of restaurants in our town.
Jest wiele restauracji w naszym mieście.

There is plenty of meat in that shop.
Jest wiele mięsa w tym sklepie.

Z rzeczownikami w liczbie pojedynczej używa się też wyrażenia: a great deal of.

You have caused us a great deal of trouble.
Sprawiłeś nam bardzo dużo kłopotu.

Z rzeczownikami w liczbie mnogiej używamy także wyrażeń: a large number of, a great many.

We met a large number of actors at that party.
Spotkaliśmy wielu aktorów na tym przyjęciu.

A great many problems remained unsolved.
Wiele problemów zostało nierozwiązanych.

Little (mało), **a little** (trochę, niewiele) używamy z rzeczownikami w liczbie pojedynczej, np.:

I'm busy now but I'll have a little time tomorrow.
Jestem teraz zajęty, ale będę miał trochę czasu jutro.

I've got very little money.
Mam bardzo mało pieniędzy.

Few (niewiele), **a few** (kilka) używamy z rzeczownikami w liczbie mnogiej, np.:

There are few people who can be fully trusted.
Mało jest ludzi, którym można w pełni zaufać.

I met a few writers at that cocktail party.
Na tym przyjęciu poznałem kilku pisarzy.

1.2.5.2. Liczebniki — Numerals

Liczebniki angielskie dzielimy na dwie zasadnicze grupy:
a) liczebniki główne (Cardinal Numerals), np.:

three	– trzy	twenty-two	– dwadzieścia dwa
four	– cztery	fifty-five	– pięćdziesiąt pięć
thirty	– trzydzieści		

b) liczebniki porządkowe (Ordinal Numerals), np.:

first   – pierwszy   tenth – dziesiąty
third   – trzeci   twenty-second – dwudziesty drugi
fourth – czwarty

Ponadto rozróżniamy także:

c) liczebniki wielokrotne (Repeating Numerals), np.:

once – raz   three times (rzadziej: thrice) – trzy razy
twice – dwa razy   four times – cztery razy

d) liczebniki wielorakie (Multiplicative Numerals), np.:

twofold   – dwojaki, dwukrotny
threefold – trojaki, trzykrotny
quadruple – czworaki, poczwórny
quintuple – pięciokrotny, pięcioraki
single   – jednokrotny, jednoraki, pojedynczy
double   – dwukrotny, dwojaki, podwójny
treble lub triple – trzykrotny, trojaki, potrójny

Liczebniki główne od 1 do 12 są odrębnymi wyrazami, np.:

one   – jeden four – cztery seven – siedem ten   – dziesięć
two   – dwa   five – pięć   eight – osiem   eleven – jedenaście
three – trzy   six – sześć nine – dziewięć twelve – dwanaście

Liczebniki od 13 do 19 tworzymy przez dodanie końcówki **-teen**; należy zwrócić uwagę na liczebniki 13 i 15, które wykazują pewną nieregularność:

thirteen – trzynaście   seventeen – siedemnaście
fourteen – czternaście   eighteen – osiemnaście
fifteen – piętnaście   nineteen – dziewiętnaście
sixteen – szesnaście

Liczebniki oznaczające dziesiątki tworzymy dodając przyrostek **-ty**, np.:

twenty – dwadzieścia   sixty   – sześćdziesiąt
thirty – trzydzieści   seventy – siedemdziesiąt
forty – czterdzieści   eighty – osiemdziesiąt
fifty   – pięćdziesiąt   ninety – dziewięćdziesiąt

Uwaga: W liczebniku **forty**, utworzonym od **four**, opuszczamy literę **u**.
Liczebniki: hundred, thousand, million poprzedzamy przedimkiem **a** lub liczebnikiem **one** albo innym liczebnikiem głównym, np.:

a hundred – one hundred – sto
a thousand – one thousand – tysiąc
a million – one million – milion

two hundred dollars – dwieście dolarów
five thousand pounds – pięć tysięcy funtów
seven million people – siedem milionów ludzi

Jeżeli wyrazy: hundred, thousand, million występują jako rzeczowniki, wtedy przybierają końcówkę liczby mnogiej:

Thousands of people came to the meeting.
Tysiące ludzi przybyło na spotkanie.

My brother lost **hundreds of pounds** playing cards.
Mój brat stracił setki funtów grając w karty.

Liczebniki porządkowe tworzymy przez dodanie końcówki **th** [θ] do liczebnika głównego, np.: seven – seventh. Jednak należy tutaj uwzględnić pewne nieregularności:

one   – first   = 1st – pierwszy
two   – second = 2nd – drugi
three – third = 3rd – trzeci
five   – fifth = 5th – piąty
eight – eighth = 8th – ósmy
nine   – ninth = 9th – dziewiąty
twelve – twelfth = 12th – dwunasty

Liczebniki porządkowe oznaczające dziesiątki zmieniają końcową literę **y** na **ie** przy dodaniu końcówki **th,** np.:

twenty – twentieth = 20th – dwudziesty
seventy – seventieth = 70th – siedemdziesiąty

Ułamki wyrażamy przez użycie liczebnika głównego w liczniku, a liczebnika porządkowego w mianowniku, np.:

$^1/_3$ one third, $^3/_7$ three seven**ths,**
$^1/_5$ one fifth, $4^2/_5$ four and two fif**ths.**

Uwagi: a) Przy datach, podając rok używamy liczebnika głównego, np.: rok 1979 — (the year) nineteen hundred and seventy-nine, można opuścić słowo hundred i powiedzieć: nineteen seventy-nine.

b) Dni miesiąca podajemy za pomocą liczebników porządkowych na dwa sposoby, np.:

21st October – the twenty-first of October
October 21st – October the twenty-first – dwudziesty pierwszy października

c) Numerację podajemy w liczebnikach głównych, np.:

> room thirteen   – pokój nr 13
> page twenty-three – strona 23
> volume three   – tom trzeci

d) Gdy liczebnik z rzeczownikiem występuje łącznie jako przydawka innego rzeczownika, ma on formę liczby pojedynczej, np.:

> a six-penny stamp   – znaczek sześciopensowy
> a three-year contract – kontrakt trzyletni
> a six-year plan   – plan sześcioletni

ĆWICZENIE I

a) Uzupełnij wstawiając: a lot of, much, many, little, few:

Wzór: How ... chairs will you need?
> How many chairs will you need?

1. I work hard all day. I have ... time for amusements.
2. Have you done ... work today?
3. How ... butter will I need for that cake?
4. She's a wonderful dancer. There are ... girls who can dance as she does.
5. Although she is a very rich woman, she spends ... money on food.
6. Hurry up! We have very ... time.
7. Let me pay the bill — I have ... money because I got my wages tonight.
8. He has got ... money but ... friends. He is really a very good fellow.

b) Uzupełnij wstawiając: a lot of, much, many, a little, a few.

1. There was nothing very valuable in the handbag: a handkerchief and ... money.
2. She has made only ... mistakes in her exercise.
3. If you ate less, you wouldn't put on so ... weight.
4. It happened a long time ago. There are only ... old people in the village who can tell you about it.
5. I'm afraid there's only ... milk in that jug.
6. Come and see us tomorrow — you'll meet ... interesting people.
7. I'm very busy but I can always find ... time to help you.
8. There are ... beautiful mountain lakes in Scotland.

ĆWICZENIE II

Przetłumacz na angielski:

1. Obawiam się, że niewielu ludzi zgodzi się z tobą.
2. Czy czytałeś wiele książek na ten temat?
3. Polska ma dużo węgla i trochę rudy żelaza.
4. On otrzymuje bardzo niewiele listów, chociaż mieszka tu od pięciu lat.
5. Ile pieniędzy będziesz potrzebował?

6. On jest bardzo interesującym autorem, chociaż napisał tylko kilka powieści.
7. Jestem bardzo zmęczony, ponieważ mało spałem ostatniej nocy.
8. On czytał wiele historycznych powieści, gdy był młodym człowiekiem.
9. Ugotuję kartofle, ponieważ mam za mało ryżu.
10. Mam mało czasu i moc pracy.
11. Czy widziałeś wiele filmów w tym miesiącu?
12. Obawiam się, że nie zdasz egzaminu; jest mało nadziei teraz, gdy zmarnowałeś (to waste) tak wiele czasu.
13. Jeżeli idziesz do miasta, kup trochę zabawek dla dzieci.
14. On pije mało mleka, ale dużo mocnej herbaty.
15. Było dzisiaj trochę słońca, ale niedużo.
16. Jak dotąd niewielu robotników ubiega się o tę pracę.
17. Nie mamy już wiele więcej do zrobienia.
18. Czy jest wiele języków trudniejszych od angielskiego?
19. Podaj mi dzbanek, proszę. Zostało tam jeszcze trochę mleka.
20. Kupiłem kilka dobrych książek w tej księgarni.

ĆWICZENIE III

Przetłumacz na angielski następujące zdania:
1. Moje krzesło jest w 14 rzędzie po prawej stronie sali.
2. Pisałem swoje sprawozdanie już dwa razy i nie zamierzam próbować po raz trzeci.
3. Mój brat ma 53 lata.
4. Postanowiłem zaoszczędzić 1/4 mojej pensji każdego miesiąca.
5. Setki ludzi widziały ten straszny wypadek na lotnisku.
6. W 1978 roku byłem w Londynie.
7. Zapłaciliśmy za ten dom ponad dwieście milionów złotych.
8. Każdy z robotników dostanie podwójną zapłatę za pracę w sobotę.
9. Otwórzcie książki na stronie 83 i przeczytajcie rozdział czwarty.
10. Bank stracił setki tysięcy funtów na tej operacji.
11. John jest 3 lata starszy od siostry, która ma 19 lat.
12. Rachunek wynosi 2348 funtów i 25 pensów.

ĆWICZENIE IV

Podaj słownie następujące liczby i daty:
22, 210, 86, 25 marca, rok 1968, strona 415, 2385 ludzi, 105 studentów.

2. Rzeczownik — the Noun

2.1. Podział rzeczowników

Rzeczowniki angielskie dzielimy na dwie grupy:

1) rzeczowniki własne (Proper Nouns), czyli imiona własne, np.: John, Mary, England, London, Smith, itp.
2) rzeczowniki pospolite (Common Nouns), np.: boy, girl, cat, table, flower, silver, medicine, itp.

Rzeczowniki własne pisze się dużą literą i na ogół nie poprzedza się ich przedimkiem. W pewnych jednak przypadkach imiona własne, szczególnie nazwy geograficzne, mogą być poprzedzane przedimkiem określonym, patrz rozdz. 1.1.4.

Rzeczowniki pospolite dzielimy na:

1) Count Nouns, czyli nazwy rzeczy policzalnych
2) Non-Count Nouns, czyli nazwy rzeczy niepoliczalnych.

Count-Nouns są nazwami oddzielnych jednostek, które występują pojedynczo lub w większej liczbie. W liczbie pojedynczej mogą być poprzedzane przedimkiem nieokreślonym **a** lub **an**; z rzeczownikiem typu Count w liczbie mnogiej przedimek nieokreślony nie występuje. Mówi się niekiedy, że występuje on z tzw. przedimkiem zerowym, np.:

a table	– tables	a car	– cars
an egg	– eggs	an error	– errors

Non-Count Nouns są nazwami pojęć oderwanych lub substancji stanowiących jakąś niepodzielną całość, np.: water, butter, sugar, gold, air, love, freedom, whiteness, patience. Rzeczowniki tego typu nie tworzą liczby mnogiej i nie są poprzedzane przedimkiem nieokreślonym **a**.

Zarówno Count Nouns, jak Non-Count Nouns mogą wystąpić z przedimkiem **the**. Ogólne zasady użycia przedimków z rzeczownikami pospolitymi podane są w rozdz. 1.1.

Niektóre rzeczowniki angielskie mogą występować w charakterze zarówno Count Nouns, jak Non-Count Nouns, lecz wtedy mają najczęściej różne znaczenia, np.:

paper (substancja) = papier

Books are made of **paper**.
Książki zrobione są z papieru.

a paper = gazeta, dokument, referat

I am writing a **paper** on the economic problems of our country.
Piszę artykuł o problemach gospodarczych naszego kraju.
Go to the bookstall and buy **a paper**.
Idź do kiosku i kup gazetę.
Have you brought any **papers** to prove your identity?
Czy przyniósł pan jakieś dokumenty stwierdzające pana tożsamość?

iron (substancja) = żelazo
The metal parts of this machine are made of **iron**.
Metalowe części tej maszyny są zrobione z żelaza.

an iron (pojedynczy przedmiot) = żelazko;
irons = żelazka, kajdany

My **iron** is out of order, I must have it repaired.
Moje żelazko jest zepsute, muszę je oddać do naprawy.
The criminal was brought into court in **irons**.
Przestępcę sprowadzono do sądu w kajdankach.

Niektóre rzeczowniki angielskie typu Non-Count mają polskie odpowiedniki, które są nazwami rzeczy policzalnych. Te rzeczowniki angielskie nie występują z przedimkiem nieokreślonym **a** i nie tworzą liczby mnogiej, np.:

advice = rada

I don't need **advice** from you.
Nie potrzebuję twojej rady.
What's your **advice** in this matter?
Jaka jest twoja rada w tej sprawie?
It's not my duty to give **advice**.
Nie jest moim obowiązkiem dawanie rad.

information = informacja

Where can I get all the necessary **information** about the flight to London?
Gdzie mogę otrzymać wszystkie potrzebne informacje o locie do Londynu?

We need some **information** about the activity of this organization.
Potrzebujemy informacji o działalności tej organizacji.

Jeśli mamy na myśli jedną informację, wtedy mówimy: a piece of information.

furniture = meble, umeblowanie

Mr. Brown's room was full of old **furniture.**
Pokój pana Browna był pełen starych mebli.

What colour is the **furniture** in your room?
Jakiego koloru są meble w twoim pokoju?

Gdy mamy na myśli jeden mebel, mówimy:

This table is a nice piece of **furniture.**
Ten stół to ładny mebel.

progress = postęp, postępy

The boy has made great **progress.**
Chłopiec zrobił duże postępy.

money = pieniądze

All my **money** is kept in the bank.
Wszystkie pieniądze trzymam w banku.

How much **money** do you want for this work?
Ile pieniędzy chcesz za tę robotę?

news = wiadomości, nowiny

Jest to rzeczownik zawsze w liczbie pojedynczej mimo końcówki **s** tak charakterystycznej dla liczby mnogiej.

Here is the evening **news.**
Oto wiadomości wieczorne.

Is the **news** good?
Czy wiadomości są dobre?

I expected some **news** but I haven't got any.
Spodziewałem się wiadomości, ale nie dostałem żadnych.

Jeśli mamy na myśli jedną wiadomość, wtedy mówimy: a piece of news.

luggage = bagaż, bagaże.

My **luggage** is in the waiting room.
Mój bagaż jest w poczekalni.

Mary's **luggage** consists of two suitcases and a travelling bag.
Bagaż Mary składa się z dwóch walizek i torby podróżnej.

Z każdego z poniższych zdań wypisz rzeczownik pospolity i podaj, czy jest on użyty w tym zdaniu jako rzeczownik typu Count czy Non-Count:

1. If you go on like this, you'll get into difficulties.
2. The old man walked with difficulty.
3. We offered them help but they refused.
4. Are you going to the concert tonight?
5. I am very fond of classical music.
6. Could you get me some writing paper?
7. Mr. Jones has mislaid some important papers.
8. Could you come and see us tonight? With pleasure.
9. There is no life on Mars.
10. I have lived here all my life.
11. How many times did I tell you that?
12. There is no time to lose.

2.2. Formy rzeczownika

2.2.1. Forma podstawowa

W języku angielskim nie istnieje odmiana rzeczownika przez przypadki Większość rzeczowników ma tylko jedną formę, tzw. Common Form i tylko niektóre kategorie rzeczowników mają drugą formę, tzw. Possessive Form, znaną również pod nazwą dopełniacza fleksyjnego lub Saxon Genitive, czyli dopełniacza saksońskiego.

Stosunki, które w języku polskim wyraża się za pomocą przypadków, w języku angielskim wyraża się przez pozycję rzeczownika wobec innych wyrazów w zdaniu, lub przez zastosowanie przed rzeczownikiem odpowiedniego przyimka. Np.:

John loves Mary.
Jan kocha Marysię.

Mary loves John.
Marysia kocha Jana.

Everybody turned **against** Mary.
Wszyscy zwrócili się przeciw Marysi.

John gave a rose **to** Mary.
Jan dał różę Marysi.

I have a great friend **in** Mary.
Mam w Marysi wielkiego przyjaciela.

We were talking **about** Mary.
Rozmawialiśmy o Marysi.

I bought the car **of** my friend.

Kupiłem samochód mego przyjaciela.

We went there **by** car.

Pojechaliśmy tam samochodem.

Mary is cutting bread **with** a knife.

Marysia kraje chleb nożem.

Odpowiedniki polskiego dopełniacza wyrażamy zazwyczaj przyimkiem **of** (the car **of** my friend), polskiego celownika często przyimkiem **to** (John gave a rose **to** Mary), polskiego narzędnika przyimkiem **with** lub **by** (... cutting **with** a knife; ... go **by** car).

U w a g a: Odpowiednik polskiego celownika może być także wyrażony bez przyimka, jeśli rzeczownik umieszczamy bezpośrednio po czasowniku, tj. między orzeczeniem a dopełnieniem bliższym, np.:

John gave a rose to Mary.
Jan dał różę Marysi.

John gave Mary a rose.
Jan dał Marysi różę.

Mary told that story to her friends.
Marysia opowiedziała tę historię przyjaciołom.

Mary told her friends that story.
Marysia opowiedziała przyjaciołom tę historię.
(Patrz także rozdz. 9).

2.2.2. Forma "dzierżawcza"

Jedyną formą istniejącego niegdyś w języku angielskim systemu przypadków rzeczownika jest Possessive Form — forma dzierżawcza, nazywana także dopełniaczem fleksyjnym lub dopełniaczem saksońskim (Saxon Genitive). Formę dopełniacza fleksyjnego tworzymy w następujący sposób: w liczbie pojedynczej dodajemy do rzeczownika końcówkę [z], [s] lub [iz] według takich samych zasad, jakie obowiązują przy tworzeniu liczby mnogiej rzeczowników. W piśmie tę końcówkę stanowi apostrof i litera **-s**, np.:

John's wife   – żona Jana
my father's room – pokój mego ojca
St. James's Park – Park św. Jakuba
my boss's office – gabinet mego szefa

W liczbie mnogiej rzeczowniki mające końcówkę [z], [s] lub [iz] nie podlegają żadnym zmianom w mowie, a w piśmie mają w formie dzierżawczej tylko apostrof po końcowej literze, np.:

the students' holidays	– wakacje studentów
our teachers' books	– książki naszych nauczycieli
the Turners' car	– samochód państwa Turner
the actresses' dressing-rooms	– garderoby aktorek

Natomiast rzeczowniki, które w liczbie mnogiej nie kończą się na [z], [s] lub [iz], w formie dzierżawczej przybierają te końcówki w mowie, a w piśmie apostrof oraz literę **-s,** np.:

the women's dresses	– suknie kobiet
the children's paradise	– raj dzieci
gentlemen's hats	– kapelusze panów (męskie).

Rzeczowniki złożone oraz tytuły złożone z kilku wyrazów, a także złożenia z **else,** przybierają końcówkę dopełniacza fleksyjnego w ostatnim wyrazie, np.:

Elizabeth the Second's reign	– panowanie Elżbiety Drugiej
my father-in-law's car	– samochód mego teścia
the King of England's residence	– rezydencja króla Anglii
somebody else's idea	– pomysł kogoś innego

Podobnie postępujemy, gdy wymieniamy kilka osób posiadających coś wspólnie i łączymy ich nazwy spójnikiem **and,** np.:

Messrs Brown and Company's warehouse.
Skład (magazyn) firmy Brown i Spółka.

Lilian and Andrew's parents.
Rodzice Lilian i Andrzeja.

John and Mary's aunt.
Ciotka Janka i Marii;

powiemy jednak

John's and Mary's books – gdy chodzi oddzielnie o książki **John**a
i o książki Mary.

Dopełniacz fleksyjny stosujemy przede wszystkim w odniesieniu do rzeczowników oznaczających osoby i inne stworzenia żywe, np.:

my sister's fiancé	– narzeczony mojej siostry
his father's debts	– długi jego ojca
Mr. Grant's office	– biuro pana Granta
the dog's tail	– ogon psa
the cat's fur	– futro kota

Ponadto stosujemy dopełniacz fleksyjny w określeniach czasu, przestrzeni, miary, wagi oraz wartości, np.:

30

a three weeks' holiday	— trzytygodniowy urlop
one year's pay	— zarobki roczne
a ten miles' distance	— odległość dziesięciu mil
today's newspaper	— dzisiejsza gazeta
a two days' journey	— dwudniowa podróż
a day's work	— praca jednego dnia
ten pounds' worth	— wartość dziesięciu funtów
a yard's length	— długość jednego jarda

a także w szeregu utartych zwrotów, np.:

to one's heart's content	— do woli, do syta
at arm's length	— na dystans
in the mind's eye	— w myśli, oczami wyobraźni
by a hair's breadth	— o włos
for Heaven's sake	— na miłość Boską
to be at one's wit's end	— nie widzieć wyjścia

Ponadto dopełniacza fleksyjnego używa się niekiedy przy nazwach krajów, miast, mórz, rzek oraz planet, np.:

Poland's industry	— przemysł polski
London's parks	— parki londyńskie
the Mississippi's floods	— wylewy rzeki Mississippi
the Baltic's fleets	— floty Bałtyku
the sun's eclipse	— zaćmienie słońca.

Należy tutaj zaznaczyć, że wyrażeń tych używa się raczej w stylu podniosłym, a nie w języku potocznym.

Używa się również dopełniacza fleksyjnego rzeczownika oznaczającego osobę mając na myśli dom, firmę, przedsiębiorstwo tej osoby, w takich wyrażeniach, jak:

at the baker's	— u piekarza
to the baker's	— do piekarza
at my hairdresser's	— u mojego fryzjera
to the hairdresser's	— do fryzjera
at my parents'	— u moich rodziców
at the Joneses'	— u Jonesów

Wyrazy: shop, house, place itd. można tu uważać za domyślne. Czasami stosujemy podwójny dopełniacz, a mianowicie w wyrażeniach następującego typu:

a novel of this author's	— jedna z powieści tego autora
a friend of our teacher's	— jeden z przyjaciół naszego nauczyciela

a cousin of my mother's – jeden z kuzynów mej matki
an idea of Mr. Kelly's   – jeden z pomysłów p. Kelly

ĆWICZENIE I

Zmień następujące zwroty używając dopełniacza fleksyjnego:
1. the house of my father
2. the photograph of my wife
3. the streets of our town
4. the new industries of Poland
5. the words of my guardian
6. the daughter of Mr. Brown
7. a walk of ten miles
8. the future of India
9. the opinion of our neighbours
10. the friendship of our countries
11. the car of my uncle
12. the money of our debtors
13. a journey of five days
14. the work of a hairdresser
15. a holiday of one month
16. the crown of the Queen of England
17. a leave of two years
18. the dolls of the children
19. the achievements of our scientists
20. the property of my grandparents

ĆWICZENIE II

Przekształć następujące zdania wyrażając wytłuszczone człony w dopełniaczu fleksyjnym:
1. **The brother of my friend** has already come.
2. Have you read **the new book of our teacher**?
3. We have seen **the new exhibition of our** professor.
4. **The toys of these children** were bought some weeks ago.
5. I do not like the colour of **the new hat of my sister.**
6. **The pretty girl-friend of my brother** came to see us the other day.
7. You will need **the permission of your manager** if you want to leave.
8. **The report of the chairman** was read at the meeting.
9. **The tragic fate of these people** moved us to tears.
10. **The drastic measures of the government** have not improved the situation.

ĆWICZENIE III

Przetłumacz następujące zdania na angielski stosując, gdzie to jest możliwe,
dopełniacz fleksyjny:
1. Sztuki G. B. Shawa są często wystawiane w teatrach naszego miasta.

2. Spędziliśmy trzytygodniowe wakacje w domu rodziców.
3. Samochód cudzoziemca został okradziony.
4. To nie jest mój aparat fotograficzny, to jest aparat mojej przyjaciółki.
5. Co sądzisz o obrazach Leonarda da Vinci?
6. Dom pp. Brownów stał niedaleko od rzeki.
7. Książka omawia tysiącletnią historię naszego narodu.
8. Wiele osób przybyło na ślub mojego młodszego brata.
9. Mowa prezydenta była optymistyczna.
10. Życie tego człowieka musiało być ciekawe.
11. Korony królów Anglii można zobaczyć w zamku Tower.
12. Czy spacerowałeś kiedyś po parku Św. Jakuba?
13. Przeczytałem wszystkie dzieła Shakespeare'a.
14. Gdzie jest ten sławny notes naszego nauczyciela?

2.3. Liczba rzeczownika

Rzeczowniki angielskie w przeważającej większości tworzą liczbę mnogą za pomocą końcówki. Końcówka ta wyraża się literą **s** lub literami **es,** a w mowie brzmi następująco:

[z] – gdy rzeczownik kończy się samogłoską lub spółgłoską dźwięczną (z wyjątkiem [z], [ʒ] i [dʒ]). W piśmie końcówkę tę wyrażamy literą **-s.** Np.:

a shoe – shoes   a dog – dogs
a flower – flowers   a girl – girls
a dove – doves

[s] – gdy rzeczownik kończy się spółgłoską bezdźwięczną (z wyjątkiem [s], [ʃ] i [tʃ]). W piśmie końcówkę tę wyrażamy literą **-s.** Np.:

a book – books   a month – months
a cup – cups   a gate – gates
a hat – hats   a lake – lakes

[iz] – gdy rzeczownik kończy się spółgłoską [z], [s], [dʒ], [ʒ], [ʃ] lub [tʃ]. W piśmie końcówkę tę wyrażamy literą **-s** lub gdy rzeczownik w liczbie pojedynczej kończy się na s, ss, sh, ch, x – literami **-es.** Np.:

a class – classes   a watch – watches
a box – boxes   a garage – garages
a rose – roses   a brush – brushes

Końcówki liczby mnogiej rzeczowników zakończonych literą **-o** wyraża się zazwyczaj literami **-es,** np.:

potato – potatoes
tomato – tomatoes

ale rzeczowniki pochodzenia obcego przybierają tylko literę -s, np.:

piano – pianos   photo – photos

Rzeczowniki zakończone w liczbie pojedynczej literą -y z poprzedzającą literą spółgłoskową zmieniają w liczbie mnogiej literę -y na litery -ie, np.:

country – countries   fly – flies
story   – stories   lady – ladies

Uwaga: Wyjątek stanowi rzeczownik: zloty – zlotys.

Jednakże rzeczowniki zakończone na literę -y z poprzedzającą samogłoską przybierają w liczbie mnogiej tylko literę -s, np.:

day – days   valley – valleys

Rzeczowniki zakończone spółgłoską [f] przybierają w liczbie mnogiej końcówkę [z] (zmieniając końcowe [f] na [v]). W piśmie końcowe litery -f lub -fe zmieniają się na -ves. Np.:

a wife – wives   a loaf – loaves
a life – lives   a wolf – wolves
a knife – knives   a thief – thieves
a calf – calves   a sheaf – sheaves
a shelf – shelves   a half – halves
a leaf – leaves   a scarf – scarves

ale

a cliff – cliffs   a roof   – roofs
a chief – chiefs   a handkerchief – handkerchiefs

Niektóre rzeczowniki zakończone spółgłoską [θ] (w piśmie th) zmieniają w liczbie mnogiej [θ] na [ð] i przybierają końcówkę [z]. Np.:

a path – paths [pa:ðz]   a bath – baths [ba:ðz]

ale

a death – deaths [deθs]

Uwaga: Rzeczownik **house** w liczbie mnogiej zmienia końcowe [s] na [z] – **houses** [hauziz].

Pewna grupa rzeczowników angielskich tworzy liczbę mnogą w sposób nieregularny, np.:

a man   – men   a foot – feet
a woman – women   a goose – geese
a louse – lice   an ox   – oxen
a mouse – mice   a child – children
a penny – pence

Uwaga: forma **pennies** oznacza pojedyncze jednopensówki.

Pewna grupa rzeczowników (przeważnie nazwy ryb, ptaków i zwierząt) ma tę samą formę w liczbie pojedynczej i mnogiej, np.:

a fish	– ryba	fish	– ryby
a sheep	– owca	sheep	– owce
a deer	– sarna	deer	– sarny
a salmon	– łosoś	salmon	– łososie
a trout	– pstrąg	trout	– pstrągi
a grouse	– głuszec	grouse	– głuszce

oraz

a series	– szereg	series	– szeregi, serie
a means	– środek	means	– środki, sposoby
a species	– gatunek	species	– gatunki
fruit	– owoc	fruit	– owoce

Uwaga: Forma **fishes** bywa używana tylko, jeśli chcemy określić pewną liczbę pojedynczych sztuk. Ta sama zasada obowiązuje w odniesieniu do formy rzeczownika **hairs.** Na przykład:

You will get **fish** for dinner.
Dostaniesz rybę na obiad.

John has caught two small **fishes** during the whole afternoon.
Jan złapał dwie małe ryby w ciągu całego popołudnia.

Mary has beautiful **hair.**
Mary ma piękne włosy.

I found two long **hairs** in my soup.
Znalazłem dwa długie włosy w zupie.

Rzeczownik **fruit** jest o tyle charakterystyczny, że forma **fruits** jest tylko używana w przenośni; mówimy więc:

I like **fruit** after dinner.
Lubię owoce po obiedzie.

These are the **fruits** of your efforts.
To są owoce twoich wysiłków.

Niektóre rzeczowniki występują tylko w liczbie mnogiej, np.:

trousers	– spodnie
scissors	– nożyczki
goods	– towary
spectacles	– okulary
thanks	– dzięki

riches   – bogactwa
valuables – cenne rzeczy
clothes   – ubranie, odzież; natomiast: a cloth – obrus, ścierka;
                  cloth – sukno, materiał
glasses   – okulary; natomiast: a glass – szklanka; glass – szkło

Inne rzeczowniki (przeważnie nazwy niektórych nauk) mimo końcówki -s charakterystycznej dla liczby mnogiej występują w liczbie pojedynczej, np.:

mathematics – matematyka
physics   – fizyka
politics   – polityka

Mówimy:

Politics is an interesting subject.
Polityka jest ciekawym tematem.
Mathematics is taught very well in this school.
Matematyka jest dobrze wykładana w tej szkole.

Uwaga: **Statistics** występuje jako rzeczownik w liczbie pojedynczej, gdy oznacza **naukę,** ale jako rzeczownik w liczbie mnogiej, gdy oznacza **dane statystyczne,** np.:

Statistics **is** an important subject in my school.
Statystyka jest ważnym przedmiotem w mojej szkole.
The statistics of road accidents in the last five years **are** very depressing.
Statystyka wypadków drogowych w ostatnich pięciu latach jest bardzo przygnębiająca.

Następujące rzeczowniki występują przeważnie w liczbie mnogiej:
earnings – zarobki
wages   – pobory, zarobki, płace
lodgings – mieszkanie

Należy także zwrócić uwagę na rzeczownik **people,** który znaczy **ludzie** i jest traktowany jako rzeczownik w liczbie mnogiej. Jednakże rzeczownik ten może również oznaczać **lud, naród, plemię** i wtedy jest traktowany jako rzeczownik liczby pojedynczej.
Mówimy:

The Browns are very nice **people.**
Państwo Brown to bardzo mili ludzie.
The **peoples** of many countries suffer hunger and disease.
Ludy wielu krajów cierpią głód i choroby.

Niektóre rzeczowniki obcego pochodzenia (głównie łacińskiego i greckiego) zachowały formę liczby mnogiej charakterystyczną dla języka, z którego pochodzą, np.:

agenda (l. mn. wyrazu łac. agendum) — porządek dzienny

an erratum	– błąd	errata	– błędy
a crisis	– kryzys	crises	– kryzysy
a phenomenon	– zjawisko	phenomena	– zjawiska
a stimulus	– bodziec	stimuli	– bodźce
a thesis	– teza, dysertacja	theses	– tezy, dysertacje
a datum	– dana	data	– dane
an index	– wykaz, kartoteka, wskaźnik	indexes indices	– wykazy, kartoteki – wskaźniki
a formula	– formuła, wzór	formulae lub formulas	– formuły, wzory

Uwaga: Wyraz **data** bywa także używany jako rzeczownik w liczbie pojedynczej (zwłaszcza w Stanach Zjednoczonych), np.:
This **data** is absolutely true.

Niektóre rzeczowniki, mimo formy liczby pojedynczej, nie oznaczają jednostki, lecz zbiorowość i dlatego nazywamy je rzeczownikami zbiorowymi (Collective Nouns), np.:

a jury	– sąd przysięgłych, sąd konkursowy	a team	– zespół
		a class	– klasa
a crew	– załoga	a family	– rodzina

Wyżej wymienione i im podobne rzeczowniki zbiorowe mogą oznaczać w zdaniach bądź pewną całość i wtedy występują z czasownikiem w liczbie pojedynczej, bądź też pewną liczbę poszczególnych jednostek i występować z czasownikiem w liczbie mnogiej, np.:

This football team **is** the best in our town.
Ta drużyna piłkarska jest najlepsza w naszym mieście.
The football team **are** having breakfast now.
Drużyna piłkarska je teraz śniadanie.
There **are** three football **teams** in our town.
W naszym mieście są trzy drużyny piłkarskie.

Rzeczowniki złożone (Compound Nouns) zazwyczaj tworzą liczbę mnogą od drugiego elementu, np.:

an armchair – armchairs   a bookcase – bookcases

Niektóre rzeczowniki złożone tworzą liczbę mnogą od pierwszego elementu, np.:

> a court-martial — courts-martial
> a passer-by — passers-by
> a father-in-law — fathers-in-law

Niektóre wyjątkowo tworzą liczbę mnogą od obydwu części, np.

> woman doctor — women doctors   manservant — menservants

ĆWICZENIE I

Podaj następujące rzeczowniki w liczbie pojedynczej:

foxes	parties	teeth	housewives
negroes	chiefs	daughters-in-law	heroes
children	cargoes	workmen	oxen
swine	valleys	letters	lice
knives	mouse-traps	men-servants	calves
feet	passers-by	phenomena	
fish	mice	potatoes	

ĆWICZENIE II

Podaj rzeczowniki w nawiasach w liczbie mnogiej:
1. There are twenty (man) and five (child) in the boat.
2. Don't forget to brush your (tooth) before going to bed.
3. Have you ever seen so many (sheep) and (ox) together?
4. Statistically (woman) live longer than (man).
5. The (thief) have stolen many valuable things belonging to the hotel (guest).
6. Take your (shoe) off so that I can have a look at your (foot).
7. These are the best (stimulus) for increasing the production of (potato).
8. Have you heard about the strange (phenomenon) which were observed in the sky last night?
9. I have a lot of (nephew) and (niece) and several (god-child).
10. In the old days rich people had a large number of (man-servant) in their houses.

ĆWICZENIE III

Przetłumacz następujące zdania na angielski:
1. W tych lasach są lisy i sarny.
2. Wielu farmerów hoduje owce i woły.
3. Niektórzy ludzie boją się myszy.
4. Jeśli pójdę do dentysty, on usunie mi zapewne dwa zęby.
5. Czy czytałeś książkę Steinbecka pt. „Myszy i ludzie"?
6. W zimie owoce są zazwyczaj drogie.
7. Mary kupuje ubranie w Londynie.

8. Myślę, że te spodnie są za ciasne.
9. Kto zaniesie nasz bagaż do pociągu?
10. Te meble kosztowały masę pieniędzy.
11. Towar zostanie wysłany jutro.
12. Moja ciotka ma trzy córki i tyluż zięciów.
13. Nie potrzebuję twoich rad!
14. Poproś o informacje w jakimkolwiek biurze podróży.
15. Złodziej został aresztowany przez dwóch policjantów.
16. Tłumy ludzi przybyły na lotnisko, aby powitać delegację.
17. Mówią, że rodzina go poszukuje.
18. Kryzys ekonomiczny jest najważniejszym problemem dnia dzisiejszego.

2.4. Rodzaj rzeczownika

W języku angielskim nie istnieje rodzaj gramatyczny i rodzaj rzeczownika określa się według obiektu, do którego dany rzeczownik się odnosi. Rzeczownik jest rodzaju męskiego (Masculine), jeśli odnosi się do istoty żywej płci męskiej, którą określamy zaimkiem osobowym **he.** Rzeczownik jest rodzaju żeńskiego (Feminine), jeśli odnosi się do istoty żywej płci żeńskiej, którą określamy zaimkiem osobowym **she.** Wszystkie inne rzeczowniki są rodzaju nijakiego (Neuter), który określamy zaimkiem osobowym **it.**

Niektóre rzeczowniki oznaczające istoty rodzaju żeńskiego tworzy się przez dodanie końcówki **-ess** do odpowiednich rzeczowników oznaczających istoty rodzaju męskiego, np.:

actor	– aktor	– actress	– aktorka
author	– autor	– authoress	– autorka
poet	– poeta	– poetess	– poetka
master	– pan	– mistress	– pani
negro	– murzyn	– negress	– murzynka
tiger	– tygrys	– tigress	– tygrysica
waiter	– kelner	– waitress	– kelnerka
emperor	– cesarz	– empress	– cesarzowa

Ponadto istnieją pary rzeczowników, w których odrębne wyrazy oznaczają istoty męskie i żeńskie, np.:

boy	– chłopiec	– girl	– dziewczyna
man	– mężczyzna	– woman	– kobieta
son	– syn	– daughter	– córka
father	– ojciec	– mother	– matka
brother	– brat	– sister	– siostra
uncle	– wuj, stryj	– aunt	– ciotka

husband	– mąż	– wife	– żona
king	– król	– queen	– królowa
nephew	– siostrzeniec, bratanek	– niece	– bratanica, siostrzenica
monk	– zakonnik	– nun	– zakonnica

W języku angielskim istnieją liczne rzeczowniki, które mogą oznaczać istoty zarówno rodzaju męskiego, jak i żeńskiego. Określamy je jako rzeczowniki rodzaju wspólnego (Common Gender), np.:

teacher – nauczyciel, nauczycielka
friend – przyjaciel, przyjaciółka
cook – kucharz, kucharka
cousin – kuzyn, kuzynka
student – student, studentka

W razie potrzeby, aby ustalić rodzaj dodajemy odpowiednie określenia, np.:

woman teacher   she-wolf
girl-friend   male nurse

ĆWICZENIE I

Podaj odpowiedniki rodzaju żeńskiego dla następujących rzeczowników:

heir	traitor	lion
nephew	gander	murderer
waiter	step-son	poet
hero	father-in-law	prince

ĆWICZENIE II

Podaj odpowiedniki rodzaju męskiego dla następujących rzeczowników:

empress	cow	widow
wife	landlady	stewardess
bride	policewoman	aunt

ĆWICZENIE III

Zmień rzeczowniki odnoszące się do rodzaju męskiego na rzeczowniki odnoszące się do rodzaju żeńskiego:

1. My father-in-law knows many famous actors.
2. The lion attacked the tiger.
3. My uncle is the manager of a big firm.
4. Mary has a brother who is a widower.
5. The steward was asked to bring another cup of tea for my uncle.

6. My grandfather has a lovely figurine of a shepherd on his desk.
7. The waiter brought our bill.
8. "This man behaved like a hero", said the prince.
9. My son will talk to your father.
10. The postman brought me a letter from the mayor of the town.
11. I'd like you to meet my step-son.
12. The bridegroom is my twin brother.
13. The King of England was once also the Emperor of India.
14. Our host is an extremely nice man.
15. He is the heir to the old man's millions.

3. Zaimek — the Pronoun

3.1. Zaimki osobowe

Zaimki osobowe mają w języku angielskim dwie formy: formę podmiotu (Subject Form) i formę dopełnienia (Object Form). Dla form tych używa się też nazw: przypadek podmiotu (Subject Case) i przypadek dopełnienia (Object Case).

Forma podmiotu	Forma dopełnienia
I – ja	me – mnie, mi, mną
you – ty, wy	you – ciebie, tobą, was, wam, wami
he – on	him – jego, go, jemu, mu, nim
she – ona	her – jej, niej, ją, nią
it – ono	it – je, jego, go, jemu, mu, nim
we – my	us – nam, nas, nami
they – oni	them – ich, im, nimi, nich

We know him and he knows us.
Znamy go i on zna nas.

We are cooking dinner for them.
Gotujemy dla nich obiad.

I'm talking to you. Listen to me.
Mówię do ciebie. Słuchaj mnie.

Formę dopełnienia stosujemy, gdy zaimek występuje jako dopełnienie czasownika, zarówno tzw. dopełnienie bliższe (odpowiadające na pytanie kogo? co?), jak i tzw. dopełnienie dalsze (odpowiadające na pytanie komu? czemu?), np.:

I know John. I know him.
Znam Johna. Znam go.

I gave John a book. I gave him a book.
Dałem Johnowi książkę. Dałem mu książkę.

Formę dopełnienia stosujemy także, gdy zaimek osobowy występuje po przyimku, np.:

We must find that book for him.

Musimy znaleźć dla niego tę książkę.

They are talking about her.

Mówią o niej.

This chair is broken, don't sit on it!

To krzesło jest złamane, nie siadaj na nim!

There is a beautiful valley in front of us.

Przed nami rozpościera się piękna dolina.

Wait a minute, don't leave without me!

Zaczekaj chwilę, nie wychodź beze mnie.

Uwaga: Co się tyczy pozycji w zdaniu dopełnienia wyrażonego zaimkiem osobowym, patrz: Zdania z dwoma dopełnieniami, rozdz. 9.

ĆWICZENIE

a) Odpowiedz na pytania zastępując imiona i nazwiska odpowiednimi zaimkami:

Wzór: Will you bring Mr. Smith his glasses? Yes, ... Yes, I'll bring him his glasses.

1. Will you buy Mary a new hat? Yes, ...
2. Are you telephoning Henry? No, ...
3. Do you know Mr. Wilson? No, ...
4. Have you ever met Mr. Rogers and Mr. Smith? No, I ...
5. Has Helen given you the bill, Stephen? No, she ... yet.
6. Aren't you going to listen to Tom? No, I ...
7. Will you ask Stella and George to the party? Yes, ...

b) Wstaw zaimek osobowy we właściwej formie:

1. Have you ever met Mary? Yes, I met ... a few years ago.
2. Where are they? I can't see ... Oh, yes! John is talking to ... I think he wants ... to go to the cinema with ...
3. We have already heard the news. Yesterday Henry told ... about Ann's marriage. Shall we write to ...?
4. She never tells the truth. I don't believe ... any longer.
5. I would like to talk to you, John. Could you come to see ... tomorrow?

3.2. Zaimki dzierżawcze

Odpowiedniki polskich wyrazów: mój, twój etc. mają w języku angielskim różne formy, w zależności od tego, czy występują łącznie z rzeczownikiem, czy też samodzielnie. Łącznie z rzeczownikiem występują tzw. określniki

dzierżawcze: my, your, his, her, its, our, your, their, natomiast zaimki dzierżawcze: mine, yours, his, hers, its, ours, yours, theirs występują samodzielnie.

Określniki dzierżawcze	Zaimki dzierżawcze
my	mine
your	yours
his	his
her	hers
its	—
our	ours
your	yours
their	theirs

This is your seat, and that is mine.
To jest twoje miejsce, a to moje.
His summary is pretty well written, but hers is much more interesting.
Jego streszczenie jest nieźle napisane, ale jej jest o wiele bardziej interesujące.

ĆWICZENIE

Uzupełnij według wzoru:

It's her umbrella, isn't it? No, ... (I).
No, it isn't hers, it's mine.

1. It's his towel, isn't it? No, ... (you).
2. It's their house, isn't it? No, ... (we).
3. These shoes are yours, aren't they? No, ... (he)
4. It's your car, isn't it? No, ... (they)
5. It's your dog, isn't it? No, ... (he)
6. It's your dress, isn't it? No, ... (she)

3.3. Zaimki nieokreślone

Wyrazy **some** i **any** mogą wystąpić jako określniki, tj. mogą poprzedzać rzeczownik, np. I've got **some** news from him. There's **some** sugar on the table. Are there **any** letters for me?

Wyrazy **some** i **any** mogą też wystąpić jako zaimki, np.: Have you got any letters from Poland? Yes, I've got **some**. Last month I got some news from Henry. Oh, but have you got **any** more since then?

Wyraz **some**, a także złożenia, **somebody** (ktoś), **something** (coś), **somewhere** (gdzieś) występują w zdaniach twierdzących; wyraz **any,** a także złożenia,

anybody (ktoś, ktokolwiek), **anything** (coś, cokolwiek), **anywhere** (gdzieś, gdziekolwiek) występują w zdaniach pytających i przeczących.

Wyrazy **no**, a także złożenia **nobody** (nikt), **nothing** (nic) oraz **nowhere** (nigdzie) występują w zdaniach przeczących. Zdania przeczące mogą mieć dwojaką postać: a) albo zawierają wyrazy **any, anybody, anything, anywhere** i wówczas orzeczenie występuje w formie przeczącej, b) albo zawierają wyrazy przeczące **no, nobody, nothing, nowhere** i wtedy w orzeczeniu nie występuje przeczenie.

There is somebody in this room.
W tym pokoju ktoś jest.

Is there anybody in this room?
Czy jest ktoś w tym pokoju?

There isn't anybody in this room.
There is nobody in this room.
W tym pokoju nie ma nikogo.

He has lost something.
On coś zgubił.

Has he lost anything?
Czy on coś zgubił?

He hasn't lost anything.
He has lost nothing.
On niczego nie zgubił.

I've seen him somewhere in town.
Widziałem go gdzieś na mieście.

Have you seen him anywhere?
Czy widziałeś go gdzieś?

I have not seen him anywhere.
I have seen him nowhere.
Nie widziałem go nigdzie.

Uwaga. **Somewhere, anywhere, nowhere** są to przysłówki a nie zaimki.

ĆWICZENIE

Uzupełnij poniższe zdania wstawiając **some, any** lub **no**.
1. I am sure I don't know ... body of that name.
2. They never have ... good cakes in that cafeteria.
3. Does ... body want a drink? Yes, I think we should all like ... thing to drink.
4. But I thought you wouldn't have ... thing against his visit!
5. Have you seen ... good plays lately?
6. We are so tired that we hardly go ... where in the evening.

7. I haven't got ... whisky but I can offer you ... soft drinks.
8. Is there ... body waiting for you in the hotel lounge?
9. Miss Jones, there is ... body to see you.
10. ... thing cures a cold faster than a hot drink and ... aspirin.
11. I couldn't find those documents. ... body knew where they were.
12. Paul was so busy that he didn't have ... time for lunch.
13. Are you going ... where on Sunday?
14. Mary is very sorry she can't ask us to stay for the weekend but she has ... where to put us up.
15. Do you have ... friends in Vienna? Yes, I have ... friends there.
16. Don't listen to ... thing John says!
17. No, I'm afraid I don't know ... body in Spain.
18. Have you got ... money in the bank? Yes, I've got ...

3.4. Zaimki zwrotne

Wyrazy: myself, yourself występują jako zaimki zwrotne odpowiadające polskim zaimkom: się, siebie, sobie, sobą. W odróżnieniu od języka polskiego w języku angielskim każdemu zaimkowi osobowemu odpowiada oddzielna forma zaimka zwrotnego: I – myself, you – yourself, he – himself, she – herself, it – itself, we – ourselves, you – yourselves, they – themselves.

Uwaga: W drugiej osobie liczby pojedynczej – yourself, w drugiej osobie liczby mnogiej – yourselves.

> Have you hurt yourself?
> Czy coś sobie zrobiłeś?
>
> Don't be sorry for yourselves.
> Nie rozczulajcie się nad sobą.

ĆWICZENIE

Wstaw odpowiedni zaimek zwrotny:
1. I'm afraid Mary has hurt ...
2. David has cut ... again.
3. Can you see ... in that part, Alan?
4. You look very pale, Helen! You must have tired ... out.
5. We'll stay with your mother and we'll make ... useful.
6. Children shouldn't play with knives because they can cut ...
7. We have found ... a new flat.
8. Have a good journey, Lucy, and look after ... .

3.5. Zaimki emfatyczne

Wyrazy: myself, yourself, himself, herself, itself, ourselves, yourselves, themselves występują również w funkcji tzw. zaimków emfatycznych odpowiadających polskim sam (samodzielnie), sama (samodzielnie) itp., np.:

> You ought to invite John yourselves.
> Powinniście sami zaprosić Johna.

ĆWICZENIE I

Wstaw odpowiedni zaimek:
1. I've read the story you've written. Now I'm going to write a story ... .
2. I can't help them. Let them do the job ...
3. We have no money to pay the painters. We'll do up the flat ...
4. Do you know why John has lost his job? I'm afraid he doesn't know it ...
5. You can't ask Father to help you, you must write your homework ...
6. Don't do any shopping for Sophie, she will do it ... later.

ĆWICZENIE II

Przetłumacz na angielski:
a) 1. Czy dobrze bawiliście się na przyjęciu?
2. Moja córka kupiła sobie nowy samochód.
3. Czy zatrzymasz tę książkę dla siebie?
4. Ciasto jest na stole, proszę, poczęstujcie się.
b) 1. Sami poszukamy naszych okryć.
2. On sam to powiedział.
3. Obawiam się, że sam będę musiał to zrobić.
4. Sam dyrektor szkoły kazał nam iść do domu.

4. Przymiotnik—the Adjective

4.1. Formy przymiotnika

W języku angielskim przymiotniki mają jedną formę bez względu na liczbę i rodzaj rzeczownika, do którego się odnoszą.

An interesting man	interesting men
ciekawy człowiek	ciekawi ludzie
an interesting woman	interesting women
ciekawa kobieta	ciekawe kobiety
an interesting book	interesting books
ciekawa książka	ciekawe książki

Przymiotniki występujące jako przydawki zawsze poprzedzają rzeczownik, do którego się odnoszą, np.:

a difficult problem – trudny problem
modern music   – muzyka współczesna
the Polish language – język polski

Wiele imiesłowów teraźniejszych i przeszłych funkcjonuje także jako przymiotniki, np.:

interesting work   – ciekawa praca
a surprising idea – zaskakująca myśl
the defeated army – zwyciężona armia
a broken heart   – złamane serce

Niektóre przymiotniki mają tę samą formę co przysłówki, np. fast – szybki, szybko, early – wczesny, wcześnie (patrz rozdz. 5. Przysłówek).

ĆWICZENIE I

Zaprzecz poniższym wypowiedziom, wprowadzając przymiotnik o znaczeniu przeciwnym:

Wzór: A. The concert hall was very crowded.
      B. Oh no. It was almost empty.

1. A. Jim likes an early breakfast.
   B. Not at all. He likes ... .
2. A. The dishes in the cupboard are dirty.
   B. Impossible. They must be ... .
3. A. It's a very deep lake.
   B. You're wrong. It's quite ... .
4. A. I hope this knife is sharp enough.
   B. Unfortunately it's rather ... .
5. A. Your children seem very quiet.
   B. Oh no. They are rather ... as a rule.
6. A. John is a careless driver, I'm afraid.
   B. You're wrong. He is usually very ... .

ĆWICZENIE II

Uzupełnij następujące zdania przymiotnikami o formie imiesłowów:

Wzór: The long walk tired me out.
       Long walks are often tiring.
       I felt very tired when I got back home.

1. The lecture interested the students.
   The subject of the lecture was very ... .
   Most students of our college are ... in politics.
2. The test confused the pupils.
   The test was both difficult and ... .
   Most of the pupils gave wrong answers because they were ... .
3. John amuses us all with his jokes.
   His jokes are usually very ... .
   Yesterday we were greatly ... by his latest joke about Professor Jones.
4. Detective stories bore me.
   A great many people like them but I find them ... .
   I remember how ... I was last Sunday when I had nothing but an Agatha Christie's novel to read.
5. Noise irritates many people.
   Many people find noise ... .
   I was greatly ... when my neighbours had a very noisy party some time ago.

4.2. Użycie przymiotników z niektórymi określnikami i przysłówkami

The

Przymiotnik poprzedzony przedimkiem **the** może funkcjonować jako rzeczownik osobowy w liczbie mnogiej, np. the poor — biedni (ludzie), the rich — bogaci (ludzie), the sick — chorzy (ludzie).

The poor are sometimes happier than the rich.

Biedni są czasem szczęśliwsi od bogatych.

The sick were sent from the camp to hospital.

Chorzy zostali odesłani z obozu do szpitala.

Szczególnie często w takim zastosowaniu występują przymiotniki: poor, rich, old, young, blind, deaf, dumb, unemployed.

So

Przysłówek **so** występuje przed przymiotnikiem nie stanowiącym przydawki rzeczownika, a także przed innym przysłówkiem.

I feel so happy that I want to sing.

Czuję się tak szczęśliwy, że chce mi się śpiewać.

Are those children always so noisy?

Czy te dzieci są zawsze tak hałaśliwe?

You speak so fast that I can't understand you.

Mówisz tak szybko, że nie mogę cię zrozumieć.

Such

Określnik **such** występuje przed przymiotnikiem stanowiącym przydawkę rzeczownika. Jeśli rzeczownik jest nazwą rzeczy policzalnej (tj. typu Count) w liczbie pojedynczej, określnikowi **such** towarzyszy przedimek **a/an**.

I have never seen such a good film before.

Nigdy przedtem nie widziałem tak dobrego filmu.

Jeśli rzeczownik jest nazwą rzeczy policzalnej w liczbie mnogiej lub nazwą rzeczy niepoliczalnej (tj. typu Non−Count), określnikowi **such** nie towarzyszy żaden przedimek.

It is a great nuisance to have such noisy neighbours.

To bardzo nieznośne mieć tak hałaśliwych sąsiadów.

We seldom have such bad weather.

Rzadko miewamy tak brzydką pogodę.

How

Przysłówek **how** występuje przed przymiotnikiem nie stanowiącym przydawki rzeczownika, a także przed innym przysłówkiem.

How brave you are!

Jaki odważny jesteś!

How little we know about each other!

Jak mało o sobie wiemy!

What

Określnik **what** występuje przed przymiotnikiem stanowiącym przydawkę rzeczownika. Jeśli rzeczownik jest nazwą rzeczy policzalnej w liczbie pojedynczej, określnikowi **what** towarzyszy przedimek **a/an.**

What a beautiful view!
Jaki piękny widok!

Jeśli rzeczownik jest nazwą rzeczy policzalnej w liczbie mnogiej lub nazwą rzeczy niepoliczalnej, określnikowi **what** nie towarzyszy żaden przedimek.

What fools we were!
Jakimi głupcami byliśmy!
What terrible injustice!
Jaka straszna niesprawiedliwość!

Uwaga: Przysłówek **how** i określnik **what** w powyższych zastosowaniach mają charakter emfatyczny, a nie pytający.

ĆWICZENIE I

Przepisz poniższe zdania zastępując wytłuszczone wyrażenia rzeczownikami o formie przymiotnika, poprzedzonymi przez **the.**

1. You shouldn't speak ill of **dead people.**
2. **People who are old** never understand **young people.**
3. There is a special alphabet for **people who are blind.**
4. **People who are unemployed** have financial difficulties.
5. Golf is a very good game for **middle-aged people.**
6. **Strong people** should protect **weak people.**
7. **Deaf people** can be taught to communicate.

ĆWICZENIE II

Uzupełnij poniższe zdania stosując **so, such a** lub **such.**

1. They are ... good children that we never have any trouble with them.
2. The new opera house will be ... big building that there will be room in it for 2000 people.
3. You are talking ... nonsense that I really can't listen any longer.
4. Mary is ... efficient typist that there is no need to check her work.
5. Last night I was ... excited that I couldn't sleep.
6. This is ... fast car that we'll reach London by noon.
7. John and Margaret are ... good swimmers that they break all records.
8. Susan is ... good nurse that all her patients get well very quickly.
9. Mr. Black is ... funny that he makes everybody laugh.

10. It was... bad play that I left before the end.
11. Mrs. Jones grows... beautiful flowers that she wins prizes every year.
12. I'm ... hungry that I must have a sandwich.
13. Henry's car is ... old that it is dangerous to drive it.
14. Our neighbours are ... nice people that we often visit them.

ĆWICZENIE III

Uzupełnij poniższe zdania wstawiając **how**, **what** lub **wbat a/an**.

1. ... clever you were to solve that problem!
2. ... interesting story you have told us!
3. ... lucky I was to find you in that crowd!
4. ... nonsense she talks sometimes!
5. ... wide this road is!
6. ... nice it is to see you here!
7. ... beautiful eyes she has!
8. ... lovely flowers!
9. ... well she dresses!
10. ... sad news!
11. ... attractive woman your wife is!
12. ... idiotic idea!

4.3. Stopniowanie przymiotników

Przymiotniki jednosylabowe i niektóre dwusylabowe mają w stopniu wyższym końcówkę **-er** [ə] a w stopniu najwyższym końcówkę **-est** [ist], np.: fast − faster − fastest. Gdy przymiotnik kończy się literą **e**, w stopniu wyższym i najwyższym dodajemy odpowiednio litery **-r** i **-st**, np.: nice − nicer − nicest.

Przymiotniki jednosylabowe, zakończone pojedynczą literą spółgłoskową po pojedynczej literze samogłoskowej, w stopniu wyższym i najwyższym podwajają spółgłoskę, np.: big − bigger − biggest; thin − thinner − thinnest.

Przymiotniki zakończone literą **y** poprzedzoną literą spółgłoskową w stopniu wyższym i najwyższym zmieniają **y** na **ie**, np.: happy − happier − happiest (ale: gay − gayer − gayest).

Przymiotniki wielosylabowe stopniuje się poprzedzając je w stopniu wyższym wyrazem **more**, a w stopniu najwyższym wyrazem **most**, np.: intelligent − more intelligent − most intelligent.

Niektóre przymiotniki stopniuje się nieregularnie, np.:

good − better − best (dobry − lepszy − najlepszy)
bad − worse − worst (zły − gorszy − najgorszy)

Przymiotnik **far** (daleki) stopniuje się:

far – farther – farthest (w odniesieniu do odległości)
far – further – furthest (w odniesieniu do kolejności)

Uwaga: istnieje tendencja do stosowania form: further, furthest we wszystkich okolicznościach.

Przymiotnik **old** (stary) stopniuje się older – oldest, ale: elder – eldest dla zaznaczenia starszeństwa w rodzinie, np.:

my elder (eldest) brother (son, daughter etc.)
Both your sons are very tall. Which is the elder?
Obaj twoi synowie są bardzo wysocy. Który jest starszy?

ale:

My **elder** brother is three years **older** than I am.
Mój starszy brat jest trzy lata starszy ode mnie.

W zdaniach wyrażających porównanie używamy spójników: as ... as – tak ... jak, not so ... as – nie tak jak lub not as ... as [1] – nie tak jak, than – niż.

His jokes are as funny as mine.
Jego dowcipy są równie śmieszne jak moje.

April isn't usually so warm as May.
Kwiecień zazwyczaj nie jest tak ciepły jak maj.

English is a more difficult language than German.
Angielski jest trudniejszym językiem niż niemiecki.

Rzeczownik z przymiotnikiem w stopniu najwyższym często jest poprzedzony przedimkiem **the** (patrz rozdz. 1.1. Przedimek), np.:

New York is the largest city in the USA.
Nowy York jest największym miastem w Stanach Zjednoczonych.

Zestawienie

	stopień wyższy	stopień najwyższy
a) large	larger	largest
fast	faster	fastest
b) fat	fatter	fattest
big	bigger	biggest
c) easy	easier	easiest
pretty	prettier	prettiest
d) careful	more careful	most careful
expensive	more expensive	most expensive

---

[1] Wyrażenie: not as... as występuje rzadziej niż: not so... as.

e) good	better	best
bad	worse	worst
far	farther	farthest
	further	furthest
old	older	oldest
	elder	eldest

Struktura: the ... the z przymiotnikiem lub przysłówkiem odpowiada polskiemu: im ... tym. Na przykład:

The more the better.
Im więcej, tym lepiej.
The larger the flat the more expensive it is.
Im większe (jest) mieszkanie, tym więcej kosztuje.
The longer he waited the more impatient he grew.
Im dłużej czekał, tym bardziej się niecierpliwił.

ĆWICZENIE I

Na podstawie poniższych zdań utwórz porównania stosując: as ... as lub not so ... as:

Wzór: Mary and Ann are the same age.
Mary is as old as Ann.
John's flat is more comfortable than mine.
My flat isn't so comfortable as John's.

1. It's warmer in July than in March.
2. Peter's hair is longer than yours.
3. John and Henry are the same height.
4. New York is larger than London.
5. My Russian and my French are equally good.
6. The article on page five and the one on page ten are the same length.
7. Mr. Brown works harder than Mr. Smith.

ĆWICZENIE II

Uzupełnij odpowiedzi na następujące pytania, stosując stopień wyższy przymiotnika:

Wzór: X.: Is your house big enough?
Y.: No, I need a bigger one.
X.: Is your work difficult?
Y.: Yes, it's more difficult than yours.

1. X.: Is Mary a quiet girl?
Y.: I think she is ... you are.

2. X.: Is the climate healthy here?
   Y.: Yes, it's far ... in your town.
3. X.: Was "War and Peace" a good film?
   Y.: Yes, it was much ... the TV serial.
4. X.: Was the meeting interesting?
   Y.: Yes, it was far ... the conference on Friday.
5. X.: What's Tom like? Is he intelligent?
   Y.: I should say he is ... the rest of my students.

ĆWICZENIE III

Na podstawie niżej podanych informacji utwórz porównania wprowadzając przymiotniki w stopniu wyższym:

Wzór: John 82 kg. Harry 70 kg.
       John is heavier than Harry.

1. John's car 1976. My car 1981.
2. Temperatures: today 20 degrees, yesterday 26 degrees.
3. Mary 165 cm. Helen 162 cm.
4. Henry passed all his exams. Steve failed two of them.
5. Adam's composition 3 pages. Peggy's 2 pages.

ĆWICZENIE IV

Uzupełnij odpowiedzi na poniższe pytania stosując stopień najwyższy przymiotnika:

Wzór: X.: Is Sahara a big desert?
       Y.: Yes, it's the biggest desert in the world.

1. X.: Is Richard a good student?
   Y.: Yes, he is ... in his group.
2. X.: Can you tell me the title of an interesting novel?
   Y.: I think "War and Peace" is ... I've ever read.
3. X.: Can you understand this difficult text?
   Y.: No, I'm afraid it's ... I've ever seen.
4. X.: I'd like to buy a small suitcase.
   Y.: Here you are, this is ... size we've got.
5. X.: Isn't this play boring?
   Y.: Yes, I believe it's ... I've ever seen.

ĆWICZENIE V

Robisz w sklepie zakupy w towarzystwie żony, kompletując wyposażenie mieszkania. Uzupełnij dialog ze sprzedawcą:

Wzór: The shop assistant: This armchair is very comfortable.
You: I think the one over there is more comfortable.
Your wife: I believe the one in front of you is the most comfortable.

1. A.: This television set is very good.
   B.: I think the one over there is ...
   C.: I believe the one in front of you is ... .
2. A.: This refrigerator is quite big.
3. A.: This carpet is very attractive.
4. A.: This couch is very wide.
5. A.: These curtains are very fine.
6. A.: This lamp would be useful.
7. A.: This electric stove is very economical.

ĆWICZENIE VI

Przetłumacz na angielski następujące zdania:

1. Im jesteś starszy, tym więcej wiesz.
2. Im ładniejsza pogoda, tym przyjemniejsze wakacje.
3. Im gorsza droga, tym trudniejsze prowadzenie wozu.
4. Im milsza dziewczyna, tym więcej ma przyjaciół.
5. Im ciężej będziesz pracował, tym wygodniej będziesz żył.

ĆWICZENIE VII

Uzupełnij właściwą formę przymiotnika podanego w nawiasie:

1. I think Mr. Jones is (good) teacher I have ever had.
2. Your job is (dangerous) than mine.
3. The police have got (far) information about the murderer.
4. Which is (interesting) short story in this volume?
5. Helen is (pretty) than her sisters.
6. Her handwriting is even (bad) than mine.
7. I'd like you to meet Lucy, my (old) daughter.
8. On Friday I'll be as (busy) as on Thursday, but Wednesday is usually (busy) day in my office.
9. The kitchen is (warm) place in our house.
10. I like coffee as (black) as pitch.
11. Old Harry is (kind) man in our village.
12. Don't you think that professor Blake is (original) writer of our generation?
13. I didn't realize it was (long) way home.
14. This is (amusing) story I've ever heard.

Przetłumacz następujące zdania na angielski:

1. To jest najładniejszy obraz jaki kiedykolwiek widziałem.
2. Nasze wakacje nad morzem były równie przyjemne jak nasz pobyt w górach.
3. Gdzie jest najbliższa stacja benzynowa?
4. Ta sztuka jest równie interesująca jak ta, którą oglądałem wczoraj w telewizji.
5. Obawiam się, że jesteś bardziej zmęczony ode mnie.
6. Duże mieszkanie jest wygodniejsze od małego.
7. Bogaci mają często równie poważne kłopoty jak biedni.

5. Przysłówek—the Adverb

5.1. Formy przysłówka

Wiele przysłówków tworzymy od innych części mowy, np. przymiotników, imiesłowów, rzeczowników lub liczebników, przez dodanie końcówki **-ly,** np.:

bad	– badly	delighted	– delightedly
recent	– recently	first	– firstly
wrong	– wrongly	public	– publicly
day	– daily	week	– weekly

Niektóre przysłówki z końcówką **-ly** funkcjonują także jako przymiotniki, np.: daily, monthly, yearly, Tak więc mówimy:

He is paid **weekly** but I get paid **monthly.** (przysłówek)
This is my **monthly** pay. (przymiotnik)

Uwaga: Niektóre wyrazy z końcówką **-ly** nie są przysłówkami, lecz przymiotnikami, np. friendly – przyjazny; likely – prawdopodobny; homely – swojski; lovely – śliczny.

Istnieją przysłówki, które nie różnią się formą od przymiotników, np.: far, fast, long. Mówimy więc:

a **fast** train   – szybki pociąg
Henry drives **fast** – Henryk jedzie szybko

Inna grupa przysłówków ma dwie formy: jedną — nie różniącą się od przymiotnika, oraz drugą — utworzoną przez dodanie końcówki **-ly** i mającą w niektórych przypadkach zupełnie inne znaczenie. Mamy więc:

slow – slowly – wolno
loud – loudly – głośno
quick – quickly – szybko

a także:

hard	– ciężko, trudno	hardly	– zaledwie
near	– blisko	nearly	– prawie, bezmała

high – wysoko	highly – wysoce
pretty – całkiem, dosyć	prettily – ładnie
late – późno	lately – ostatnio

Mówimy:

John came **late** to our meeting.
Jan przyszedł późno na nasze zebranie.

We haven't seen you **lately.**
Nie widzieliśmy cię ostatnio.

We all work **hard.**
My wszyscy pracujemy ciężko.

Only you **hardly** work at all.
Tylko ty prawie wcale nie pracujesz.

My house is quite **near.**
Mój dom jest zupełnie blisko.

I **nearly** died of pneumonia last year.
O mało nie umarłem na zapalenie płuc w zeszłym roku.

Uwaga: Po niektórych czasownikach oznaczających czynności zmysłów, np.: look, feel, smell, taste, sound używamy przymiotnika, a nie przysłówka, np.:

The soup tastes **good.**
Zupa dobrze smakuje.

Your dress looks **beautiful.**
Twoja suknia pięknie wygląda.

Ponadto istnieją grupy przysłówków utworzonych przez dodanie przyrostków lub przedrostków, np.:

a) z przyrostkiem -wise

clockwise – według wskazówek zegara
otherwise – inaczej, w przeciwnym razie
likewise – podobnie, w podobny sposób

b) z przyrostkiem -s (są to przysłówki oznaczające kierunek i tworzone z przymiotników), np.:

northwards – na północ
southwards – na południe
backwards – w tył

c) z przedrostkiem a- (dodanym do przymiotnika lub rzeczownika), np.:

aloud – głośno, na głos

ahead – naprzód, na przodzie
apart – oddzielnie

Jest także niezbyt liczna grupa przysłówków złożonych, np.:

inside – wewnątrz	nowhere – nigdzie
outside – zewnątrz	however – jednak
moreover – co więcej	whenever – kiedykolwiek
therefore – dlatego	wherever – gdziekolwiek
sometimes – czasami	

5.2. Podział przysłówków

Przysłówki możemy podzielić według ich znaczenia na następujące grupy:

1) Przysłówki czasu (Adverbs of Time), które wskazują **kiedy** odbywa się dana czynność, czyli są odpowiedzią na pytanie: **when?**, np.:

now, then, soon, today, yesterday, early, late

Mówimy:

You must come **early.**
Musisz przyjść wcześnie.
We will write a dictation **tomorrow.**
Napiszemy dyktando jutro.

2) Przysłówki częstotliwości (Adverbs of Frequency), które wskazują **jak często** dana czynność się odbywa, czyli są odpowiedzią na pytanie: **how often?**, np.:

always, never, often, twice, once, occasionally, frequently

Mówimy:

I have **never** been to America.
Nigdy nie byłem w Ameryce.
The Browns **often** visit us on Sunday.
Brownowie często odwiedzają nas w niedzielę.

3) Przysłówki miejsca (Adverbs of Place), które wskazują **gdzie** dana czynność się odbywa, czyli są odpowiedzią na pytanie: **where?**, np.:

here, there, everywhere, up, down, away

Mówimy:

We have been **there** many times.
Byliśmy tam wiele razy.

You can find these flowers **everywhere.**
Możesz znaleźć te kwiatki wszędzie.

4) Przysłówki sposobu (Adverbs of Manner), które określają, **jak** dana czynność jest dokonywana, czyli są odpowiedzią na pytanie: **how?,** np.:

fast, well, nicely, cleverly, badly, thus

Mówimy:

I need this money **badly.**
Bardzo potrzebuję tych pieniędzy.
That was **cleverly** done.
To było sprytnie zrobione.

5) Przysłówki stopnia (Adverbs of Degree), które określają **w jakim stopniu** dana czynność jest dokonywana, czyli są odpowiedzią na pytanie: **in what degree? to what extent?,** np.:

very, rather, quite, hardly, fairly, enough, extremely, completely

Mówimy:

John was **extremely** tired.
Jan był niesłychanie zmęczony.
Your composition is **fairly** good.
Twoje wypracowanie jest dosyć dobre.

6) Przysłówki pytajne (Interrogative Adverbs), np.:

when?, where?, why?, how?

Mówimy:

When will you come again?
Kiedy znów przyjdziesz?
How do you want to get rid of this man?
Jak chcesz się pozbyć tego człowieka?

7) Przysłówki względne (Relative Pronouns), które wprowadzają zdania podrzędne, np.:

when, where, how, why, itp.

Mówimy:

That was the reason **why** I had forgotten about our appointment.
Oto dlaczego zapomniałem o naszym umówionym spotkaniu.
The accident happened **when** we were sitting in a café.
Wypadek zdarzył się, gdy siedzieliśmy w kawiarni.

8) Przysłówki wniosku, przyczyny i skutku (Adverbs of Conclusion, Reason and Consequence):

therefore, then, consequently, finally

Mówimy:

I opened the door and got in; **then** I closed the door carefully.
Otworzyłem drzwi, wszedłem, a potem zamknąłem drzwi starannie.
My boss scolded me; **therefore** I felt offended.
Mój szef zganił mnie i dlatego czułem się urażony.

9) Istnieje jeszcze grupa często używanych przysłówków, które trudno zaszeregować do którejś z wyżej wymienionych grup:

also	– także	only	– tylko
already	– już	still	– nadal, wciąż jeszcze
either	– także	too	– zbyt
else	– jeszcze	too	– także
just	– właśnie, akurat	yet	– jeszcze, już

Przysłówki powyżej podanej grupy wymagają dodatkowych objaśnień odnoszących się do ich użycia w zdaniach.

Polski wyraz **także** znajduje odpowiedniki w angielskich **also** i **too** w zdaniach twierdzących i pytajnych, natomiast **either** w przeczących. Mówimy:

I have **also** studied French.
I have studied French **too.**
Ja także studiowałem francuski.
I haven't studied French **either.**
Ja także nie studiowałem francuskiego.

Polski wyraz **już** ma odpowiedniki: **already** w zdaniach twierdzących, **already** i **yet** w zdaniach pytajnych, **no longer** w zdaniach przeczących.

Mówimy:

Mary has **already** finished work.
Mary już skończyła pracę.
Has Mary finished work **yet?**
Czy Mary skończyła już pracę?
Mr. Brown is **no longer** our boss.
Pan Brown nie jest już naszym szefem.

Polski wyraz **jeszcze** ma odpowiedniki: **still** w zdaniach twierdzących i pytajnych, a **yet** w zdaniach przeczących. Mówimy:

My brother is **still** there. – Mój brat jest tam jeszcze.
Is my brother **still** there? – Czy mój brat jeszcze tam jest?
My brother is not there **yet.** – Mego brata jeszcze tam nie ma.

Przysłówek **else** występuje w takich wyrażeniach, jak:

> somewhere else – gdzie indziej
> who else — kto jeszcze, kto inny
> something else – coś innego, coś jeszcze

oraz w wyrażeniu:

> or else – gdyż inaczej, w przeciwnym razie, a jeśli nie, to ..., np.:
> You must catch the man, **or else** he will commit another crime.
> Musicie złapać tego człowieka, gdyż inaczej popełni następną zbrodnię.
> Hurry up, **or else** you will be late for school!
> Pospiesz się, gdyż w przeciwnym razie spóźnisz się do szkoły!

5.3. Miejsce przysłówka w zdaniu

Miejsce przysłówka w zdaniu zależy od jego roli w tym zdaniu oraz od otoczenia, w którym występuje. Przysłówek modyfikujący (intensyfikujący, osłabiający, itp.) znaczenie przymiotnika, imiesłowu lub innego przysłówka stoi zazwyczaj bezpośrednio przed nim, np.:

> Mr. Smith is an **extremely** wise man.
> Pan Smith jest niesłychanie mądrym człowiekiem.
> The soldiers have planned their action **very** quickly.
> Żołnierze zaplanowali swą akcję bardzo szybko.
> The book you are talking about is **widely** read.
> Książka, o której mówisz, jest szeroko czytana.

Przysłówki czasu określonego stoją najczęściej na końcu zdania, a niekiedy na początku, np.:

> We came to London **yesterday.**
> Przybyliśmy do Londynu wczoraj.
> I want to see them **tomorrow.**
> Chcę ich zobaczyć jutro.
> **Tomorrow** we shall be in Paris.
> Jutro będziemy w Paryżu.

Przysłówki częstotliwości stoją zazwyczaj przed orzeczeniem, np.:

> I **always** get up at seven o'clock.
> Wstaję zawsze o siódmej.
> Our relatives **often** visit us on Sunday.
> Nasi krewni często odwiedzają nas w niedzielę.

Jednakże jeśli orzeczeniem jest czasownik specjalny, to przysłówek stoi po nim, np.:

Henry is **seldom** with us. – Henryk jest rzadko z nami.

Jeśli orzeczenie jest złożoną grupą werbalną, przysłówek częstotliwości stoi po pierwszym członie orzeczenia (tj. po czasowniku posiłkowym), np.:

We have **never** met him before.
Nigdy go przedtem nie spotkaliśmy.

Przysłówki miejsca stoją zazwyczaj na końcu zdania, ale jeśli prócz tego występuje przysłówek czasu, wtedy zazwyczaj najpierw stawiamy przysłówek miejsca, a po nim przysłówek czasu, np.:

We were working **there.**
Pracowaliśmy tam.
We were working **there yesterday.**
Pracowaliśmy tam wczoraj.

Przysłówki sposobu przeważnie stoją po czasowniku lub dopełnieniu czasownika, np.:

Mary sings **beautifully.**
Maria pięknie śpiewa.
Mary sings folk ballads **beautifully.**
Maria śpiewa pięknie ludowe ballady.

Przysłówki stopnia stoją zazwyczaj przed przymiotnikami oraz innymi przysłówkami, np.:

You are **perfectly** right.
Masz zupełną rację.
The exercise was **too** difficult for me.
Zadanie było zbyt trudne dla mnie.

Uwaga: Należy zwrócić uwagę na następujące przysłówki stopnia:
a) **enough** występuje po przymiotniku lub przysłówku a nie przed nim, np.:

Is it good **enough?**
Czy to jest wystarczająco dobre?
Mr. Brown will do it well **enough.**
Pan Brown zrobi to wystarczająco dobrze.

ale może wystąpić przed rzeczownikiem, np.:

We have **enough** time to get to the station.
We have time **enough** to get to the station.
Mamy dosyć czasu, aby dostać się na stację (dojechać na stację).

64

b) **only** może wystąpić w różnym miejscu w zdaniu, zależnie od tego, do którego elementu w zdaniu się odnosi. Mówimy:

Only Mary decided to write this book.
Tylko Maria (nikt inny) postanowiła napisać tę książkę.

Mary **only** helped to write this book.
Maria tylko pomogła napisać tę książkę (ale nie napisała jej sama).

Mary helped **only** to write this book.
Maria pomogła tylko napisać tę książkę (a nie recenzować ją).

Mary decided to write this book **only**.
Mary decided to write **only** this book.
Maria postanowiła napisać tylko tę książkę.

5.4. Stopniowanie przysłówków

Przysłówki stopniuje się tak jak przymiotniki:

a) przysłówki jednosylabowe i niektóre dwusylabowe przez dodanie końcówki **-er** [ə] w stopniu wyższym i **-est** [ist] w stopniu najwyższym, np.:

fast − faster − fastest = szybko − szybciej − najszybciej

ale

b) przysłówki wielosylabowe, włączając wszystkie z końcówką **-ly** z wyjątkiem **badly**, przez użycie wyrazu **more** w stopniu wyższym i **most** w stopniu najwyższym, np.:

politely − more politely − most politely = grzecznie − grzeczniej
− najgrzeczniej

Istnieje także grupa przysłówków, które podobnie jak przymiotniki są stopniowane w sposób nieregularny:

well	= dobrze	better	= lepiej	best	= najlepiej
badly	= źle	worse	= gorzej	worst	= najgorzej
much	= dużo	more	= więcej	most	= najwięcej
little	= mało	less	= mniej	least	= najmniej
far	= daleko	farther	= dalej	farthest	= najdalej
					(o przestrzeni)
		further		furthest	(inne użycia)

Konstrukcje wyrażające porównania są takie same jak z przymiotnikami, np.:

John finished his work **as quickly as** his friend.
John skończył pracę tak szybko jak jego kolega.

I can't speak **so cleverly as** you.
Nie umiem mówić tak mądrze jak ty.

John runs **faster than** the other boys.
John biega szybciej niż inni chłopcy.

5.5. Partykuły przysłówkowe

Przy omawianiu przysłówków należy wspomnieć o tzw. partykułach przysłówkowych (Adverbial Particles), zmieniających znaczenie czasowników, przy których występują, np.:

to get	– otrzymać
to get up	– wstać
to get down	– zejść
to put	– kłaść, położyć
to put off	– odłożyć, przesunąć
to put away	– sprzątnąć, schować
to give	– dać
to give away	– wydać, zdradzić
to take	– brać
to take down	– zapisać
to take off	– zdjąć
to switch	– obrócić (się)
to switch on	– zapalić, włączyć (np. prąd, radio)
to switch off	– zgasić, wyłączyć (np. prąd, radio).

Partykuły same nie ulegają zmianie wraz z formą czasownika, a więc mówimy:

I come **in**
he comes **in**
I am coming **in**
I came **in**
he has come **in**

Charakterystyczną rzeczą jest, że ten sam czasownik może występować z różnymi partykułami modyfikującymi jego znaczenie, np.:

to put on	– nałożyć
to put down	– położyć
to put aside	– odłożyć
to break in	– włamać się
to break off	– zerwać

to take up   – podjąć
to take away – zabrać

to get in   – wejść, dostać się
to get out   – wydostać się, wyjść

to ring up   – zatelefonować, zadzwonić
to ring off   – odłożyć słuchawkę

Partykuły najczęściej spełniają rolę przedrostków czasowników polskich i znając znaczenie danej partykuły możemy stosunkowo łatwo podać znaczenie całego czasownika złożonego. Czasami jednak taki czasownik złożony ma zupełnie swoiste znaczenie, którego nie można się domyślić z partykuły, np.:

to see off   – odprowadzić (kogoś odjeżdżającego)
to take in   – oszukać
to get away   – uciec
to give up   – wyrzec się (czegoś), zaprzestać (czegoś)
to give in   – ustąpić
to run down   – obmówić, oczernić
to put up   – ulokować, przenocować (kogoś)
to put up with – pogodzić się z (czymś)
to try on   – przymierzyć

Partykuła przysłówkowa czasownika przechodniego jest ruchoma, może więc występować bezpośrednio po czasowniku lub po jego dopełnieniu, np.:

This man **gave away** his friend.
Ten człowiek zdradził (wydał) swego przyjaciela.

albo

This man **gave** his friend **away.**

W przypadku gdy dopełnienie wyrażamy zaimkiem osobowym, musimy partykułę umieścić po dopełnieniu, np.:

This man **gave** him **away.**

ĆWICZENIE I

Utwórz przysłówki od następujących przymiotników:

kind	expensive	cheap	safe
foolish	immediate	happy	necessary
polite	fortunate	doubtful	profound
free	effective	broad	obvious
legal	public	tactless	regular

patient	wise	wrong	temporary
fair	right	perfect	handsome
general	willing	visible	economical

ĆWICZENIE II

Utwórz przymiotniki a następnie przysłówki od następujących rzeczowników:

sleep	trust	respect	danger
origin	use	addition	contempt
centre	joy	beauty	care
intelligence	glory	artist	heat
sorrow	anxiety	luck	hospitality

ĆWICZENIE III

Utwórz przymiotniki a następnie przysłówki od następujących czasowników:

to hope	to attract	to oblige	to obey
to hate	to cease	to wonder	to protect
to imagine	to move	to neglect	to help
to vary	to fill	to construct	to play
to thank	to possess	to anger	to please

ĆWICZENIE IV

Wstaw odpowiednio przymiotniki **good** lub **bad,** lub przysłówki **well** lub **badly**:

1. John's French pronunciation is ...
2. Our car has been ... damaged.
3. Did you sleep ... or ... last night?
4. I had a ... dream; I did not sleep ... at all.
5. You have translated these sentences very ... and I must give you a ... mark for it.
6. Do you know him ... ? Yes, but I can't tell you anything ... about him.
7. Your opinion of her is rather ... but people generally speak ... of her.
8. If you behave ... I will never invite you again.
9. This is a ... business, I can assure you.
10. Your suggestion was not ... at all but the final solution was far from ...

ĆWICZENIE V

Wstaw właściwą formę w następujących zdaniach:

1. The water in the river feels (cold, coldly) in the morning.
2. Andrew looked at us (cold, coldly).

3. It was a (slow, slowly) train and it was going (slow, slowly), stopping at each station.
4. Have you been (bad, badly) injured?
5. The motorways in your country are not (bad, badly).
6. I have tried (hard, hardly) to pass my exam.
7. We (hard, hardly) know him.
8. I haven't seen him (late, lately).
9. You should apologize when you are (late, lately).
10. My brother is somewhere (near, nearly) the river.
11. We have (near, nearly) finished.
12. The little girl smiled at me (pretty, prettily).
13. The plane was (high, highly) up in the sky.
14. We need this money (bad, badly).
15. Mother does not realize how (bad, badly) things look for us.
16. How (nice, nicely) of you to come and see us.
17. The soup smells (nice, nicely); I'm sure it's very good.
18. They came (direct, directly) after dinner.
19. Your composition is (fair, fairly) good.
20. Mr. Brown is a (high, highly) respectable man.

ĆWICZENIE VI

Wstaw brakujące przysłówki:

1. The day is bright. The sun is shining ...
2. Andrew and Mary are happy together. They are ... married.
3. That was a heroic deed. Your friend behaved ...
4. The criminal's defence was weak. He protested ...
5. Your car is really fast. But don't drive too ... !
6. Why do you think him mad? He is only ... in love with his wife.
7. Mary has a fair knowledge of French. She is also ... good at German.
8. The mountain is very high. And it is ... dangerous to climb it.
9. The man walked with heavy steps. A moment later he fell ... to the ground.
10. We have a hard job before us. We can ... finish it tonight.

ĆWICZENIE VII

Wstaw podane przysłówki we właściwe miejsce:

1. Have you been to America (ever)?
2. Do you go to the mountains (often)?
3. He comes at 4 o'clock (here, usually).
4. I have seen him drunk (never).
5. Mary has arrived (just).
6. I am able to follow you (hardly).
7. We go to bed at 11 o'clock (generally).

8. We were certain that my sister would be able to come (quite).
9. We take him with us (there, sometimes).
10. My daughter sits on my right (always).
11. We have finished our lunch (almost).
12. I have seen him angry (rarely).
13. We meet at this café (sometimes).
14. John has finished his homework (just).
15. Do you treat people like this (always)?
16. They will come again (never).
17. Will you forget this evening (ever)?
18. I have believed you (never).
19. Tom is worried about his future (often).
20. Have you written a short story (ever)?

ĆWICZENIE VIII

Utwórz przysłówki i użyj ich w odpowiednim stopniu:

1. They were driving (fast) than was necessary.
2. My father will sell this house (soon) or (late).
3. My boss expects me to work (efficient).
4. Mary answered my questions (well) than the other students.
5. Can't you walk (quick)? It is getting late.
6. Is London (near) Warsaw than Paris or (far) from it?
7. John accepted our proposal (enthusiastic) than we had expected.
8. Jane helped us very (willing).
9. The children behaved (noisy) than ever.
10. Ann was (beautiful) dressed when I saw her last.

ĆWICZENIE IX

Przetłumacz następujące zdania na angielski:

1. Mój mąż niestety dużo pije.
2. Ostatnio zwiedziliśmy wiele muzeów.
3. Takie postępowanie było wysoce niemoralne.
4. Oni nie chcą ciężko pracować.
5. Ja go prawie nie spotykam.
6. John spojrzał na nas smutno.
7. Dlaczego napisałeś ten list tak niestarannie?
8. Mary była prawie pewna, że przyjdziemy.
9. Zimne mleko dobrze smakuje w gorący dzień.
10. Zamknij drzwi cicho.
11. Mój wuj mówił coraz głośniej i nerwowo chodził po pokoju.
12. Zapłaciłem za ten dom mniej niż przypuszczasz.
13. Najlepiej przetłumaczyłeś trzecie zdanie.

14. Tomasz był niezwykle zmęczony i natychmiast się położył.
15. Czy jesteś dość silny, aby podnieść ten ciężki stół?
16. Czy zawsze wstajesz tak późno?
17. George przynosi czasami naszym dzieciom prezenty.
18. Pan Brown wkrótce wyjaśni wszystko.
19. Twój pokój nie jest dosyć duży na to przyjęcie; jednak pozostaniemy tutaj.
20. Widziałem go tylko jeden raz i to wystarczy.
21. Twoi przyjaciele po prostu zapomnieli ci o tym powiedzieć.
22. Złodziej może łatwo dostać się tutaj.
23. Jak on może prowadzić samochód, kiedy prawie nie zna przepisów?
24. Jak daleko jest do dworca kolejowego?
25. Oni rzadko przychodzą tutaj.
26. Jeszcze pamiętam, gdzie mieszkałeś 20 lat temu.
27. Sprawa została częściowo załatwiona.
28. Anna szybko wrzuciła list do skrzynki pocztowej.
29. Dlaczego piszesz tylko po jednej stronie papieru?
30. Tylko on może nas uratować.
31. Mój brat ożenił się dopiero tydzień temu.
32. Podaj mi tę książkę; chcę tylko zobaczyć jej tytuł.
33. Kobieta spojrzała gniewnie na młodych ludzi, śmiejących się głośno.
34. Dotarliśmy do teatru zbyt późno i dlatego opuściliśmy początek przedstawienia.
35. Twój przyjaciel widocznie nie chciał tutaj pozostać.

ĆWICZENIE X

Zmień poniżej podane zdania wyrażając dopełnienie zaimkiem według podanego wzoru:

Mary is trying on a new blouse.
Mary is trying it on.

1. Who has given away these people?
2. Why don't you put on your smart new hat?
3. We will give up smoking.
4. You can't put off the meeting.
5. We have put aside some books for you.

ĆWICZENIE XI

Przetłumacz następujące zdania na angielski:

1. Czy przyjdziesz na stację, aby nas odprowadzić?
2. O której wstajesz rano?
3. Zdejmij płaszcz. Tutaj jest ciepło.

4. Podnieś te papiery! Podnieś je, mówię ci.
5. Zapal światło, gdyż robi się ciemno.
6. Zerwałam nasze zaręczyny.
7. Zadzwonisz do mnie o wpół do ósmej?
8. Moja siostra sprzątnęła ze stołu puste naczynia.
9. Powiedz jeszcze raz, czego chcesz. Nie mogę tego zrozumieć.
10. Musisz rzucić palenie. To nie jest dobre dla twego zdrowia.
11. Chętnie ulokuję was u siebie na parę dni.
12. Nie chcę ich więcej widzieć, ponieważ nas obgadali.
13. Wszystko zostało zrobione. Pozwól mu odjechać.
14. Odłożyłem pieniądze, które mi dałeś.
15. Nie wierzę ci. Nie oszukasz mnie więcej.

6. Czasownik — the Verb

6.1. Formy czasownika

Większość czasowników angielskich ma pięć form:

a) Formę podstawową, która funkcjonuje jako bezokolicznik (Infinitive), jako czas teraźniejszy (Present Simple) we wszystkich osobach z wyjątkiem trzeciej osoby liczby pojedynczej oraz jako tryb rozkazujący (Imperative) dla drugiej osoby liczby pojedynczej i mnogiej (np. write, open, go itp.).

b) Formę trzeciej osoby liczby pojedynczej czasu teraźniejszego, utworzoną przez dodanie do formy podstawowej końcówki **s** lub **es** w piśmie. Zasady wymowy i pisowni tej końcówki są te same co dla końcówki liczby mnogiej rzeczowników — rozdz. 2.3.

c) Formę czasu przeszłego (Past Simple) z końcówką **ed** lub **d** (w piśmie) dla czasowników regularnych i o różnej postaci dla czasowników nieregularnych.

d) Formę **-ing,** występującą jako imiesłów czasu teraźniejszego (Present Participle), np. writing.

e) Formę imiesłowu biernego (Past Participle), która dla czasowników regularnych jest identyczna z formą czasu przeszłego (patrz rozdz. 6.3.2.3).

6.2. Podział czasowników

6.2.1. Czasowniki regularne i nieregularne

Czasowniki angielskie możemy podzielić na regularne i nieregularne.

Czasowniki regularne mają w formie Simple Past i Past Participle w piśmie końcówkę **ed,** lub — jeśli forma podstawowa czasownika kończy się na **e** — końcówkę **d.**

Końcówka ta brzmi

[d] — gdy forma podstawowa czasownika kończy się na samogłoskę lub spółgłoskę dźwięczną z wyjątkiem [d], np. bore [bo:] — bored [bo:d], please [pli:z] — pleased [pli:zd].

[t] — gdy forma podstawowa czasownika kończy się spółgłoską bezdźwięczną z wyjątkiem [t], np. help [help] — helped [helpt].

[id] — gdy forma podstawowa czasownika kończy się spółgłoską [d] lub [t], np. mend [mend] — mended [mendid), hate [heit] — hated [heitid].

Jeśli czasownik regularny w bezokoliczniku kończy się na y, to w Past i Past Participle zamienia się y na i, np. carry, carried, carried.

Czasowniki nieregularne mają albo formy Infinitive, Past i Past Participle różne (np. to write, wrote, written), albo jedną formę różną a dwie takie same (np. make, made, made), albo wszystkie trzy formy takie same (np. put, put, put).

6.2.2. Czasowniki zwykłe (leksykalne) i specjalne

Czasowniki angielskie dzieli się na zwykłe, zwane także leksykalnymi, i specjalne.

Czasowniki leksykalne wyrażają określone treści semantyczne, tj. nazywają czynności, o których mowa.

Czasowniki specjalne służą przede wszystkim do wyrażenia stosunków gramatycznych w zdaniu (np. do tworzenia zdań pytających i przeczących oraz poszczególnych czasów gramatycznych). Na przykład w zdaniu:

Do you read crime stories?
Czy czytujesz powieści kryminalne?

czasownik leksykalny **read** określa czynność, o którą chodzi, a czasownik posiłkowy **do** (w pozycji przed podmiotem) sygnalizuje konstrukcję pytającą.

Niektóre wyrazy mogą występować w funkcji zarówno czasowników leksykalnych, jak i specjalnych. Na przykład czasownik **do** występuje w znaczeniu: robić, czynić. W zdaniu:

What did you do yesterday?
Co robiłeś wczoraj?

mamy przykład użycia tego czasownika w obu funkcjach: specjalnej (w formie **did**), sygnalizującej pytanie, oraz leksykalnej (robić).

Do czasowników specjalnych należą: be, have, do, can, may, must, ought, will, shall, need, dare, used to. Czasowniki te są omówione szczegółowo w rozdz. 6.4.

6.3. Czasy gramatyczne

Z pojęciem czasownika łączy się pojęcie czasu fizycznego (time) i gramatycznego (tense). Czas fizyczny (time) to teraźniejszość (present), przeszłość (past), przyszłość (future). W obrębie każdego z tych chronologicznych podziałów rzeczywistości istnieją niuanse i aspekty, które wyrażamy za pomocą odpowiedniego czasu gramatycznego (tense) i formy (np. formy ciągłej — continuous form). Chcąc uporządkować swoje wiadomości w zakresie użycia czasów dobrze jest znać formalne zasady ich tworzenia i przypadki ich stosowania. Chcąc zaś posługiwać się nimi bardziej swobodnie odpowiednio do aktualnej potrzeby, dobrze jest widzieć jakie mamy możliwości wyrażania teraźniejszości, przeszłości i przyszłości za pomocą znanych nam czasów. Każde bowiem zagadnienie gramatyczne ma swój aspekt teoretyczno-formalny i funkcjonalno-komunikacyjny. Znając tylko teorię gramatyczną trudno jest czasem zastosować ją poprawnie w praktyce. Znając tylko praktyczne aspekty stosowania określonego czasu często ograniczamy się do przypadków najprostszych i najbardziej typowych.

6.3.1. Wyrażanie teraźniejszości

6.3.1.1. Present Simple

Czas Present Simple ma we wszystkich osobach formę podstawową, z wyjątkiem trzeciej osoby liczby pojedynczej, w której występuje końcówka **s** lub **es** (wymawiana tak jak końcówka l. mn. rzeczowników — patrz. rozdz. 2.3), np.:

> I, you, we, they — look
> He, she, it — looks

Formę pytającą w czasie Present Simple tworzymy stawiając wyraz **do**, a w trzeciej osobie liczby pojedynczej **does**, przed podmiotem zdania, np.:

> **Do you** speak English? — Czy mówisz po angielsku?
> **Does he** play bridge? — Czy on gra w brydża?

Formę pytającą w zdaniach, w których występuje jeden z czasowników specjalnych (be, have, can, may, must, ought, will, shall, need, dare) tworzymy przez odwrócenie szyku zdania stawiając odpowiednią formę tego czasownika przed podmiotem, np.:

> Can John swim? — Czy John umie pływać?
> Is Mary a teacher? — Czy Mary jest nauczycielką?

Formę przeczącą tworzymy przez dodanie do słówka **do**, **does** lub do odpowiedniej formy czasownika specjalnego wyrazu **not**, np.:

> They **do not** speak English — Oni nie mówią po angielsku.
> Tom **does not** play bridge — Tom nie gra w brydża.
> John **cannot** swim   — John nie umie pływać.

W pytaniach i przeczeniach, w których stosujemy **does** (3 os. l.p.), czasownik leksykalny występuje bez końcówki **-s/-es**.

W mowie potocznej czasowniki: do, can, be, have itd. z przeczeniem występują przeważnie w formie skróconej: don't, can't, isn't, aren't, haven't itd. Natomiast w piśmie na ogół przeważa forma rozwinięta (jak w przykładach), chyba że cytujemy rozmowy, dialogi lub czyjeś potoczne wypowiedzi.

Czasu Present Simple używamy, jeśli chcemy wyrazić, że jakieś czynności lub stany mają charakter stały lub powtarzający się. Jest to określenie bardzo szerokie i może obejmować sytuacje tak niewątpliwe, jak np.: John always uses the Colgate toothpaste (John zawsze używa pasty Colgate), jak i takie, gdzie stałe powtarzanie się tego samego zjawiska jest wynikiem praw fizycznych, np.: Water turns into ice at 0° (Woda zamarza przy zerze stopni); The sun rises in the east and sets in the west (Słońce wschodzi na wschodzie i zachodzi na zachodzie); Three and three make six (Trzy i trzy równa się sześć). Przy wyrażaniu czynności powtarzającej się czas Present Simple występuje często z przysłówkami częstotliwości (Adverbs of Frequency): always, often, sometimes, never, occasionally, itp.

Czasowniki oznaczające wrażenia zmysłowe, np.: to see, to hear, występują w czasie Simple Present także i wtedy, gdy wyrażenia takie nie mają charakteru stałego, lecz dotyczą danej chwili, np.:

> I see that you are tired.
> Widzę, że jesteś zmęczony.

Także czasowniki oznaczające stany umysłu lub uczuć występują w czasie Simple Present niezależnie od tego czy chodzi o sytuacje chwilowe, czy trwałe, np.:

> I think it's going to rain.   I think a lot about the future.
> Myślę, że będzie padać.   Myślę dużo o przyszłości.

ĆWICZENIE I

Czasowniki podane w nawiasach zastosuj w czasie Present Simple:
1. Mary (buy) a newspaper every day.
2. John always (go) to school on foot.
3. We never (drink) milk.
4. They often (visit) us.
5. We (go) to the theatre on Sunday.
6. I (smell) smoke.
7. We (like) playing bridge.
8. It often (rain) here.
9. Water (change) into steam at 100°.
10. The west wind usually (bring) rain.

ĆWICZENIE II

Przetłumacz następujące zdania na angielski:
1. Mary zawsze pije kawę na śniadanie.
2. My czasami kupujemy chleb w tym sklepie.
3. John pięknie gra na fortepianie.
4. Ten pociąg nigdy się nie spóźnia.
5. Lubię dżem, ale wolę miód.

6. W lutym zwykle jeździmy w góry.
7. Ziemia obraca się wokół słońca.
8. Nienawidzę hałasu.
9. Widzę, że jesteś zmęczony.
10. Niektórzy ludzie lubią jazz, inni wolą muzykę klasyczną.

ĆWICZENIE III

Zaprzecz faktom podanym w następujących zdaniach jak w przykładzie:

> John goes to school on foot.
> Oh no! John doesn't go to school on foot, he goes by bus.

1. Mary always watches TV in the evening; She (read) books.
2. The Browns like working in the garden; They (prefer) playing bridge.
3. John goes for a walk before breakfast; He (be) too lazy.
4. Peter always cooks his dinner himself; His mother (do) it.
5. Helen is late every time I meet her; She (be) always on time.
6. You often sit up late; You always (go) to bed early.
7. Cats play by day and sleep by night; They (do) the opposite.
8. Our teacher speaks only English to us; He often (speak) Polish too.
9. They usually do their homework well; They (make) a lot of mistakes.
10. Dogs bark at everybody; They usually (bark) at strangers only.

ĆWICZENIE IV

Zaprzecz faktom podanym w następujących zdaniach według wzoru:

> Mary cooks very well (Ona nienawidzi gotowania)
> Oh no! She does not cook well. She hates cooking.

1. Peter plays the piano very well. (On w ogóle nie gra).
2. My brother is an actor. (On jest nauczycielem).
3. They need something to eat. (Oni nie są głodni).
4. Tom sits up late. (On kładzie się spać o dziesiątej).
5. George drinks too much. (On pije tylko od czasu do czasu).

ĆWICZENIE V

Uzupełnij następujące zdania jak w przykładzie:

> John likes jazz. (Mary).
> Does Mary like jazz too?

1. Helen cooks well. (Her sister).
2. Peter speaks Spanish. (His wife).
3. We go home by bus. (You).
4. My students read the classics. (Professor Smith's students).
5. Smith is a doctor. (His son).

6. John buys all the new records. (You).

7. Mary works too much. (You).

8. Henry always helps his mother. (His mother).

6.3.1.2. Present Continuous

Czas Present Continuous tworzymy zestawiając odpowiednie formy czasownika **to be** w czasie Simple Present z imiesłowem teraźniejszym (formą **-ing**) potrzebnego nam czasownika, np.:

$$
\left.\begin{array}{l}
\text{I am} \\
\text{you, we, they are} \\
\text{he, she, it is}
\end{array}\right\} \text{writing}
$$

Formę pytającą w czasie Present Continuous tworzymy stawiając odpowiednią formę czasownika **to be** (am, are, lub is) przed podmiotem zdania np.: Are you reading a book?, Is he listening to the radio?

Formę przeczącą tworzymy przez dodanie do odpowiedniej formy czasownika **to be** wyrazu **not**, np.: I am not reading a book. He is not listening to the radio.

Czasu Present Continuous używamy przede wszystkim chcąc wyrazić, że jakaś czynność odbywa się w chwili, gdy o niej mówimy; możemy mieć na myśli okresy różnej długości, np.: Smith is writing a new book — Smith właśnie pisze nową książkę może oznaczać, że pisze w tej chwili lub też, że pisze obecnie, w ciągu bliżej nie określonej teraźniejszości.

Czasu Present Continuous używamy również mówiąc o przyszłości dla wyrażenia zamiaru lub planowego działania, np.:

Mary is going to the cinema tomorrow.
Mary idzie jutro do kina.

Czasu Present Continuous nie używamy:

a) z czasownikami wyrażającymi czynności zmysłów, np.: see, hear, smell (z wyjątkiem pewnych szczególnych zastosowań),

b) z czasownikami wyrażającymi uczucia, np.: fear, hate, love, like, detest, want, wish, etc.

c) z czasownikami wyrażającymi czynność umysłową, np.: agree, think, forget, know, realize, etc.

d) z czasownikami wyrażającymi posiadanie, np.: belong, own, possess.

ĆWICZENIE I

Czasowniki podane w nawiasach napisz w Present Continuous:

1. It (rain) hard today and the wind (blow). Take your coat and umbrella if you (go) out.

2. Don't bother me! Can't you see I (write) an important letter?

3. Listen! Somebody (knock) at the door.

4. What you (do) here? I (wait) for a friend.
5. I (leave) tomorrow very early; that is why I (pack) now.
6. John (read) a newspaper — don't disturb him!
7. How you (feel) today?
8. What the kids (do) upstairs? They (watch) television.
9. Who (make) this terrible noise in the other room? It's my son. He (listen) to his favourite records.
10. We (have) a party next Sunday.

ĆWICZENIE II

Przetłumacz następujące zdania na angielski:

1. Czytam teraz bardzo ciekawą książkę.
2. Co tam robisz na górze? Sprzątam pokój.
3. Co robią dzieci? Bawią się w ogrodzie.
4. Wyjeżdżam nad morze za tydzień.
5. Idziemy dzisiaj do teatru.
6. Właśnie piszę list.
7. Mary przyjeżdża jutro.
8. Nie przeszkadzaj mi, ja teraz słucham radia.
9. Jak się dziś czujesz?
10. O czym ty mówisz?!

ĆWICZENIE III

Z podanych w nawiasach czasowników w Present Simple i Present Continuous podkreśl formy właściwe dla danego zdania:

1. Ann (has, is having) her breakfast now.
2. We (fly, are flying) to Berlin on Monday.
3. Ann always (comes, is coming) here at 9 o'clock.
4. The children (play, are playing) in the garden; we can have some rest now.
5. Somebody (knocks, is knocking) at the door.
6. My father seldom (goes, is going) to the cinema.
7. John (knows, is knowing) a lot about cars.
8. The Smiths sometimes (call, are calling) upon us in the evening.
9. I (want, am wanting) to study medicine.
10. I (see, am seeing) that you (read, are reading) an English book.

ĆWICZENIE IV

Czasowniki podane w nawiasach wyraź w Present Simple lub Present Continuous:

1. He never (write) to his family.
2. I sometimes (visit) them but they always (pretend) they are very busy and (try) to find an excuse for going out.

3. Mary (have) her breakfast now. She always (have) breakfast at eight.
4. It always (rain) in autumn; no wonder it (rain) now.
5. I (smell) something nice. What you (cook)?
6. I (make) a chocolate cake. I always (make) one on Saturday.
7. Who is that tall man with a black beard who (look) at us? It's Mr. Smith. He (live) next door to us, and he occasionally (visit) us. He is a writer. Just now he (write) a book on famous forgers.

ĆWICZENIE V

Przetłumacz następujące zdania na angielski:

1. Czy Mary teraz ogląda telewizję? Nie, ona nigdy nie robi tego w ciągu dnia.
2. Czy znasz tego człowieka? Nie, widzę go pierwszy raz.
3. Czy mogę wziąć tę książkę do domu? Nie, nie możesz. Musisz ją przeczytać w czytelni (in the reading room).
4. Piotr powinien więcej pracować. On nie uczy się regularnie w domu, a do szkoły chodzi tylko od czasu do czasu.
5. Nie przeszkadzaj mi! Czy nie widzisz, że jestem teraz zajęta?
6. Czy John jest w domu? Nie, on teraz gra w tenisa. On zawsze gra w tenisa w poniedziałki od 17^{00} do 19^{00}.

6.3.2. Wyrażanie przeszłości

6.3.2.1. Present Perfect

Czas Present Perfect tworzymy zestawiając odpowiednią formę czasownika **to have** w czasie teraźniejszym z imiesłowem biernym odpowiedniego czasownika leksykalnego.

Oto czas Present Perfect od czasownika regularnego **to open** i nieregularnego **to write**:

$$
\left.\begin{array}{l} \text{I} \\ \text{you} \\ \text{we} \\ \text{they} \end{array}\right\} \text{have opened} \qquad \left.\begin{array}{l} \text{I} \\ \text{you} \\ \text{we} \\ \text{they} \end{array}\right\} \text{have written}
$$

$$
\left.\begin{array}{l} \text{he} \\ \text{she} \\ \text{it} \end{array}\right\} \text{has opened} \qquad \left.\begin{array}{l} \text{he} \\ \text{she} \\ \text{it} \end{array}\right\} \text{has written}
$$

Formę pytającą w czasie Present Perfect tworzymy stawiając odpowiednio **have** lub **has** przed podmiotem, np.: **I have written** this letter. **Have I written** this letter? **He has opened** the window. **Has he opened** the window?

Formę przeczącą tworzymy przez dodanie do czasownika have lub has wyrazu not, np. **I have not (I haven't) written** this letter. **He has not (he hasn't) opened** the window.

Czas Present Perfect znajduje się niejako na pograniczu czasów teraźniejszych i przeszłych. Odnosi się on bowiem do okresu czasu obejmującego chwilę obecną i rozciągającego się w przeszłość, np. I have already finished my work — właśnie skończyłem pracę. Powiązanie teraźniejszości z przeszłością może się wyrażać bezpośrednio lub pozostawać w sferze domysłu, jak zobaczymy z podanych dalej przykładów. Czasu Present Perfect używamy więc:

1. Dla wyrażenia czynności, która wprawdzie rozpoczęła się w przeszłości, lecz trwa do chwili obecnej, np.:

> Tom has worked in this firm since 1970.
> Tom pracuje w tej firmie od 1970.
>
> They have lived in London for many years.
> Oni mieszkają w Londynie od wielu lat.

Uwaga: Przyimka **since** używa się, gdy mowa o tym, od jakiego momentu czynność się odbywa, a przyimka **for**, gdy mówimy o tym, jak już długo czynność się odbywa.

2. Dla wyrażenia czynności dopiero co zakończonych, np.:
The train has just left – pociąg właśnie odjechał.
We have already finished our work – właśnie skończyliśmy naszą pracę.

3. Dla wyrażenia, że czynność, która wystąpiła w przeszłości, ma skutki w teraźniejszości, np.:

> I have just closed the window and it will be warmer in the room now
> Właśnie zamknąłem okno i teraz w pokoju będzie cieplej.
>
> He has worked too much lately and that is why he is so tired
> On zbyt dużo pracował ostatnio i dlatego jest tak zmęczony.

Uwaga: W obu tych zdaniach obecne skutki czynności przeszłej zostały wyrażone bezpośrednio. Mogą one jednak być tylko domyślne, np.:

> The Browns have bought a new car.
> Brownowie kupili nowy samochód (i teraz mają ten nowy samochód).

4. Dla wyrażenia czynności, która trwa lub powtarza się w nieograniczonym okresie tak przeszłości, jak i teraźniejszości, np.:

> I have never liked him
> Nigdy go nie lubiłem (i dalej go nie lubię).

He has always used glasses
Zawsze używał okularów (i dotąd ich używa)

Zdania wyrażane w Present Perfect często zawierają następujące przysłówki: recently, lately – ostatnio; just – właśnie, dopiero co; already – już; never – nigdy; ever – kiedykolwiek; yet – jeszcze (najczęściej w pytaniach z przeczeniem); still – jeszcze, ciągle; always – zawsze.

Oto kilka przykładów takich zdań:

John has just graduated from school
John właśnie ukończył szkołę.

I am sorry, but he has already left
Przykro mi, ale on już wyszedł.

I have never seen this man before
Nigdy przedtem nie widziałem tego człowieka.

Have you ever heard about it?
Czy kiedykolwiek o tym słyszałeś?

Haven't you finished your book yet?
Czy jeszcze nie skończyłeś swojej książki?

ĆWICZENIE I

Czasowniki w nawiasach wyraź w czasie Present Perfect:

1. You ever (hear) about it?
2. She (not come) because she is ill.
3. John (earn) a lot of money lately and so he can afford a new car.
4. Somebody (open) the window and it is very cold here.
5. He is very proud of himself because he (win) the first prize.
6. Is John in? No, he just (leave).
7. Barbara (write) to John at last?
8. I am so glad you (come)! I (not see) you for ages.
9. May I help you with your work? Thank you but I already (finish).
10. You (understand) what I want?

ĆWICZENIE II

Przetłumacz na angielski zdania w nawiasach:

1. Why isn't Mary here? (Ponieważ wyjechała do Londynu)
2. Why is Tom so tired? (Ponieważ ostatnio za wiele pracował)
3. Why can't I talk to John? (Ponieważ wyszedł z domu)
4. Why can't we open the door? (Ponieważ ktoś zamknął je na klucz)
5. Why is John so unkind? (Ponieważ on zawsze taki był)
6. Why don't you help me? (Ponieważ nas o to nie prosiłeś)

ĆWICZENIE III

Przetłumacz na angielski:

1. Wilsonowie właśnie zatelefonowali, aby powiedzieć, że nie przyjdą.
2. Skończyliśmy już pracę i idziemy do domu.
3. Przeczytałem tę książkę i myślę, że nie warto jej czytać.
4. Właśnie napisałem list do Brownów i teraz idę go wysłać.
5. Ostatnio nie widziałem żadnych interesujących filmów.
6. Czy możesz powtórzyć, co powiedziałeś?
7. Skąd wiesz, że to prawda? Mary mi powiedziała.
8. Schowałem ten list tak dobrze, że sam nie mogę go teraz znaleźć.
9. Czy słyszałeś najnowszą wiadomość? John i Mary pobrali się.
10. Czy nauczyłeś się wreszcie pływać?

ĆWICZENIE IV

Przetłumacz na angielski:
1. Mieszkamy w Warszawie od dziesięciu lat.
2. Nie byłem w Anglii od roku 1975.
3. Pan Brown pracuje w banku od dwudziestu lat.
4. Nie rozmawialiśmy z Johnem od poniedziałku.
5. Mary nie telefonowała od wczoraj wieczór.
6. Znam państwa Brownów od zeszłego lata.
7. Nie widzieliśmy się od lat.
8. Studenci są tu od godziny dziesiątej.

6.3.2.2. Present Perfect Continuous

Czas Present Perfect Continuous tworzymy zestawiając formy **have been** lub **has been** z imiesłowem czasu teraźniejszego (formą **-ing**) odpowiedniego czasownika leksykalnego.

Oto formy czasu Present Perfect Continuous czasownika sleep — spać.

> I, you, we, they — have been sleeping
> he, she, it   — has been sleeping

Formę pytającą w czasie Present Perfect Continuous tworzymy stawiając odpowiednio wyraz **have** lub **has** przed podmiotem, np.:

> **Have you** been writing?
> **Has he** been listening?

Formę przeczącą tego czasu tworzymy dodając do wyrazu **have** lub **has** słówko **not**, np.:

> **I have not** been writing.
> **He has not** been listening.

Czasu Present Perfect Continuous używamy, aby wyrazić, że od pewnego czasu do tej pory odbywała się taka a taka czynność. Stosując czas Present Perfect Continuous zwracamy uwagę przede wszystkim na to, o jaką czynność chodzi. Gdy mówimy o jej rezultatach, używamy Present Perfect, np.:

> I have been writing letters since breakfast.
> Piszę listy od śniadania.
> I have written three so far.
> Dotąd napisałem trzy.

Czasu Present Perfect Continuous używamy mówiąc zarówno o czynnościach, które trwają nadal, jak i o takich, które się właśnie zakończyły, np.:

> I have been waiting for John since 8 o'clock.
> Czekam na Johna od ósmej (i ciągle go nie ma).
> I have been waiting for you since 8 o'clock.
> Czekam na ciebie od ósmej (i nareszcie jesteś).
> This is BBC calling. You have been listening to the news.
> Mówi BBC. Słuchali Państwo wiadomości (właśnie skończono je nadawać).

ĆWICZENIE I

Czasowniki w nawiasach wyraź w Present Perfect Continuous:

1. Mary (watch) TV for three hours and she has grown very sleepy.
2. I (listen) to this music for a long time and I haven't done my homework yet.
3. The teacher (explain) the use of English tenses for three weeks; let us hope his students know how to use them.
4. The typist (type) letters for the whole afternoon and they are all typed now.
5. Hasn't Helen finished this book yet? She (read) it for six months.
6. Jane (cook) dinner since 10 o'clock but it is not ready yet.
7. We (learn) English for many years and we can't speak it yet.
8. They (build) this cathedral for two hundred years; that is why it represents so many different styles.
9. The students (write) their examination papers since 9 o'clock.
10. We (work) on this model for about two hours and we will probably finish it soon.

ĆWICZENIE II

Przetłumacz na angielski:

1. Pracowałam w ogródku od rana i nareszcie już wszystko jest zrobione.
2. Słuchaliśmy wykładów przez cały dzień i jesteśmy bardzo zmęczeni.
3. Tom uczył się niemieckiego od dzieciństwa, ale jeszcze się nie nauczył.
4. Czekaliśmy na ciebie przez wiele lat!

84

5. Szukałam tej książki całe popołudnie i będę szukać aż znajdę.
6. Mary ostatnio zbyt wiele pracowała i musi teraz odpocząć.
7. Jane bardzo się starała poprawić (udoskonalić) swoją wymowę i możesz teraz podziwiać rezultaty.
8. Czy Mary już odrobiła swoją pracę domową? Nie, ona cały czas słuchała płyt.

6.3.2.3. Past Simple

W czasie Past Simple czasownik przybiera swoistą dla tego czasu formę (patrz rozdz. 6.1. Formy czasownika). Dla czasowników regularnych tworzymy ją przez dodanie w piśmie końcówki **-ed** lub **-d** do formy podstawowej, np. walk – walk**ed,** move – mov**ed** (wymowa – patrz rozdz. 6.2.1.). Dla czasowników nieregularnych powstaje ona w różny sposób i wymaga opanowania pamięciowego, np. write – wrote, see – saw, put – put, think – thought, send – sent.

W czasie Past Simple czasownik ma tę samą postać we wszystkich osobach liczby pojedynczej i mnogiej, np.:

$$
\left.\begin{array}{l}
\text{I} \\
\text{you} \\
\text{he, she, it} \\
\text{we} \\
\text{they}
\end{array}\right\} \text{walked, wrote, saw, put, thought itp.}
$$

Formę pytającą w czasie Past Simple tworzymy stawiając przed podmiotem zdania słówko **did** i stosując formę podstawową czasownika określającego czynność, o której jest mowa, np.:

$$
\text{Did} \left\{\begin{array}{l}
\text{I} \\
\text{you} \\
\text{he, she, it} \\
\text{we} \\
\text{they}
\end{array}\right\} \text{walk, write, put, think itp.}
$$

Oto dalsze przykłady pytań ogólnych i szczegółowych w Past Simple:

Did you write to John? – Czy napisałeś do Johna?
What **did you write?**   – Co napisałeś?
Why **did you write** it?   – Dlaczego to napisałeś?
When **did you write** it? – Kiedy to napisałeś? itp.

Formę przeczącą w czasie Past Simple tworzymy stawiając po **did** słówko **not,** a następnie formę podstawową czasownika określającego czynność, o której jest mowa, np.:

$$\left.\begin{array}{l} \text{you} \\ \text{he, she, it} \\ \text{we} \\ \text{they} \end{array}\right\} \text{did not} \left\{\vphantom{\begin{array}{l}a\\b\\c\\d\end{array}}\right. \text{walk, write, put, think itp.}$$

W mowie potocznej połączenie **did not** przeważnie redukuje się do **didn't**
Oto przykłady zdań przeczących w Past Simple:

We **did not write** all these letters yesterday.
Nie napisaliśmy wszystkich tych listów wczoraj.

I **did not know** him as a young man.
Nie znałem go jako młodego człowieka.

Formę pytającą i przeczącą od czasowników specjalnych w Past Simple tworzymy jak w Present Simple, tj. w pytaniu umieszczamy czasownik przed podmiotem, a w zdaniu przeczącym dodajemy do niego słówko **not.**

Could John swim when he was a boy?
Czy John umiał pływać, gdy był chłopcem?

John could not swim till he grew up.
John nie umiał pływać aż dorósł.

Czasu Past Simple używamy dla wyrażenia, że dana czynność lub stan miały miejsce w przeszłości. Przeszłość ta jest bardzo często określona, choć z różnym stopniem dokładności, np.:

The train left at 2.30 p.m.
Pociąg odjechał o 14.30.

We visited him yesterday.
Odwiedziliśmy go wczoraj.

He lived in England when he was a child.
Mieszkał w Anglii gdy był dzieckiem.

It happened during the war.
Zdarzyło się to podczas wojny.

Czas Simple Past stosujemy we wszelkiego rodzaju narracjach o przeszłości.

ĆWICZENIE I

Czasowniki w nawiasach podaj w Simple Past:

1. I (buy) this book last week.
2. We (visit) them last month.
3. They (live) here when they (be) young.
4. John (come) home late yesterday.

5. We not (work) in this firm ten years ago.
6. Shakespeare (live) during the reigns of Queen Elizabeth I and James I.
7. I (go) to the cinema last night and I (see) a very interesting film.
8. Jane not (cook) dinner yesterday; she (go) to the hairdresser's instead.
9. John not (take) his exams last term, because he (be) ill.

ĆWICZENIE II

Uzupełnij następujące pytania:

1. I bought a new TV set last week. How much ...?
2. Tom came home at 11 o'clock last night. Why ... ?
3. I didn't know what to do. Why ... ask me?
4. I cleared the table but I did not wash up the breakfast things this morning. Why ... them?
5. I finally opened that locked door. How ... manage to open it?
6. Tom gave Mary some red roses yesterday. How many roses ... ?
7. I found my lost bracelet yesterday. Where ... ?
8. When ... John come to see you? He came on Wednesday.
9. Yesterday Jim asked me to marry him. And what ... answer?
10. I gave the money to Mary, not to John. Why ... say so at once?

ĆWICZENIE III

Odtwórz pytania, na które padły następujące odpowiedzi (wykorzystaj wskazówki w nawiasie):

1. I didn't buy it; it was a present. (watch)
2. No, I didn't give him all the wine. I left some for you. (John)
3. Because I didn't want to. (come to Jane's party)
4. I paid 20 pounds. (dress)
5. Yes, I did. He was very grateful for my help. (George)
6. It was half past six. (when it began to rain)
7. He was born in 1966. (Mrs Brown's son)
8. In 1980 I lived in Warsaw.
9. I found it in my pocket. (key)
10. I spent them at the seaside. (holidays)

ĆWICZENIE IV

Odpowiedz na następujące pytania:

1. When did you see John last?
2. Where did you put the key to my room?
3. What time did Mary phone?
4. Why did Tom leave the party so early?
5. How much did you pay for your new car?
6. What present did you give Mary for Christmas?

ĆWICZENIE V

Przetłumacz następujące zdania na angielski:

1. Często kupowałem krawaty w tym sklepie, ponieważ zwykle mieli duży wybór.
2. Oni przyjechali wczoraj wieczorem, zjedli kolację i poszli spać.
3. Kiedy byłem w Londynie jeździłem codziennie metrem.
4. Czy oglądałeś wczorajszy program telewizyjny?
5. Czy napisałeś do nich o naszym przyjeździe?
6. Kiedy byłem dzieckiem lubiłem słuchać bajek.
7. Po obfitym opadzie śniegu wszystkie drogi były śliskie.
8. Agata Christie pisała powieści kryminalne.

6.3.2.4. Past Continuous

Czas Past Continuous tworzymy zestawiając formy **was, were** z imiesłowem czasu teraźniejszego danego czasownika, np.:

$$\left.\begin{array}{l} \text{I} \\ \text{he, she, it} \end{array}\right\} \text{was writing}$$

$$\left.\begin{array}{l} \text{you} \\ \text{we} \\ \text{they} \end{array}\right\} \text{were writing}$$

Formę pytającą i przeczącą w Past Continuous tworzymy na tej samej zasadzie co w Present Continuous, tylko zamiast form **am, is, are** stosujemy ich odpowiedniki w czasie przeszłym, tj. **was, were,** np.:

Was John listening when you talked to him?
Czy John słuchał, gdy do niego mówiłeś?

Were you watching TV when I phoned?
Czy oglądałeś telewizję, gdy zadzwoniłem?

John was not listening when I talked to him.
John nie słuchał, gdy mówiłem do niego.

I was not watching TV when you phoned.
Nie oglądałem telewizji, gdy zatelefonowałeś.

Czasu Past Continuous używamy chcąc wyrazić, że dana czynność właśnie się odbywała w danym momencie w przeszłości, na przykład w chwili, gdy nastąpiła inna czynność:

Half an hour ago Mary was washing up.
Pół godziny temu Mary zmywała.

When I came home, Mary was washing up.
Gdy wróciłem do domu, Mary zmywała.

Czasu Past Continuous używamy także aby wyrazić, że czynność wypełniała całkowicie dany okres w przeszłości:

I was waiting for your phone call all day yesterday.
Czekałem na twój telefon przez cały wczorajszy dzień.

Używa się też czasu Past Continuous mówiąc o czynnościach, które odbywały się równolegle przez pewien czas w przeszłości.

The telephone was ringing but as I was just taking a bath I decided not to answer it.

Telefon dzwonił, ale ponieważ właśnie brałem kąpiel zdecydowałem się nie odbierać go.

Jak łatwo zauważyć, polskim odpowiednikiem angielskiego czasownika w czasie Past Continuous jest zawsze czasownik niedokonany w czasie przeszłym.

ĆWICZENIE I

Czasowniki podane w nawiasach napisz w Past Continuous:

1. I stayed at home because it (rain).
2. When they came to see me I (wash up).
3. While we (watch) TV, we heard a shot.
4. I saw John as I (buy) some books in the bookshop round the corner.
5. As the child (sleep), I tried not to make too much noise.
6. The postman came while Mary (cook) dinner.
7. The telephone rang as I (have) a bath.

ĆWICZENIE II

Czasowniki podane w nawiasach napisz w Simple Past lub Past Continuous.

1. Mr. Brown (sit) in his garden when I (come) to see him.
2. As I (cross) the road I (slip) and (fall).
3. The TV program (start) while we (have) tea.
4. When we (be) at school, we (learn) a lot of useless things.
5. We (use) to drink wine every day when we (be) in Italy.
6. Mary (lay) the table while her mother (make) the tea in the kitchen.
7. As I (clean) the window a flower pot (fall) down.
8. Fortunately it (not hurt) anybody as the street (be) empty.

ĆWICZENIE III

Wybierz właściwą formę czasowników w nawiasach:

1. As I (passed, was passing) by a bookshop, I (saw, was seeing) an interesting book in the shop window.
2. I (went, was going) in and (bought, was buying) it.

3. I (began, was beginning) to read it after dinner.
4. But as I (sat, was sitting) in my comfortable armchair and (read, reading) the door bell (rang, was ringing).
5. When I (opened, was opening) the door I (saw, was seeing) that it (was, is) my old friend John.
6. He (came, was coming) in, I (gave, was giving) him a drink and we (started, were starting) to talk about old times and the latest news.
7. We (had, were having) our last drink when the clock (struck, was striking) twelve.
8. John (left, was leaving) in a hurry as he (lived, was living) rather far from my place.
9. Before I (went, was going) to bed I (took, was taking) up my book again, but I was too sleepy to read.
10. I (came, was coming) to the conclusion that I certainly (preferred, was preferring) talking to a friend to reading a book.

6.3.2.5. Porównanie użycia Present Perfect i Past Simple

Ponieważ w języku polskim nie istnieje odpowiednik czasu Present Perfect, rozróżnienie kiedy należy stosować ten czas a kiedy Past Simple nastręcza nieraz wiele kłopotów.

W stosowaniu obu tych czasów podstawową sprawą jest to czy chcemy wyeksponować związek teraźniejszości z przeszłością, czy też nie. Tam, gdzie chcemy go wyeksponować stosujemy przeważnie czas Present Perfect. Tam, gdzie go nie wyrażamy używamy zazwyczaj Past Simple, np.:

> The train for London left from platform three an hour ago.
> Pociąg do Londynu odjechał z peronu trzeciego godzinę temu.

W zdaniu tym nie mówimy o związku z teraźniejszością, ponieważ zawarta w nim informacja dotyczy wyraźnie i wyłącznie czynności przeszłej. W tego rodzaju wypowiedzi stosujemy Simple Past.

A teraz to samo zdanie w Present Perfect:

> The train for London has just left from platform three.
> Pociąg do Londynu właśnie odjechał z peronu trzeciego.

Mówiąc, że pociąg właśnie odjechał eksponujemy skutek w teraźniejszości — to, że pociągu już nie ma na stacji. W takiej wypowiedzi stosujemy Present Perfect.

ĆWICZENIE I

Czasowniki w nawiasach wyraź w Simple Past lub Present Perfect:

1. Mr Brown (leave) London two days ago.
2. John just (leave). You may catch up with him if you start right now.
3. Why is this room so untidy? I (have) no time to tidy it up.

4. Are you ready? No, I (not finish) my work yet.
5. You (read) this book? I (read) it when I (be) at school.
6. I (like) to dance when I (be) younger.
7. She already (tell) me about her difficulties.
8. We (listen) to the Prime Minister on the radio yesterday.
9. Is Smith still writing his book? Yes, but he (not write) much lately. He (be) busy with other things.
10. I (visit) the Browns at Christmas, but I (not see) them since that time

ĆWICZENIE II

Następujące zdania wyrażone są w Present Perfect. Przekształć je tak, aby mogły być wyrażone jedynie w Simple Past, np.:

    a) I have often seen this man.
    b) I saw this man yesterday.

1. a) We have already seen this film.
  b) . . . . last month.
2. a) You have explained this problem to us and I think I understand it now.
  b) . . . . your last lecture and I think. . . . .
3. a) I have paid for my new radio at last.
  b) . . . . two days ago.
4. a) I've been too tired recently to study for my exams.
  b) . . . . last week to study. . . . .

ĆWICZENIE III

Przekształć zdania wyrażone w Simple Past na wypowiedzi w Present Perfect:

1. a) We visited the Smiths last year.
  b) . . . . often . . . .
2. a) The Browns lived here in 1970.
  b) . . . . since 1970.
3. a) Mary told me about her new job when I last saw her.
  b) . . . . already . . . .
4. a) John always refused to help me when we worked together.
  b) . . . . always . . . .

ĆWICZENIE IV

Napisz po pięć przykładów zdań w Simple Past i w Present Perfect.

ĆWICZENIE V

Przetłumacz na angielski następujące pary zdań:

1. a) Mary odwiedziła mnie wczoraj.
  b) Nie była u mnie od Bożego Narodzenia.

2. a) Smith skończył swoją ostatnią powieść miesiąc temu.

   b) Smith już skończył swoją powieść i zamierza teraz pisać nową.

3. a) W zeszłą sobotę zaprosiliśmy Jonesów na herbatę, to było naprawdę bardzo miłe popołudnie.

   b) Zaprosiliśmy Jonesów na herbatę, będą tu o piątej.

4. a) Wczoraj posprzątałam mieszkanie, umyłam okna i pozmywałam wszystkie naczynia.

   b) Właśnie skończyłam sprzątać pokój, a teraz idę po zakupy.

5. a) Twoja dziewczyna telefonowała, gdy cię nie było.

   b) Nie wychodź. Właśnie telefonowała twoja dziewczyna, że zaraz tu będzie.

6. a) John za dużo pracował w zeszłym roku, nic dziwnego, że podupadł na zdrowiu.

   b) Nic dziwnego, że jesteś zmęczony, pracowałeś przez całą noc.

7. a) Widziałem Toma ostatnio w 1970 r.

   b) Nie widziałem Toma od 1970. Ależ to teraz zupełnie inny człowiek!

8. a) Dostaliśmy wczoraj list od Mike'a.

   b) Co słychać u Mike'a? Czy jeszcze do was nie pisał?

9. a) Wysłałem ci książkę w zeszłym tygodniu.

   b) Wysłałem ci książkę i mam nadzieję, że ją wkrótce dostaniesz.

10. a) Widziałem twoją żonę tylko raz na waszym weselu.

    b) Nigdy nie widziałem twojej żony. Jaka ona jest?

6.3.2.6. Past Perfect

Czasu Past Perfect używamy obecnie dość rzadko (poza zdaniami, w których występuje następstwo czasów i mową zależną, por. rozdz. 19).

Tworzymy go przez zestawienie formy **had** z imiesłowem biernym odpowiedniego czasownika leksykalnego, np.:

I
you
he, she, it } had written
we
they

Jak widać, czas ten we wszystkich osobach ma tę samą formę.

Formę pytającą i przeczącą czasu Past Perfect tworzymy tak samo jak w Present Perfect z tą różnicą, że zamiast form **have, has** stosujemy formę **had,** np.:

I had written this letter before you told me to do it.

Napisałem ten list zanim mi powiedziałeś, żeby to zrobić.

I had not written this letter earlier so I had to write it when you came.

Nie napisałem tego listu wcześniej i musiałem go pisać, gdy przyszedłeś.

Czasu Past Perfect używamy, jeśli mówiąc o jakiejś czynności przeszłej chcemy podkreślić uprzedniość innej czynności w stosunku do niej, np.:

John realized that he had caused an accident.
John zdał sobie sprawę, że spowodował wypadek.

Before Czesław Miłosz won the Nobel Prize he had written many books in Polish and in English.
Zanim Czesław Miłosz otrzymał nagrodę Nobla, napisał wiele książek po polsku i po angielsku.

ĆWICZENIE I

W następującej historyjce zastosuj w miarę potrzeby czasy Past Perfect, Simple Past i Past Continuous:

1. When I (visit) them last week, their neighbour (tell) me that they (leave) for holidays a week earlier.
2. When I (open) the letter I (see) that somebody already (read) it.
3. There (be) no light in the house. Everybody (go) to sleep.
4. The room (must) be renovated — it (be) painted ten years ago!
5. I (want) to meet Tom, but any time I (telephone) I (be) told that he just (leave).
6. I (wonder) who (be) so kind and (do) all this work for me.
7. You (say) you (be) the friend of this famous writer? No, I never (meet) him before.
8. I (be) not sure if we (can) get some nice flowers at the last moment, but my wife (tell) me she (order) them earlier.
9. When I (ask) for the book I (order) a week ago, the librarian (say) that it (be) lost.
10. When I (open) my bag I (see) that somebody (steal) my purse. It probably (happen) in the crowded bus.
11. Let's give Mary a camera! But she already (get) one from her parents last year!
12. When I (want) to play the money due it (appear) that somebody already (do) it.

ĆWICZENIE II

Czasowniki podane w nawiasach wyraź w Simple Past lub w Past Perfect:

1. When we (come) into the room, we (see) that somebody (be) there before.
2. She had no money, because she (spend) everything before she (come) here.

3. When I (come) to the station I (see) that the train already (leave).
4. He (learn) English before he (go) to England.
5. The burglar (have) no need to break in because the owner of the house (not lock) the door.
6. I have read in a newspaper that a farmer ploughing his field (find) a box full of gold coins, which somebody (hide) there years before.
7. I told you that I never (hear) about it before.
8. When I saw Tom, he already (know) everything because his mother (inform) him earlier.
9. When I came in, it (be) very cold in the room because somebody (open) the window and (forget) to close it.
10. When I (find) no food in the refrigerator, I (come) to the conclusion that Mary either (eat) everything or (not buy) any food.

ĆWICZENIE III

Odpowiedz na następujące pytania, używając w odpowiedzi czasu Past Perfect:
1. Ann lost the key. She couldn't come in. Why couldn't she come in?
2. Mary wrote a letter to John. She forgot to post it. Why didn't John get the letter?
3. Jane did not stay till the end of the play. She left earlier. Why couldn't she tell us how the play ended?
4. Alice didn't work enough. She did not pass her examination. Why didn't she pass her examination?
5. Philip spent all his money. He couldn't buy a new camera. Why couldn't he buy a new camera?
6. John lost his wallet. He went to the police station. Why did he go to the police station?
7. Jim slept badly. He felt tired in the morning. Why did he feel tired?
8. Tom caught a cold. He couldn't come to our party. Why couldn't Tom come to our party?

6.3.2.7. Past Perfect Continuous

Czas ten jest odpowiednikiem czasu Present Perfect Continuous w przeszłości: tworzy się go i odmienia tak samo, z tą jednak różnicą, że zamiast formy **have, has** występuje tu forma **had**:

I
you
he, she, it $\Big\}$ had been writing
we
they

Formę pytającą i przeczącą tworzymy tak jak w Present Perfect Continuous, z tym że zamiast czasownika **have, has** stosujemy **had,** np.:

Had you been writing before we came?
Czy pisałeś zanim przyszliśmy?
You had not been writing before we came.
Nie pisałeś zanim przyszliśmy.

Czasu Past Perfect Continuous używamy w tych samych sytuacjach co Past Perfect, gdy chcemy wyrazić, że czynność odbywała się przez pewien czas, np.:

I had been working over this problem for the whole day before I solved it.
Pracowałem nad tym problemem przez cały dzień zanim go rozwiązałem.

ĆWICZENIE

Uzupełnij następujące zdania:

1. Smith won the first prize at the gardening exhibition because
(on pracował w ogrodzie 12 godzin dziennie).
2. Tom failed his examination because
(on się bawił zamiast się uczyć).
3. Professor Brown (miał wykłady przez trzy semestry) before he decided to leave lecturing to his assistants.
4. I was very sleepy this morning, because my guests (jedli, pili i śpiewali przez całą noc).
5. The little boy (długo płakał) before his mother came and put him to bed.
6. Peter did not succeed in learning English (chociaż uczył się tego języka od dzieciństwa).
7. Before we decided to go home (czekaliśmy na ciebie przez wiele godzin).
8. Before her entrance examination to the Academy of Music (Mary grała na fortepianie od rana do nocy).

6.3.3. Wyrażanie przyszłości

W języku angielskim możemy wyrażać przyszłość za pomocą różnych czasów gramatycznych, a mianowicie:

a) za pomocą czasu Present Simple (aby wyrazić, że czynność jest zaplanowana i postanowiona przez inne osoby niż jej wykonawca), np.:

My firm sends me to London in March.
Moja firma wysyła mnie w marcu do Londynu.

b) Za pomocą czasu Present Continuous (aby wyrazić, że czynność zależy od wykonawcy, choć może być również uzgodniona z innymi osobami), np.:

I am leaving tomorrow at 10.30.
Wyjeżdżam jutro o 10.30.

We are playing tennis with the Joneses tomorrow.
Umówiliśmy się na jutro na tenisa z Jonesami.

c) Za pomocą struktury: **going to** + bezokolicznik (aby wyrazić zamiar wykonawcy), np.:

We are going to buy a house.
Zamierzamy kupić dom.

Wyrażenie: **be going to** stosujemy również, aby wyrazić przeświadczenie, że coś nastąpi, np.:

It is going to rain.
Będzie padać.

d) Za pomocą kilku czasów przyszłych (Future Tenses), a mianowicie:

6.3.3.1. Future Simple

Czas ten tworzymy zestawiając formę **shall** i **will** z bezokolicznikiem czasownika leksykalnego, np.:

I will (shall) speak English.
Będę mówić po angielsku.

Forma **shall** występuje w pierwszej osobie liczby pojedynczej i mnogiej w zdaniach twierdzących i przeczących. We współczesnej angielszczyźnie w mowie potocznej używa się jej rzadko; w języku pisanym występuje częściej, głównie w prozie naukowej i tekstach oficjalnych. Użycie **shall** w zdaniach pytających ma szczególne znaczenie. Nie pytamy bowiem w ten sposób o przyszłość, lecz o to, czego osoba, do której się zwracamy, życzy sobie od nas, np.:

Shall I open the window?
Czy mam otworzyć okno?

Shall we go for a walk?
Czy pójdziemy na spacer? (czy życzysz sobie tego?)

Forma **shall** może również występować w drugiej i trzeciej osobie w zdaniach twierdzących i wtedy nadaje wypowiedzi sens nakazu i/lub groźby w stosunku do osób, do których jest zwrócona lub o których mówi, np.:

You shall go there at once.
Masz tam pójść natychmiast.

He shall pay us every penny!
Zapłaci nam co do grosza! (zmusimy go do tego)

They shall not enter my house!
Nie wejdą do mego domu! (nie dopuszczę do tego)

Zestawienie wyrazów **shall not** redukuje się zazwyczaj w mowie potocznej do postaci **shan't** [ʃaːnt].

Forma **will** używana jest w dzisiejszej angielszczyźnie we wszystkich osobach liczby pojedynczej i mnogiej w zdaniach twierdzących, pytających i przeczących. Zestawienie **will not** redukuje się zazwyczaj w mowie potocznej do postaci **won't** [wount].

Czasu Simple Future używamy dla wyrażenia stanów lub czynności przyszłych, występujących niezależnie od czyjejkolwiek woli (np. mówiąc o zjawiskach przyrody):

Tomorrow the sun will rise at 5.40.
Słońce wzejdzie jutro o 5.40.

Czasu tego używamy również, aby wyrazić przewidywanie lub przekonanie, że dany stan lub czynność nastąpi (dlatego że tak wynika z normalnego biegu wypadków), np.:

We will (shall) reach Stirling in the evening.
Wieczorem będziemy w Stirling (tak bowiem wynika z rozkładu jazdy lub lotów).
He will graduate in June.
On ukończy studia w czerwcu (bo nic nie wskazuje na niedotrzymanie tego terminu).

Czasu Simple Future używamy również, aby wyrazić postanowienie lub obietnicę osoby mówiącej (w tym znaczeniu występuje wyłącznie forma **will**), np.:

I will do my best. Zrobię co w mojej mocy.
We will help you. Pomożemy ci.
He will not do that for anything. On tego za nic nie zrobi.

6.3.3.2. Future Continuous

Czas ten tworzymy zestawiając wyrażenia **will be** lub **shall be** z formą **-ing** czasownika leksykalnego, np.:

I, we, will (shall) be learning.
you, he, she, it, they will be learning.

Future Continuous stosujemy:
a) chcąc wyrazić, że w pewnym momencie lub okresie w przyszłości będzie się właśnie odbywała taka a taka czynność, np.:

This time tomorrow we'll be writing our examination paper.
Jutro o tej porze będziemy pisać pracę egzaminacyjną.
b) chcąc wyrazić uprzejme zapytanie, np.:
Will you be taking breakfast early tomorrow?

6.3.3.3. Future Perfect

Czas ten tworzymy zestawiając wyrażenie **will (shall) have** z imiesłowem czasu przeszłego czasownika leksykalnego, np.:

I, we will (shall) have written
you, he, she, it, they will have written

Czas Future Perfect stosujemy, aby wyrazić, że w danym momencie przyszłości czynność będzie już wykonana, np.:

By this time tomorrow I will have finished this article.
Jutro o tej porze będę już miał ten artykuł napisany.

Czas Future Perfect stosujemy również, aby wyrazić przypuszczenie, że czynność już została wykonana, np.:

John will have bought the tickets by now.
John z pewnością już kupił bilety.

6.3.3.4. Future Perfect Continuous

Czas ten tworzymy zestawiając wyrażenie **will (shall) have been** z formą **-ing** czasownika leksykalnego, np.:

I, we will (shall)
you, he, she, it, they will } have been working, doing, living etc.

Czas Future Perfect Continuous stosujemy dla wyrażenia, że w pewnym momencie w przyszłości minie taki a taki okres wykonywania danej czynności, np.:

By October I will have been learning English for five years.
W październiku minie pięć lat jak uczę się angielskiego.

Czasy Future Perfect i Future Perfect Continuous są używane stosunkowo rzadko.

6.3.3.5. Future in the Past

Czas ten tworzymy zestawiając formę **would (should)** z bezokolicznikiem czasownika leksykalnego, np.:

I, we would (should)
you, he, she, it would } write, sing, live etc.

Czasu Future in the Past używamy, aby wyrazić, że dana czynność była w przeszłości traktowana jako przyszła. Czas ten występuje najczęściej w zdaniu podrzędnym dopełnieniowym. W zdaniu nadrzędnym występuje wtedy czas przeszły, np.:

> We all hoped that John would wm the race.
> Wszyscy spodziewaliśmy się, że John wygra wyścig.

> I was afraid I would be late.
> Obawiałem się, że się spóźnię.

> It was impossible to say when the meeting would be over.
> Nie można było określić, kiedy zebranie się skończy.

> John said that he would ring me again.
> John powiedział, że jeszcze do mnie zadzwoni.

Użycie czasów w powyższych zdaniach ilustruje obowiązującą w języku angielskim zasadę następstwa czasów (patrz rozdz. 19.1).

Czas Future in the Past występuje w mowie zależnej (patrz rozdz. 19.2) i w okresach warunkowych (patrz rozdz. 20), a także w zdaniach wyrażających tryb przypuszczający, np.:

> I would buy it but I am short of money.
> Kupiłbym to, ale mam mało pieniędzy.

6.3.3.6. Future Perfect Continuous in the Past

Czas ten tworzymy zestawiając wyrażenie **would (should) be** z imiesłowem czasu teraźniejszego (formą **-ing**) czasownika leksykalnego, np.:

I, we would (should)
you, he, she, it, they would } be writing, singing etc.

Czas ten stosujemy, aby wyrazić, że dana czynność była traktowana w przeszłości jako taka, która będzie się odbywać przez pewien okres lub w pewnym momencie w przyszłości, np.:

> I knew that Mary would be waiting for me all the evening.
> Wiedziałam, że Mary będzie na mnie czekać cały wieczór.

> John told me that at 11 o'clock he would still be working.
> John powiedział, że o 11 będzie jeszcze pracował.

Użycie czasów w powyższych zdaniach ilustruje zasadę następstwa czasów (patrz rozdz. 19.1).

Czas Future Continuous in the Past jest stosowany w mowie zależnej (patrz rozdz. 19.2) i w okresach warunkowych (patrz rozdz. 20).

U w a g a: Grupy werbalne zawierające formy z **would** i **should** są również nosicielami różnych specyficznych informacji — próśb, poleceń, nakazów itp. (patrz rozdz. 6.4).

Czasy Future Perfect in the Past i Future Perfect Continuous in the Past używane są przede wszystkim w okresach warunkowych (patrz rozdz. 20).

ĆWICZENIE I

Czasowniki w nawiasach podaj odpowiednio w czasie Future Simple lub Future Continuous:

1. I'll ring you tomorrow at seven. No, don't ring at seven. I (cook) dinner then.
2. Tom has a bad cold. He (not be able) to play football tomorrow.
3. Could you phone Mary and tell her the news? Of course. I (phone) her at once.
4. My sister (graduate) from the University next term.
5. The teacher (correct) our examination papers all next week.
6. In a few hours John (fly) across the Atlantic.
7. Mr Smith arrives tomorrow. We (wait) for him at the airport.
8. You (use) your camera next week? I'd like to borrow it for a day or two.
9. This time next week we (ski) in Switzerland.
10. Shall I cut you some sandwiches? Don't bother. I (have) lunch on the train.

ĆWICZENIE II

W następujących zdaniach użyj czasu Future Perfect:

1. Tom says that by the end of next year he (plant) twenty fruit trees.
2. Come in an hour. I (do) my packing by then.
3. I hope they (repair) this road by the time we come back here next winter.
4. I'll be back next month and I hope you (pass) your driving test by then.
5. By the end of the year all our debts (be paid) off.
6. By next spring they (build) five more blocks of flats in our street.
7. I'm sure we (see) everything worth seeing in this town by the end of our visit.
8. The children (eat) all the cakes by the time you come back.

ĆWICZENIE III

Przetłumacz następujące zdania na angielski:

1. Brownowie przyjeżdżają jutro.
2. Będę w bibliotece między piątą a szóstą.
3. John zapłaci za ten dom dużo pieniędzy.
4. Mamy zamiar kupić sobie nowy samochód.
5. Wiosna prawdopodobnie przyjdzie wcześnie w tym roku.
6. Zrobię to mimo wszystko.
7. Czy dasz mi twoją nową książkę?
8. Pomożemy ci we wszystkich twoich trudnościach.
9. Jutro o piątej John będzie miał właśnie lekcję angielskiego.
10. Będę na ciebie czekać od czwartej do szóstej.

11. Jak się czujesz? Czy mam zatelefonować do doktora?
12. Dlaczego przyniosłeś maszynę do pisania? Czy zamierzasz pracować tu dzisiaj?
13. Za miesiąc o tej porze będę siedział na plaży.
14. Zechciej proszę wyłączyć radio.

6.4. Czasowniki specjalne – Special Verbs

Czasowniki specjalne dzielimy na dwie grupy: czasowniki posiłkowe (Auxiliary Verbs): to be, to have, to do, oraz czasowniki ułomne (Defective Verbs): can, must, may, ought, will, shall, need, dare oraz used, zwane także czasownikami modalnymi (Modal Verbs).

Oto tabela form czasowników specjalnych [2].

Formy osobowe				Formy nieosobowe		
Forma roz-kazująca	Forma prosta	Forma „s"	Czas przeszły	Bezokolicz-nik	Forma -ing	Imiesłów bierny
do	am, are have do can may must ought will shall need dare	is has does	was, were had did could might would should used	to be to have	being having	been had

Jak widać z powyższego zestawienia, niektóre czasowniki specjalne mają wszystkie formy właściwe czasownikom a innym pewnych form brakuje (dlatego też bywają one nazywane czasownikami ułomnymi).

Czasownik **do** nie ma form nieosobowych, gdy występuje jako czasownik specjalny. Ma on jednak te formy (a mianowicie: to do, doing, done), gdy jest użyty jako czasownik leksykalny.

6.4.1. Czasowniki posiłkowe — Auxiliary Verbs

To be

Czasownik **to be** jako czasownik zwykły znaczy: „istnieć", „znajdować się" (zwłaszcza w zwrotach there is, there are), „odbywać się", np.:

---

[2] J. Smólska, „Gramatyka języka angielskiego", Warszawa 1974, WSiP.

John **is** in the room.

Jan jest (znajduje się) w pokoju.

The meeting **will be** on Sunday.

Spotkanie odbędzie się w niedzielę.

There are many people in the hall.

W sali znajduje się wiele ludzi.

There is a book on the table.

Na stole znajduje się książka.

U w a g a: **To be** może także oznaczać „kosztować", np.:

How much **is** this dress?

Ile kosztuje ta suknia?

Czasownik **to be** jako posiłkowy służy do tworzenia:

1) formy ciągłej (Continuous Form) we wszystkich czasach, np.:

I **am reading** a book.

Czytam książkę.

I **have been reading** a book for half an hour.

Czytam tę książkę od pół godziny.

I **will be reading** a book when he comes back home.

Będę czytał książkę, gdy on wróci do domu.

2) strony biernej (Passive Voice) we wszystkich czasach, np.:

I **am asked** many questions.

Zadają mi wiele pytań.

He **has been given** a book.

Dano mu książkę.

The letters **will be sent** at once.

Listy zostaną wysłane zaraz.

Were all these houses **built** last year?

Czy wszystkie te domy były zbudowane w zeszłym roku?

We **were not invited** to the party.

Nie zaproszono nas na przyjęcie.

Formę pytajną tworzy się przez inwersję, natomiast przeczącą przez dodanie partykuły **not**.

Formy: am, is, are, was, were użyte z bezokolicznikiem wyrażają czynność postanowioną lub zaplanowaną w stosunku do wykonawcy przez inne osoby lub narzuconą mu przez sytuację. W języku polskim sens taki wyrażamy używając form czasownika „mieć", np.:

The conference **is to take place** next week.

Konferencja ma się odbyć w przyszłym tygodniu.

Several problems **are to be discussed**.
Szereg problemów ma być omawianych.

I am to be the first speaker.
Ja mam być pierwszym mówcą.

To have

Czasownik **to have** jako czasownik posiłkowy służy do tworzenia wszystkich czasów Perfect, np.:

I have written a letter.
Napisałem list.

John has been writing since 9 o'clock.
John pisze od godziny dziewiątej.

I knew I had met the man before.
Wiedziałem, że już przedtem spotkałem tego człowieka.

By 4 o'clock the lecture will have finished.
Do czwartej odczyt się skończy.

Czasownik **to have** jako czasownik zwykły znaczy przede wszystkim „mieć", „posiadać", np.:

We have a big house.
Mamy duży dom.

Has your friend really so much money?
Czy twój znajomy ma naprawdę tak dużo pieniędzy?

I haven't time to talk to you now.
Nie mam czasu rozmawiać z tobą teraz.

Mary has had this car for six months.
Mary ma ten samochód od sześciu miesięcy.

Gdy czasownik **have** występuje w powyższym znaczeniu, nie używa się słówka **do** przy tworzeniu zdań pytających i przeczących w czasach Simple Present i Simple Past. Zdania pytające tworzy się przez inwersję, tj. przesunięcie wyrazu **have** lub **has** przed podmiot, a zdania przeczące przez dodanie słówka **not** do wyrazu **have** lub **has**.

W angielszczyźnie amerykańskiej jednakże zdania pytające i przeczące tworzy się w tych czasach z użyciem czasownika posiłkowego **do**:

Do you have enough money to buy a car?
Czy masz dość pieniędzy, aby kupić samochód?

Czasownik **have** w połączeniu z imiesłowem **got** wyraża posiadanie (czegoś) lub konieczność (zrobienia czegoś) — wówczas ma postać **have got to**, np.:

I have (I've) got this book at home.
Mam tę książkę w domu.

You have (you've) got a lot to do today.
Macie dziś dużo do zrobienia.

We have (we've) got to be ready at six.
Musimy być gotowi o szóstej.

Have you got to leave at once?
Czy musisz wyjść zaraz?

Uwaga: w angielszczyźnie amerykańskiej wyrażenie **have got** w znaczeniu posiadania występuje rzadko.

W wyrażeniach z czasownikiem **to have,** w których traci on znaczenie „posiadać", jak np.:

to have dinner	– zjeść obiad
to have a wash	– umyć się
to have a good time	– dobrze się bawić
to have a headache	– mieć ból głowy

formę przeczącą i pytającą tworzymy za pomocą słówka **do**:

Did you have a good time at the party yesterday?
Czy dobrze się bawiłeś wczoraj na przyjęciu?

Do you always have porridge for breakfast?
Czy zawsze jesz owsiankę na śniadanie?

I didn't have a good journey to Paris.
Nie miałem przyjemnej podróży do Paryża.

Czasownik **have** użyty z bezokolicznikiem oznacza konieczność wykonania czynności określonej tym bezokolicznikiem i odpowiada polskiemu „musieć", np.:

We have to get up very early.
Musimy wstać bardzo wcześnie.

I will have to apologize for my absence.
Będę musiał przeprosić za moją nieobecność.

Do you have to give up all your plans?
Czy musisz wyrzec się wszystkich planów?

You didn't have to obey him.
Nie musiałeś go posłuchać.

Czasownik **have** występuje w następujących konstrukcjach:

a) **have** + dopełnienie + imiesłów czasu przeszłego; konstrukcja ta oznacza spowodowanie wykonania czynności (przy czym wykonawca nie jest wymieniony), np.:

I **had** my car **repaired.**

Kazałem zreperować samochód.

We must **have** our flat **painted.**

Musimy kazać pomalować nasze mieszkanie.

Why **didn't you have** your hair **cut?**

Czemu nie kazałeś sobie ostrzyc włosów?

b) **have** + dopełnienie + bezokolicznik; konstrukcja ta oznacza: spowodować to, że ktoś wykona czynność (przy czym wykonawca jest wymieniony), np.:

We **had** the waiter **bring** something to eat.

Kazaliśmy kelnerowi przynieść coś do jedzenia.

Why **didn't you have** John **prepare** this report?

Dlaczego nie kazałeś Jankowi przygotować tego sprawozdania?

Ponadto czasownik **have** występuje w wyrażeniu **had better,** które odpowiada polskiemu: lepiej bym, lepiej byś, lepiej byście itd., np.:

You **had better** stop quarrelling with your brother.

Lepiej byś przestał się kłócić ze swoim bratem.

We **had better** hurry up.

Lepiej byśmy się pospieszyli.

To do

Czasownik **do** jako czasownik zwykły oznacza: robić, czynić. W czasach Simple Present i Simple Past tworzy on formę pytajną i przeczącą za pomocą czasownika posiłkowego **do**

John **is doing** his homework.

John odrabia lekcje.

You **don't do** your job well enough.

Nie wykonujesz swojej pracy dość dobrze.

How **did you do** this?

Jak to zrobiłeś?

Czasownik **do** jako posiłkowy służy do:

a) tworzenia formy pytajnej i przeczącej w Simple Present i Simple Past, np.:

I **don't know** him.

Nie znam go.

Do you play bridge?

Czy grasz w brydża?

He **didn't mean** it, I am sure!

Nie miał tego na myśli, jestem pewien.

Do you realize these facts?
Czy zdajesz sobie sprawę z tych faktów?

2) tworzenia formy przeczącej trybu rozkazującego, np.:

Don't touch it!
Nie dotykaj tego!

Don't insist on our going there!
Nie nalegaj żebyśmy tam poszli!

3) tworzenia tzw. formy emfatycznej w czasach: Simple Present i Simple Past oraz w zdaniach rozkazujących, np.:

I **do think** you are right.
Ja naprawdę myślę, że masz rację.

I am sorry but the thief **did manage** to escape.
Przykro mi, ale złodziejowi doprawdy udało się uciec.

Do come again!
Przyjdźże znowu! Przyjdź koniecznie!

4) zastępowania czasownika lub całego segmentu poprzedzającego zdania w wyrażeniach z przysłówkiem **so** lub spójnikami **as, neither, nor,** np.:

John understands the problem, and so **do** I.
John rozumie ten problem i ja też.

You don't like him, and neither **do** I.
Ty go nie lubisz i ja też nie.

We hate him just as you **do.**
Nienawidzimy go akurat tak jak ty. (Patrz także rozdz. 6.5).

5) zastępowania czasownika lub całego segmentu zdania w tzw. Question Tags, np.:

You understood John's words, **didn't** you?
Zrozumiałeś co John mówił, prawda?

Mary didn't realize the truth, **did** she?
Mary nie uświadomiła sobie prawdy, jak myślisz?

You don't believe my story, **do** you?
Nie wierzysz temu, co mówię, nieprawdaż?

6) tworzenia zdań twierdzących w czasach: Simple Present i Simple Past zaczynających się od przysłówków, po których stosujemy inwersję, np.:

Seldom **does** he remember such trifles.
On rzadko pamięta o takich głupstwach (drobiazgach).

So loudly **did** he speak that he was heard in the street.
Tak głośno mówił, że słyszano go na ulicy.

Uwaga: Tego rodzaju zdania rzadko są używane w języku potocznym, lecz spotykamy je w literaturze.

ĆWICZENIE I

Przetłumacz następujące zdania:

1. Co mamy zrobić, aby was zadowolić?
2. Mieliśmy przybyć o szóstej, ale pociąg się spóźnił godzinę.
3. Nowa szkoła ma być zbudowana w tej wiosce.
4. Kogo należy zganić za ten błąd?
5. Jeśli mnie zapytają o ciebie, co mam im powiedzieć?

ĆWICZENIE II

Przekształć następujące zdania stosując konstrukcję **have** + dopełnienie + imiesłów czasu przeszłego
1. Someone must copy this text for me. (I must have ...)
2. Somebody must translate these sentences for you. (You must have ...)
3. Tell him to answer these letters at once. (Have ...)
4. Someone must shorten your coat. (You must have ...)
5. Why didn't you tell somebody to wash your car? (Why didn't you have ...)
6. Somebody must clean your room. (You must have ...)
7. Mary asked somebody to repair her watch. (Mary had ...)
8. My neighbours asked somebody to mend their fence. (My neighbours had ...)
9. Tell someone to bring in the tea. (Have ...)
10. I must ask somebody to make a new dress for me. (I must have ...).

ĆWICZENIE III

Przetłumacz następujące zdania:

a) stosując konstrukcję **have** + dopełnienie + imiesłów czasu przeszłego

1. Kazaliśmy podlać wszystkie kwiaty w ogrodzie.
2. Każemy wymienić klucze do naszego domu.
3. Każ sobie obciąć włosy, bo są za długie.
4. Dlaczego nie kazaliście odnowić waszego mieszkania?

b) stosując wyrażenie **had better**

1. Lepiej byś zapomniał o tym incydencie!
2. Lepiej byście wrócili do domu natychmiast!
3. Byłoby lepiej, gdybyśmy odbyli tę konferencję w późniejszym czasie.
4. Byłoby lepiej, gdybyś nas odwiedził w przyszłym tygodniu.

c) stosując **have** w innym znaczeniu niż „mieć"

1. Oni jadają śniadanie bardzo wcześnie.
2. Kiedy bierzesz kąpiel, rano czy wieczorem?
3. Czy otrzymujesz listy od swej siostry każdego tygodnia?
4. Dobrze się bawię, kiedy jestem w twoim towarzystwie.

ĆWICZENIE IV

Przetłumacz następujące zdania:

a) stosując emfatyczne **do**

1. Ja naprawdę rozumiem, co masz na myśli.
2. On naprawdę wiedział o tym od początku.
3. Ludzie naprawdę zdają sobie sprawę z trudnej sytuacji kraju.
4. Ależ spróbuj zrobić to jeszcze raz!
5. My naprawdę przygotowaliśmy wszystko co było potrzebne.

b) stosując odpowiednie wyrażenia z czasownikiem **do**

1. John nie wie nic o tej sprawie i ja także nie.
2. Czy uczysz się francuskiego? Nie, nie uczę się.
3. Profesor Jones bierze udział w wielu konferencjach i jego żona także.
4. Nie odpowiedziałeś na moje pytanie i twój brat także nie.
5. Tom wie to równie dobrze jak ty.

6.4.2. Czasowniki ułomne — Defective Verbs

Can

Czasownik **can** ma tylko formy czasu teraźniejszego **can** i czasu przeszłego **could** jednakowe dla wszystkich osób. Forma **can** oznacza możliwość lub umiejętność wykonania czynności, np.:

> I **can** lend you my umbrella.
> Mogę ci pożyczyć parasol.
> **Can** I help you?
> Czym mogę służyć? (dosłownie: Czy mogę panu (pani) pomóc?)
> We **cannot (can't)** give you any information.
> Nie możemy państwu udzielić żadnych informacji.

Uwaga: Forma przecząca: **cannot** jest pisana łącznie.

> Mr. Brown **can** speak ten languages.
> Pan Brown umie mówić dziesięcioma językami.
> I **can't** dance the tango.
> Nie umiem tańczyć tanga.

Can you swim?
Czy umiesz pływać?

Forma **could** używana jest w znaczeniu umiejętności posiadanej w przeszłości, np.:

Mary **could** swim when she was five.
Mary umiała pływać, gdy miała pięć lat.

W znaczeniu możliwości wykonania czynności w przeszłości (i zrealizowania tej możliwości) używa się zazwyczaj wyrażenia **to be able** – być w stanie, np.:

Mr. Brown was able to pay all his debts last year.
Pan Brown był w stanie (zdołał) spłacić wszystkie swoje długi w zeszłym roku.

Uwaga: Mówiąc o możliwości nie zrealizowanej używa się formy **could** z bezokolicznikiem czasu przeszłego, np.:

Mr. Brown **could have paid** all his debts last year. (but he didn't pay them).
Pan Brown mógł zapłacić wszystkie długi w zeszłym roku (ale nie zapłacił).

Forma **could** może mieć znaczenie warunkowe i występować zamiast **should** i **would,** np.:

I **could help** you with your work.
Mógłbym pomóc ci w pracy.
We **could have avoided** that terrible danger.
Mogliśmy **byli** uniknąć tego strasznego niebezpieczeństwa.
If you asked me, I **could do** it for you.
Gdybyś mnie poprosił, mógłbym to dla ciebie zrobić.

May

Czasownik **may** ma tylko formę czasu teraźniejszego **may** oraz formę czasu przeszłego **might,** które brzmią jednakowo dla wszystkich osób. Forma **may** oznacza zezwolenie, np.:

May I come in?
Czy mogę (wolno mi) wejść?
You **may** leave us now.
Możesz nas teraz opuścić.

Forma **may** oznacza także przypuszczenie, np.:

It **may** rain soon.
Może będzie wkrótce padać.

Go home. Your mother **may** be waiting for you.
Idź do domu! Matka może czeka na ciebie.

Our guests **may** come any minute now.
Nasi goście mogą przyjść lada chwila.

U w a g a: W czasach, których czasownik **may** nie ma, stosujemy najczęściej wyrażenie **to be allowed to** lub **to be permitted to**, np.:

I **have been allowed to** use our neighbours' telephone.
Pozwolono mi używać telefonu naszych sąsiadów.

John **was allowed to** go for a short walk.
Johnowi pozwolono wyjść na krótki spacer.

Użycie **may** z bezokolicznikiem czasu przeszłego oznacza przypuszczenie, że jakaś czynność zaistniała w przeszłości, np.:

Henry **may have heard** this news much earlier.
Henryk być może usłyszał tę wiadomość dużo wcześniej.

My sister **may have forgotten** to close the door.
Moja siostra być może zapomniała zamknąć drzwi.

Forma **might** wyraża przypuszczenie, lecz z odcieniem większej niepewności, np.:

We **might help** them in this respect.
Być może moglibyśmy im pomóc w tym względzie.

This **might** be true.
To mogłoby być prawdą.

Natomiast **might** z bezokolicznikiem czasu przeszłego oznacza, że istniała możliwość wykonania czynności w przeszłości, ale nie została zrealizowana, np.:

Henry **might have written** to us much earlier.
On mógł (był) napisać do nas dużo wcześniej (ale nie napisał).

You **might have broken** your leg.
Mogłeś był złamać nogę (ale nie złamałeś).

Ponadto należy wspomnieć, że czasownik **may** może także oznaczać życzenie w zdaniach nieco patetycznych i staroświeckich, np.:

May he succeed!
Oby mu się powiodło!

May she live for ever!
Oby żyła wiecznie!

Must

Czasownik **must** ma tylko formę czasu teraźniejszego, tę samą dla wszystkich osób; jeśli chcemy wyrazić przyszłość lub przeszłość, używamy wyrażenia **to have to**:

John **must** leave at once.
John musi wyjechać natychmiast.

You **will have to** work more.
Będziesz musiał więcej pracować.

We **had to** accept these conditions.
Musieliśmy przyjąć te warunki.

Czasownik **have** używany w tych przypadkach może być użyty do tworzenia wszystkich czasów w formie non-continuous i nie występuje tu jako czasownik specjalny, lecz jako zwykły, czyli w zdaniach pytajnych i przeczących w czasach Simple Present oraz Simple Past występuje z czasownikiem posiłkowym **do**, np.:

We **didn't have** to accept these conditions.
Nie musieliśmy przyjmować tych warunków.

Did you have to work very hard?
Czy musiałeś bardzo ciężko pracować?

Czasownik **must** oznacza konieczność, np.:

We **must** consider the situation.
Musimy rozważyć sytuację.

Must we go at once?
Czy musimy zaraz iść?

Natomiast tenże czasownik w formie przeczącej **mustn't** oznacza zakaz, np.:

You **mustn't** talk like this!
Nie wolno ci mówić w ten sposób!

We **mustn't** smoke in the classroom.
Nie wolno nam palić w klasie.

Jeśli chcemy wyrazić brak konieczności, wtedy używamy wyrażenia **needn't**, np.:

You **needn't** worry about such things.
Nie musisz kłopotać się o takie rzeczy.

111

I **needn't** write this report.

Nie muszę pisać tego sprawozdania.

Czasownik **must** może także oznaczać przypuszczenie, np.:

Mary **must** be a good doctor.

Mary z pewnością jest dobrym lekarzem.

You **must** be very tired after this long walk.

Jesteś z pewnością bardzo zmęczona po tym długim spacerze.

Wyrażając nasze obecne przypuszczenie na temat tego, co było w przeszłości używamy formy **must** z bezokolicznikiem w aspekcie Perfect (Perfect Infinitive), np.:

Mary **must have been** very angry with your brother.

Mary z pewnością była bardzo zagniewana na twego brata.

John **must have been ill**; that is why he didn't come to see us.

John z pewnością był chory; dlatego nie przyszedł nas odwiedzić.

Shall (should), will (would)

Czasowniki **shall** i **will** (w czasie przeszłym **should** i **would**) należą do czasowników ułomnych, które pełnią również funkcje czasowników posiłkowych. Służą one do tworzenia czasu przyszłego (patrz rozdz. 6.3.3).

Will użyte w pierwszych osobach liczby pojedynczej i mnogiej może także oznaczać zdecydowanie lub przyrzeczenie (patrz rodz. 6.4), np.:

I **will** help you.

Pomogę ci. (Obiecuję).

We **will** come back.

Powrócimy (jesteśmy na to zdecydowani).

Shall użyte w drugiej i trzeciej osobie liczby pojedynczej i mnogiej oznacza rozkaz, zakaz lub postanowienie mówiącego dotyczące działania innej osoby (patrz rozdz. 6.4), np.:

You **shall** stay at home.

Pozostaniesz w domu. (rozkaz)

He **shan't** stay here any longer!

On nie zostanie tu dłużej! (zakaz)

The children **shall** get more chocolate if they behave.

Dzieci dostaną więcej czekolady, jeśli będą się dobrze zachowywać. (postanowienie mówiącego)

Ponadto **will** wyraża:

1) prośbę (w zdaniach o konstrukcji pytającej), np.:

Will you sit down?

Proszę, niech pan usiądzie (może zechce pan usiąść).

2) nawyk lub upór lub stan nieunikniony, np.:

Accidents **will** happen.

Wypadki muszą się zdarzać (zawsze się zdarzają).

Boys **will** be boys.

Chłopcy będą zawsze chłopcami (będą postępować w sposób typowy dla chłopców).

Niekiedy używa się **will** mówiąc o tzw. uporze lub złośliwości rzeczy martwych, np.:

This machine **will not** work.

Ta maszyna nie działa (nie chce działać).

Should i **would** służą do tworzenia trybu warunkowego (patrz rozdz. 20) oraz mowy zależnej (patrz rozdz. 19.2). Ponadto **should** i **would** mają jeszcze inne funkcje, a mianowicie:

1) **should** dla wszystkich osób liczby pojedynczej i mnogiej oznacza „powinien, powinieneś", itd. i jest równoważne z **ought to,** np.:

Your friend **should** know what to do.

Twój przyjaciel powinien wiedzieć co robić.

You **should** have asked us about it.

Powinniście byli nas o to zapytać.

2) **Should** jest także używane (dla wszystkich osób liczby pojedynczej i mnogiej) w następujących konstrukcjach i zwrotach czasownikowych:

a) po czasownikach wyrażających: decyzję, pragnienie, przypuszczenie, polecenie, rozkaz, żal, zdziwienie, sugestię, propozycję i wolę, a więc: determine, desire, suppose, command, regret, surprise, suggest, propose itp., np.:

I insist that you **should** speak first.

Nalegam, abyś przemówił pierwszy.

We suggested that the meeting **should not** discuss political problems.

Sugerowaliśmy, aby na zebraniu nie dyskutowano o sprawach politycznych.

b) po zwrotach typu:

it is necessary – jest rzeczą potrzebną
it is strange – jest rzeczą dziwną
it is advisable – jest wskazane
it is impossible – jest rzeczą niemożliwą

Na przykład:

> It is necessary that John **should** give up smoking.
> Jest rzeczą konieczną, aby John przestał palić.
> It is advisable that they **should** come to an understanding.
> Jest wskazane, aby doszli do porozumienia.

3) **Should** i **would** są używane w niektórych zdaniach celowych (patrz rozdz. 18) po spójniku **so that**, np.:

> I got up early so that I **should not** be late for the train.
> Wstałem wcześnie, aby się nie spóźnić na pociąg.
> John hurried to the theatre so that he **would not** miss the performance.
> John pośpieszył do teatru, aby nie stracić przedstawienia.

4) **Would** może oznaczać częstotliwość lub zwyczaj w przeszłości, gdy czynność nie jest już obecnie wykonywana, np.:

> Henry **would** stay here and talk with us for hours.
> Henryk przebywał tutaj i godzinami z nami rozmawiał.

5) **Would** używamy w następujących zwrotach grzecznościowych, np.:

> **Would** you mind passing me the ashtray?
> Czy byłby pan łaskaw podać mi popielniczkę?
> **Would** you give me a cigarette?
> Czy nie zechciałbyś mi dać papierosa?
> **Would you like** to see my new collection of stamps?
> Czy chciałbyś zobaczyć moją nową kolekcję znaczków?

6) **Would** może oznaczać (podobnie jak **will** w czasie teraźniejszym) upór lub tzw. złośliwość rzeczy martwych w przeszłości, np.:

> This machine **would not** work.
> Ta maszyna nie działała (nie chciała działać).

7) **Would** może także oznaczać nawyk lub upór w przeszłości, np.:
> Such accidents **would** happen.
> Takie wypadki musiały się zdarzać.

Ought (to)

Czasownik **ought** występuje w tej samej formie dla wszystkich osób i jest jedynym czasownikiem ułomnym, po którym bezokolicznik jest poprzedzony przez **to**. **Ought** znaczy: powinienem, powinieneś itd. i ma nieco silniejszy odcień niż **should**. Wyraża zobowiązanie, powinność lub obowiązek moralny, np.:

114

You **ought** to respect your teachers.
Powinieneś szanować swych nauczycieli.

Ought he to forget it?
Czy on powinien o tym zapomnieć?

We **oughtn't** to believe them.
Nie powinniśmy im wierzyć.

Ought może także wyrażać przekonanie, np.:

In my opinion you **ought** to achieve your aim.
Moim zdaniem powinieneś osiągnąć swój cel (myślę, że osiągniesz).

Wyrażając nasze obecne przekonanie o tym, że coś powinno było nastąpić w przeszłości, używamy po **ought to** bezokolicznika w aspekcie Perfect, np.:

You **ought** to have done it earlier.
Powinieneś był to zrobić wcześniej (ale tego nie zrobiłeś).

The teacher **oughtn't** to have said so.
Nauczyciel nie powinien był tak powiedzieć (ale powiedział).

Need

Czasownik **need** wyraża potrzebę lub konieczność i może być traktowany jako czasownik specjalny lub zwykły. Jako czasownik ułomny, tj. nie przybierający końcówki **-s** w trzeciej osobie liczby pojedynczej i występujący jako bezokolicznik bez słówka **to,** jest używany w zdaniach pytajnych i przeczących, np.:

Need you try it again?
Czy musisz próbować ponownie?

Mary **needn't** come here.
Mary nie potrzebuje tutaj przychodzić.

Czasownika **need** jako ułomnego używamy także mówiąc, że jakaś czynność w przeszłości miała miejsce niepotrzebnie. Wtedy stosujemy **need** z bezokolicznikiem w aspekcie Perfect, np.:

I **needn't have written** this letter.
Niepotrzebnie napisałem ten list.

John **needn't have waited** for me.
John niepotrzebnie na mnie czekał.

Need jako czasownik zwykły ma formy czasownika regularnego i oznacza: potrzebować, wymagać, np.:

This child **needs** our care.
To dziecko potrzebuje naszej opieki.

Do you **need** anything else?

Czy potrzebujesz jeszcze czegoś?

Your sister **doesn't need** you any more.

Siostra nie potrzebuje ciebie więcej.

We **needed** a longer rest.

Potrzebowaliśmy dłuższego odpoczynku.

Mary **didn't need** our sympathy.

Mary nie potrzebowała naszego współczucia.

Dare

Czasownik **dare**, który oznacza: śmieć, ośmielać się, może występować jako czasownik specjalny lub zwykły, np.:

John **dare not** mention it.

John nie śmie wspomnieć o tym.

I **don't dare** to ask him for more money.

Nie śmiem prosić go o więcej pieniędzy.

Czasownik **dare** występujący jako specjalny może wyrażać oburzenie, np.:

How **dare** you come to my place!

Jak śmiesz przychodzić do mego domu!

How **dare** he speak to me like that!

Jak on śmie mówić do mnie w ten sposób!

Dare jako czasownik zwykły ma także znaczenie: wyzwać, sprowokować, np.:

I **dared** him to accept the challenge.

Sprowokowałem go do przyjęcia tego wyzwania.

Uwaga: Wyrażenie **I dare say** oznacza „przypuszczam", np.:

I **dare say** you are mistaken.

Przypuszczam, że się mylisz.

Used to

Wyrażenie **used to**, wymawiane [ju:st] (ograniczające się do czasu przeszłego) wyraża czynność kiedyś często wykonywaną, która nie jest obecnie kontynuowana, np.:

We **used to** visit this place very often.

Zwykliśmy byli odwiedzać tę miejscowość bardzo często (już nie odwiedzamy).

Strange flowers **used to** grow in his garden.

Dziwne (nieznane) kwiaty rosły w jego ogrodzie (obecnie już nie rosną).

I **used to** smoke forty cigarettes a day.

Paliłem niegdyś czterdzieści papierosów dziennie (obecnie nie palę).

Used to występuje głównie w zdaniach twierdzących, a rzadko w pytajnych i przeczących. Formę pytajną można tworzyć zarówno przez inwersję, jak i przez użycie **did,** a przeczącą przez dodanie **not** lub **did not,** np.:

Used you to work there? No, **I usedn't.**

Czy pracowałeś tam niegdyś? Nie, nie pracowałem.

albo:

Did you use to work there? No. **I didn't.**

Uwaga: Wyraz **used** wymawiany [ju:zd] jest również formą czasu przeszłego od zwykłego, regularnego czasownika **to use** = używać, np.:

We **used** too much soap while washing these things.
Użyliśmy zbyt dużo mydła piorąc te rzeczy.

Ponadto wyraz **used** jest także przymiotnikiem oznaczającym „przyzwyczajony", np.:

My mother is **used to** helping people in need.
Moja matka jest przyzwyczajona do pomagania ludziom w potrzebie.

Należy tutaj zwrócić uwagę, że po wyrazie **used** = przyzwyczajony stosujemy przyimek **to** oraz formę rzeczownika odsłownego, czyli formę **-ing.**

ĆWICZENIE I

Przetłumacz następujące zdania na polski:

1. Mary may go home when she finishes her work.
2. I ought to speak English when I am in England.
3. She can eat half a dozen eggs at a time.
4. You must not drink too much wine.
5. I should not smoke so many cigarettes a day.
6. John need not go to the doctor because he is quite well.
7. You may come to see me now.
8. Children must not play with matches.
9. Drivers should not drive too fast.
10. We may be invited to this party.

ĆWICZENIE II

Przetłumacz następujące zdania (uwagi w nawiasach są informacją i nie należy ich tłumaczyć):

1. Nasi goście mogą przyjechać jutro (przypuszczenie).
2. Możecie iść do kina (pozwolenie).
3. John może pracować cały dzień (jest w stanie).
4. Oni nie mogą pić alkoholu (nie wolno im).
5. Pan Smith nie potrzebuje pracować (stać go na to).
6. Pan Smith nie powinien pracować (jest chory).
7. Możesz zapalić papierosa (wolno ci).
8. Czy możesz to zrozumieć (czy jesteś w stanie)?
9. Nie mogę tego słuchać (denerwuje mnie to).
10. Nie mogę tego słuchać (nie wolno mi).

ĆWICZENIE III

Przetłumacz następujące zdania stosując czasowniki ułomne lub inne wyrażenia:

1. Moi przyjaciele będą mogli przyjść jutro na śniadanie.
2. John nie musiał tłumaczyć tych listów na angielski.
3. Będziemy musieli poprosić ojca o pożyczkę.
4. Czy mogę dostać jeszcze jedną filiżankę herbaty?
5. Czy będzie mi wolno zadać ci jeszcze jedno pytanie?
6. Nauczyciel nie musiał nigdy wyjaśniać tych rzeczy dwa razy.
7. Nie sądzę, aby on mógł kiedykolwiek nas zrozumieć.
8. Mary musiała sama przynieść herbatę do jadalni.
9. W takie piękne dni wolno nam kąpać się w morzu.
10. Będziesz musiał zapomnieć o tych planach.

ĆWICZENIE IV

Przetłumacz następujące zdania na polski:

1. When will you be able to deliver your lecture?
2. I had to take two examinations yesterday.
3. Mary should know what she is talking about.
4. We should have remembered about John's birthday.
5. Why won't you stay with us longer?
6. The manager oughtn't to have dismissed so many workers.
7. You should have known him better.
8. Do you really have to borrow so much money?
9. Children should go to bed early.
10. When will you have to return these books?

ĆWICZENIE V

Wstaw odpowiednio **shall** lub **will** w następujących zdaniach:

1. Where ... you spend your holidays?
2. They ... have to think this plan over.

3. If there are any more apples, you ... have them.
4. ... I give you a lift?
5. John said: "I ... not sign this document".
6. You ... be fined if you cross the street at the wrong place.
7. ... we go to the theatre together?
8. My watch ... not show the right time.
9. They ... be leaving Warsaw tomorrow at 9 a.m.
10. You ... be properly rewarded for your work.

ĆWICZENIE VI

Wstaw odpowiednio **should** lub **would** w następujących zdaniach:

1. ... you like another cup of coffee? Yes, I ...
2. His mother ... know about it as soon as possible.
3. ... you mind showing me your collection?
4. I ... like to go to Zakopane for a few days.
5. You ... be more careful when you drive in the dark.
6. ... you be so kind as to help me with these parcels?
7. Mary insisted that I ... consult the doctor at once.
8. It is necessary that they ... send the invitations without delay.
9. Something ... be done about these riots; they ... be stopped at any price.
10. Mother suggested that we ... prepare a meal for our guests by ourselves.

ĆWICZENIE VII

Przetłumacz następujące zdania na polski:

1. We needn't have visited him.
2. You needn't have washed your car.
3. We didn't need another means of transport.
4. You needn't have worried about me. I'm quite all right.
5. You needn't have rung the bell because the door is open.
6. We didn't need any more money.
7. I needn't have come to this place.
8. We didn't need to look for a new client.
9. We needn't have hurried. There was plenty of time.
10. I didn't need to take a taxi because John offered to give me a lift.

ĆWICZENIE VIII

Przetłumacz następujące zdania na angielski:

1. Jak śmiesz twierdzić, że on jest złodziejem?
2. Powinieneś zrozumieć nasze trudne położenie.
3. Mary powinna była zapomnieć o tym nieprzyjemnym incydencie.
4. Studenci zazwyczaj przynosili kanapki i jedli je podczas przerwy.
5. Tomek zwykł był pomagać nam, kiedy tego potrzebowaliśmy.

6. Czy powinienem uwierzyć w te wszystkie historie.
7. Czy ośmielisz się przyprowadzić go tutaj?
8. On musiał znać wszystkie szczegóły, jeśli udało mu się napisać tak dobry artykuł.
9. Należy przestrzegać przepisów ruchu drogowego.
10. Czy musisz się na nas złościć?

6.5. Zwroty o konstrukcji: So do I, neither (nor) do I

W zwrotach typu: **so** + czasownik posiłkowy + zaimek lub rzeczownik oraz: **neither (nor)** + czasownik posiłkowy + zaimek lub rzeczownik czasownik posiłkowy zastępuje całe orzeczenie poprzedzającego zdania, wyraz **so** — odpowiada polskiemu „także" a wyraz **neither** lub **nor** — polskiemu „także nie", np.:

Mary likes modern painting. **So do I.**
Mary lubi współczesne malarstwo. Ja także (lubię współczesne malarstwo).

The Browns can't speak French. **Neither (nor) can we.**
Brownowie nie umieją mówić po francusku. My także (nie umiemy mówić po francusku).

She has a lot of friends. **So has Alan.**
Ona ma wielu przyjaciół. I Alan także (ma wielu przyjaciół).

U w a g a: Należy pamiętać, iż w konstrukcji tej po **so** lub **neither** lub **nor** w czasie Present Simple stosujemy czasownik posiłkowy w formie **do** lub **does**, a w czasie Simple Past — w formie **did**, np.:

We often go to that café. **So do they.**
Często chodzimy do tej kawiarni. Oni także.

I don't like brandy. **Neither (nor) does my husband.**
Nie lubię brandy. Mój mąż także nie.

I met John during the war. **So did Mary.**
Poznałem Jana w czasie wojny. Marysia także.

Your daugther didn't tell you the truth. **Neither did your son.**
Twoja córka nie powiedziała ci prawdy. Syn także nie.

ĆWICZENIE I

Uzupełnij według wzoru:
Wzór: My father lives in New York. (mother)
      So does my mother.

      Henry didn't learn French at school. (Mary)
      Neither did Mary.

120

1. I won't be here tomorrow. (He)
2. February is a cold month. (January)
3. Apples keep you healthy. (Oranges)
4. Carrots aren't expensive. (Potatoes)
5. Lucy never drinks coffee at night. (Robert)
6. I won't be here tomorrow. (my wife)
7. Byron was an English poet. (Keats)
8. Henry can play the guitar. (Richard)
9. He shouldn't smoke so much. (You)
10. Alan hasn't had a letter from Jane for a week. (Patrick)
11. Rose won't be a good actress. (Lucy)
12. The manager likes efficient workers. (the director)
13. The Joneses travelled a lot last summer. (we)
14. First year students must do a lot of reading. (second year students)

ĆWICZENIE II

Ułóż zdania, które mogłyby poprzedzać poniżej podane wypowiedzi:

1. ... So must I.
2. ... Neither does his wife.
3. ... So does everybody.
4. ... Neither should you.
5. ... So will all of us.
6. ... So ought you.
7. ... Neither did the others.
8. ... So can she.
9. ... Neither do we.
10. ... Neither have we.
11. ... So am I.
12. ... So must you.
13. ... Neither do the children.
14. ... So is my son.

6.6. Niektóre przypadki szczególnego użycia czasów

Następujące wyrażenia, oznaczające życzenie, przypuszczenie lub ubolewanie (żal), wiążą się z podobnym użyciem czasów jak w zdaniach warunkowych (patrz rozdz. 20):

I wish	– chciałbym; szkoda, że; żebym tak ...
if only	– gdyby tylko; oby tylko
I'd rather	– wolałbym ...
suppose	– przypuśćmy, że; a gdyby tak ...

as if   – jak gdyby
it's time..., it's high time – czas aby ..., wielki czas aby ...

Spośród tych wyrażeń **I wish** występuje najczęściej. Oto szczegółowa analiza jego użycia.

a) Mówiąc o sytuacji teraźniejszej, wyrażając życzenie, aby było inaczej niż jest, używamy zdań o konstrukcji podmiot + czasownik **wish** + zdanie podrzędne w czasie Simple Past (przy czym zamiast formy **was** stosujemy **were** we wszystkich osobach):

I wish I knew the answer. Szkoda, że nie znam odpowiedzi.
I wish I were taller. Szkoda, że nie jestem wyższy.
I wish he were here. Chciałbym, żeby on tu był.

b) Mówiąc o sytuacji przeszłej, wyrażając żal, że coś miało miejsce, bądź też odwrotnie, że nie miało miejsca coś, czego pragnęliśmy, stosujemy w zdaniu podrzędnym Past Perfect, np.:

I wish I had listened to you. Szkoda, że cię nie usłuchałem.

c) Wyrażając życzenie dotyczące przyszłości stosujemy w zdaniu Future in the Past, np.:

I wish you would agree to come. Chciałbym, żebyś się zgodził przyjść.

Konstrukcji tej używamy również wyrażając pragnienie zmiany czyjegoś postępowania, np.:

I wish he would come home earlier.
Chciałbym, aby (on) wcześniej wracał do domu.

I wish you would not make so much noise.
Chciałbym, żebyś nie robił tyle hałasu.

Czasownik **wish** może wystąpić także w innych czasach. Czasy w zdaniu podrzędnym nie ulegają przy tym zmianie. Na przykład:

I wish he had been there. Szkoda, że go tam nie było.
I wished he had been there. Żałowałem, że go tam nie było.
I will wish he had been there. Będę żałował, że go tam nie było.

Podmiotem czasownika może być także inny zaimek osobowy lub nazwa osoby. Na przykład:

John wishes he had never met us.
John żałuje, że nas w ogóle poznał.

We wished they hadn't come.
Żałowaliśmy, że przyszli.

Wyrażenie **if only** może albo rozpoczynać zdanie podrzędne warunkowe (patrz Okresy warunkowe rozdz. 20), albo występować w zdaniu niezależnym, które ma wtedy charakter wykrzyknika, np.:

    a) If only he didn't talk so much!
       Gdybyż on tyle nie mówił!

    b) If only you hadn't lost your ticket!
       Gdybyś był tylko nie zgubił biletu!

Użycie czasów w takich zdaniach jest takie same jak w okresach warunkowych II i III typu (patrz rozdz. 20), tzn. występuje w nich czas Simple Past, gdy mowa o sytuacji teraźniejszej (przykład a), a czas Past Perfect, gdy mowa o sytuacji przeszłej (przykład b).

Po wyrażeniu **as if** występują zazwyczaj te same czasy co po **if only,** np.:

    a) He talks as if he knew everything about you.
       Mówi tak, jakby wszystko o tobie wiedział.

    b) They behave as if they had met long ago.
       Zachowują się tak, jakby się poznali dawno temu.

Możliwe jest jednak także użycie czasu teraźniejszego w zdaniu a) i przeszłego Simple Past w zdaniu b):

       He talks as if he knows everything about you.
       They behave as if they met long ago.

Wyrażenie: **I'd rather (I would rather)** występuje z bezokolicznikiem, gdy zdanie ma tylko jeden podmiot, tj. gdy jest to zdanie pojedyncze, np.:

       I'd rather stay at home.
       Wolałbym zostać w domu.
       The Browns would rather move to Liverpool.
       Państwo Brown woleliby przeprowadzić się do Liverpoolu.

Gdy natomiast wyrażenie **I'd rather** stanowi zdanie nadrzędne zdania złożonego, a zdanie podrzędne ma inny podmiot, w zdaniu podrzędnym używa się czasu Simple Past, np.:

       I'd rather you didn't smoke here.
       Wolałbym, żebyś tutaj nie palił.
       We'd rather you paid us now.
       Wolelibyśmy, żebyś nam zapłacił teraz.

Jako podmiot zdania nadrzędnego występuje w takich zdaniach z reguły zaimek pierwszej osoby, tj. **I** lub **we.**

Gdy jako zdanie nadrzędne występuje forma **suppose** = przypuśćmy, w zdaniu podrzędnym używa się czasów tak jak w zdaniach warunkowych (patrz rozdz. 20), np.:

> Suppose they get there too late.
> Przypuśćmy, że oni przybędą tam za późno.
>
> Suppose they got there too late.
> Przypuśćmy, że oni przybyliby tam za późno.
> (A gdyby tak oni przybyli tam za późno?)

Po wyrażeniu: **it's time** lub **it's high time** = czas aby ..., wielki czas aby ... stosujemy czas przeszły (the Past Tense), np.:

> It's time the children went to bed.
> Czas, aby dzieci poszły spać.
>
> It's high time we had some tea.
> Wielki czas, abyśmy się napili herbaty.

ĆWICZENIE I

Czasowniki w nawiasach podaj we właściwym czasie.

1. I wish you (be) patient – but you aren't.
2. I can't remember his name. I wish I (can) remember it.
3. I didn't know about your accident. I wish I (know) about it.
4. She is very bad at answering letters. I wish she (answer) them more promptly.
5. You didn't lock the car. I wish you (lock) it!
6. Mary always rings when I'm listening to the news. I wish she (ring) earlier.
7. It's very dark – I wish we (have) some matches.
8. I wish I (not tell) you about it. You didn't keep my secret.
9. I know you are very busy but I wish you (can) come to our party tomorrow.
10. I sometimes wish I (not marry) her – she never listens to what I'm saying!
11. My bicycle is very old – I wish I (have) a new one.
12. We wish we (go) to Mrs. Baker's funeral, but we were away from London then.
13. It's very cold today. I wish it (be) warmer so that we could go for a long walk.
14. I wish I (not begin) to translate this article because it's too difficult.
15. Where are my glasses? – I wish you (not put) them in a different place every five minutes.

ĆWICZENIE II

Przetłumacz na angielski, stosując konstrukcję **I wish**:

1. John żałuje, że nie sprzedał samochodu.
2. Szkoda, że nie znasz moich rodziców.

3. Chciałbym, abyś nie mówiła tak dużo.
4. Żałuję, że nie nauczyłam się gotować zanim wyszłam za mąż.
5. Obyście nareszcie byli cicho!
6. Żałuję, że zmieniłem pracę.
7. Szkoda, że nie jedziemy do Francji w lecie.
8. Szkoda, że nie poszedłeś za moją radą.
9. Szkoda, że mieszkamy tak daleko od miasta.
10. Żałuję, że zapomniałem pieniędzy — nie mogę kupić nic do jedzenia.

ĆWICZENIE III

Wstaw czasownik podany w nawiasie we właściwym czasie:

1. I wish I (be) with you yesterday.
2. Isn't it high time we (leave)?
3. I wished I (never meet) those people.
4. If only we (read) the contract before we signed it!
5. You make me feel as if I (be) a criminal.
6. I'd rather you (do) your room before you leave.
7. If only we (have) a better car!
8. Suppose they (demand) more money for this flat. We wouldn't have been able to rent it.
9. I'd rather you (come) tomorrow.
10. Don't you wish we (never buy) this house?

7. Przyimek—the Preposition

Przyimek w języku angielskim spełnia te same funkcje, co w języku polskim. Jednakże, wobec braku form odmiany rzeczownika przez przypadki, nie istnieje w języku angielskim problem związku danego przyimka z określonym przypadkiem rzeczownika, który po nim występuje. Natomiast zaimki osobowe i względne występują po przyimkach w tzw. formie dopełnienia (Object Case), np.: to me, for him, of her, with us, about whom itp.

W niektórych wypadkach przyimek w języku angielskim spełnia tę samą rolę, co końcówka przypadka w języku polskim, a mianowicie rolę dopełniacza i narzędnika, np.:

of a book — książki (czego?)
with lub **by** a book – książką (czym?)

Główną trudność przy opanowywaniu właściwego użycia przyimków angielskich stanowi to, że nie można ich jednoznacznie przyporządkować przyimkom polskim. Na przykład ten sam przyimek angielski może w różnych zwrotach odpowiadać różnym przyimkom polskim, a ten sam przyimek polski ma w różnych zwrotach różne odpowiedniki angielskie.

Porównajmy użycie angielskiego przyimka **on** i polskiego przyimka „na". W niektórych przypadkach przyimki te odpowiadają sobie, np.:

on the table — **na** stole
I count **on** you – liczę **na** ciebie

ale mogą mieć też różne inne odpowiedniki, np.:

on

on Monday — **w** poniedziałek
on the train — **w** pociągu
a lecture **on** Hamlet – wykład **o** Hamlecie
on the right side — **po** prawej stronie

na

for dinner – **na** obiad
in the sky – **na** niebie

in time — **na** czas

to look **at** (something, somebody) — patrzeć **na** (coś, kogoś)

Podobnie wyglądałyby zestawienia innych przyimków. Wynika stąd wniosek, że użycia przyimków należy się uczyć nie w oderwaniu, lecz w konkretnych zwrotach i zdaniach.

Przyimki stosowane w wyrażeniach dotyczących czasu

1. at   at night — w nocy, at midnight — o północy, at Christmas — na Boże Narodzenie, at Easter — na Wielkanoc
2. on   on Monday — w poniedziałek, on that day — tego dnia, on September 10 — 10 września, on Christmas day — w dzień Bożego Narodzenia
3. in   in August — w sierpniu, in winter — w zimie, in 1980 — w 1980, in a minute — za minutę
4. by   by September — do września, by 6.30 — do 6.30, by next winter — do przyszłej zimy
5. from   from 5.30 to 6.15 — od 5.30 do 6.15, from Monday to Saturday —
    — to   od poniedziałku do soboty
6. since   since Christmas — od Bożego Narodzenia, since that day — od tego dnia
7. for   for many years — przez wiele lat, for ages — od wieków
8. during   during the winter — podczas zimy, during my stay — podczas mego pobytu
9. till,
    until   till midnight — do północy, until he comes — aż przyjdzie
10. after   after dinner — po obiedzie, after he came — po jego przyjściu
11. before   before breakfast — przed śniadaniem, before 11.30 — przed 11.30

Przyimki stosowane w wyrażeniach dotyczących ruchu, kierunku i położenia

1. from — to   from London to Birmingham — z Londynu do Birmingham
2. at, in   a) he arrived in a country/town — przybył do kraju/miasta
        he arrived at a little village — przybył do małej wioski
       b) to get at = to reach — dotrzeć do ...
       c) to be at home, at a meeting, at the University
3. in, into,   to be in a room — być w pokoju, to come into a room — wejść
    inside   do pokoju, inside the house — wewnątrz domu
4. outside   outside the house — na zewnątrz domu
5. on   on the table — na stole

Przyimki określające położenie przedmiotów względem siebie

1. above, over   above the clouds — nad chmurami, over my head — nad głową
2. below, under   below the ground — pod ziemią, under the table — pod stołem

3. beside, by   beside/by Mary – obok Mary
4. between   between you and me – między tobą a mną
5. among   among the trees – między drzewami, pośród drzew
6. in front of   in front of the house – przed domem
7. behind   behind the armchair – za fotelem

A oto przykłady użycia różnych przyimków w typowych zwrotach i sytuacjach:

Do you drink tea **with** or **without** sugar?
Czy pijesz herbatę **z** cukrem czy **bez?**

I **looked through** the window.
Spojrzałem **przez** okno.

John is **good at** mathematics.
John jest dobry w matematyce.

I am **sorry for** being late.
Przepraszam za spóźnienie.

He is **used to** getting up early.
On jest przyzwyczajony do wczesnego wstawania.

Owing to his money we were able to buy a car.
Dzięki jego pieniądzom mogliśmy kupić samochód.

A oto przykłady użycia różnych przyimków w wyrażeniach dotyczących ruchu, podróży, transportu itp.:

On foot (on a bicycle, on horseback) – pieszo, rowerem, konno.
I always go to school **on foot** – zawsze idę do szkoły pieszo.
By car (bus, train, plane, sea, air).
If you go **by car** you will be there in ten minutes – jeśli pojedziesz samochodem, będziesz tam za dziesięć minut.
Get in – wsiąść.
Get in. I'll give you a lift – Wsiadaj. Podwiozę cię.
Get into/onto (a bus, train) – wsiąść (do autobusu, pociągu).
Get into the first bus you meet – wsiądź do pierwszego autobusu jaki napotkasz.
Get on (a horse, a bicycle) – wsiąść (na konia, rower).
He fell down as he was **getting on** his bicycle – spadł, gdy wsiadał na rower.
Get out of a vehicle – ⎫
Get off a vehicle   – ⎭ wysiadać z pojazdu
Get out of the bus (**get off** the bus) at the third stop – wysiądź z autobusu na trzecim przystanku.

Przyimki niejednokrotnie modyfikują znaczenie czasownika, po którym występują, np.:

to look **at**	— patrzeć na
to look **after**	— opiekować się
to look **for**	— szukać
to look **into**	— wejrzeć (w coś)
to look **over**	— przejrzeć (pobieżnie)
to look **through**	— przejrzeć, zbadać (szczegółowo)
to look **out of**...	— wyglądać (np. oknem)
to look **upon** ... **as**	— uważać (kogoś, coś) za ...
to get **over** ...	— 1. przejść przez (chorobę), wyzdrowieć
	2. pokonać (np. trudności)
	3. przeboleć, zapomnieć

Poniżej podajemy najczęściej występujące zestawienia czasowników, przymiotników, imiesłowów i rzeczowników z przyimkami.

Zestawienia: czasownik + przyimek

(wybór)

accuse of ...	— oskarżać o (coś)
agree to ...	— zgodzić się na (coś)
agree with ...	— zgadzać się z (czymś lub kimś)
aim at ...	— zmierzać do ...
approve of ...	— aprobować ...
ask for ...	— poprosić o ...
call on (somebody)	— odwiedzić (kogoś)
call to (somebody)	— wołać na (kogoś)
call for (somebody)	— wezwać (kogoś)
care for or about (something or somebody)	— dbać o (coś lub kogoś)
change for ...	— zamienić na
change into ...	— 1. zmienić (się) w (coś)
	2. przebrać (się) w (coś)
charge with ...	— 1. obciążyć (czymś)
	2. obwinić o (coś)
come across ...	— napotkać (kogoś lub coś) przypadkiem
congratulate ... on ...	— gratulować (komuś) z powodu ...
consist of ...	— składać się z ...
demand of or from ...	— domagać się od (kogoś)
depend on ...	— zależeć od, polegać na
die of ...	— umrzeć z (czegoś), na (coś)

differ from ...	— różnić się od ...
divide in lub into ...	— podzielić na (części)
drink to ...	— pić za (coś)
exchange for ...	— wymienić na ...
fall in love with ...	— zakochać się w ...
feed on ...	— karmić się (czymś)
get at ...	— dotrzeć do, dostać się do
get over ...	— zapomnieć, przeboleć, przedostać się przez
hide from ...	— schować (się) przed ...
hope for ...	— spodziewać się (czegoś)
laugh at ...	— śmiać się z ...
lean against ...	— opierać się o ...
leave for ...	— wyjechać do ...
listen to ...	— słuchać (kogoś lub czegoś)
look after ...	— opiekować się
look at ...	— patrzeć na ...
look into ...	— wejrzeć (w coś), zajrzeć (dokądś)
look for ...	— szukać
look over ...	— przeglądać
look through ...	— przejrzeć dokładnie
look upon someone as ...	— uważać kogoś za ...
make up for ...	— nadrobić (np. stracony czas), zrekompensować
object to ...	— sprzeciwiać się (czemuś)
point at ...	— wskazywać na...
reply to ...	— odpowiedzieć na ...
see to (something)	— dopilnować (czegoś, żeby coś)
struggle for ...	— walczyć o ...
struggle against ...	— walczyć z ...
succeed in ...	— zdołać; odnieść powodzenie, sukces w ...
take after (somebody)	— mieć cechy (np. wygląd, zdolności) odziedziczone po (kimś)
take over ...	— przejąć
translate into ...	— przetłumaczyć na ...
wait for ...	— czekać na ...

Zestawienia: przymiotnik lub imiesłów + przyimek (wybór)

absent from ...	— nieobecny na lub w ...
advantageous to ...	— korzystny dla ...
angry with ...	— zły na (kogoś)

aware of ...	– świadomy (czegoś)
dependent on ...	– zależny od ...
different from ...	– różny od ...
eager for ...	– zapalony do ..., spragniony (czegoś)
engaged to ...	– zaręczony z ...
envious of ...	– zawistny o ...
good for nothing	– nie nadający się do niczego
good at ...	– dobry w ... (czymś)
good for	– dobry na ..., korzystny dla ...
good to	– dobry dla ... (kogoś)
independent of ...	– niezależny od ...
interested in ...	– zainteresowany (czymś)
keen on ...	– zapalony do ...
obedient to ...	– posłuszny (komuś, czemuś)
pleased with ...	– zadowolony z ...
polite to ...	– grzeczny dla ...
responsible to ...	– odpowiedzialny przed (kimś)
responsible for ...	– odpowiedzialny za ...
surprised at ...	– zdziwiony (czymś)
suspicious of ...	– podejrzewający (kogoś)
used to ...	– przyzwyczajony do (kogoś, czegoś)

Zestawienia: rzeczownik + przyimek
(wybór)

arrival at a place	– przybycie do jakiegoś miejsca
arrival in a country	– przybycie do kraju
in/under the circumstances	– w okolicznościach
claim against (someone)	– roszczenie w stosunku do (kogoś)
decision on a matter	– decyzja w sprawie ...
disagreement with a person	– niezgoda, spór z kimś
exception to a rule	– wyjątek od reguły
gratitude for ...	– wdzięczność za ...
influence over/with a person	– wpływ na kogoś
interest in	– zainteresowanie (kimś, czymś)

Zwroty z partykułą przysłówkową

Obok omówionych powyżej zwrotów z przyimkiem istnieją w języku angielskim bardzo liczne zwroty z tzw. partykułą przysłówkową, posiadające pewne istotne cechy charakterystyczne, odróżniające je od zwrotów z przyimkiem. Trudność dla cudzoziemca stanowi to, że w wielu wypadkach partykuły przysłówkowe mają postać identyczną z przyimkiem, a różnice dotyczą składni, w jakiej występują. Partykuły przysłówkowe omówione są w rozdziale 5.5. Warto zaznaczyć, że tak jak zwroty z przyimkami powinno się je opanowywać w określonym kontekście znaczeniowym.

CWICZENIE I

Wstaw odpowiednie przyimki w miejsce kropek:

1. Come and see me ... eight.
2. She got married ... seventeen.
3. We shall meet ... Exeter.
4. This shop is closed ... Mondays.
5. He was usually late, but ... that day he came ... time.
6. Some students take their examinations ... February, others .. June.
7. I will be here ... a minute.
8. Tom always has his holidays ... spring.
9. He left last week but he should be here again ... the end of the year.
10. Our train comes ... 2.45.
11. I was waiting for you yesterday ... three ... six – don't you think it was long enough?
12. What a surprise! I am so glad to see you – I haven't seen you ... ages!
13. I haven't seen George ... the day we met at Wimbledon.
14. ... long winter evenings we read books or watch TV.
15. He will stay with us ... a week, probably ... June 20th.
16. I like a cup of coffee ... lunch.
17. Don't forget to post this letter ... midnight.
18. The 5.30 train ... London ... Exeter will be late.
19. First we lived ... London, and then we moved ... Bradford.
20. Will you be ... home tomorrow evening? No, I am afraid I will be ... a meeting.

CWICZENIE II

Z przyimków podanych w nawiasach wybierz właściwe:

1. Come (in, into, inside) the house! Don't stand (in, into) the rain!
2. Put these cups (on, at) the tray, and carry them (to, in) the living room, please.
3. Please spread the cloth (over, above) the table.
4. Come and sit (beside, outside) me or (between, among) your brother and sister.
5. Leave your umbrella (behind, after) the door.
6. He spends all day (before, in front of) the TV set.
7. John looked (through, across) the window (on, at) the gathering clouds.
8. Let's meet (at, by) 9.30.

132

9. (During, at) my stay at the seaside I spent most of my time (on, at) the beach, even if the weather was bad.
10. Have you ever seen Warsaw (at, by) night?
11. „Get (out, off)!" he shouted, „or I shall kick you (down, along) the stairs!"
12. What are you looking (on, at)?
13. What are you talking (on, about)?
14. They usually come (by, through) car, but today they came (by, on) foot.
15. I've got a letter (of, from) Chicago.
16. Don't blame John – he is (above, over) suspicion.

ĆWICZENIE III

Przetłumacz na polski następujące zdania, zawierające zwroty z przyimkami:

1. This man has been accused of theft.
2. Will you agree to do what we want?
3. I agree with you that we should help him.
4. All my efforts now aim at learning English.
5. In answer to your letter we have the pleasure of informing you that ...
6. I don't approve of your behaviour.
7. If you are in trouble, ask for me.
8. If you are thirsty, ask for a glass of water.
9. I met John yesterday; he asked about you.
10. The speaker pointed to the fact that the meeting had been going on for ten hours without giving an answer to the question put at the beginning.
11. Let us drink to your success!
12. I would like to exchange my radio set for a tape-recorder.
13. We hope for the best.
14. Don't laugh at John but try to help him.
15. If you lean against this wall, you will get wet paint on your clothes.
16. I am listening to you, I hear what you say, but it doesn't mean I am going to do what you want.
17. Why are you looking over these old papers? I am looking for a lost letter.
18. Look into your bag – perhaps you'll find your key there.
19. Mary looks after her small brother and sister.

ĆWICZENIE IV

Uzupełnij następujące zdania, stosując w każdym z nich odpowiedni zwrot z przyimkiem:

1. His speech was not very convincing. (Nie mogliśmy zrozumieć do czego zmierzał).
2. (Czy sprzeciwiasz się) my proposal?
3. Tomorrow this job will be finished. (Dopilnuję tego).

4. During the war Polish troops were fighting (o niepodległość swego kraju) on many fronts.
5. The baby is very much like you! Oh, no, (ona jest podobna do ojca).
6. I am sorry for disturbing you but (wziąłem Panią przez pomyłkę za moją znajomą).
7. Let us (przemyśleć) all the possibilities once more.
8. (Przetłumacz) these sentences (na angielski).
9. (Zaczekaj na mnie na) the bus stop.

ĆWICZENIE V

Przetłumacz następujące zdania na angielski:

1. Pociąg z Londynu do Exeter właśnie nadjeżdża.
2. Delegacja angielskich businessmenów przybyła do Warszawy.
3. Wszedłem do tego pokoju godzinę temu.
4. Postaw te talerze na tacy i zanieś je do jadalni.
5. Jeżeli chłopcy będą szli pieszo, zobaczysz ich na drodze z miasta do naszego domu.
6. Dom państwa Brownów stoi między znacznie większymi domami.
7. Te magnetofony różnią się ceną i jakością.
8. John cały wieczór spędził przed telewizorem zamiast się uczyć do egzaminu.
9. Przystanek autobusowy jest na tyłach naszego domu (za naszym domem).
10. Mr Smith przyjechał do naszego miasta w sierpniu.
11. Czy możesz przyjść do nas w poniedziałek o piątej?
12. Nigdy nie wracam do domu przed trzecią.
13. Podczas dnia na ulicach naszego miasta jest duży ruch.
14. Po pracy zwykle idę po zakupy.
15. Ten stół jest za duży – nie przejdzie przez drzwi.
16. Czy chcesz zobaczyć Warszawę w nocy?
17. Spotkamy się na stacji o szóstej.
18. Wsiądź do autobusu nr 114 i wysiądź na ostatnim przystanku.
19. Tom zawsze wraca do domu pieszo, ale jedzie do pracy autobusem, ponieważ nie lubi wcześnie wstawać.
20. Zastukałem do drzwi i wszedłem.
21. Staraj się skorzystać w pełni z twego pobytu w Anglii – mieszkaj z angielską rodziną i mów tylko po angielsku.
22. Jesteśmy bardzo wdzięczni za wszystko, co zrobiliście dla nas.
23. Mary ma wielki wpływ na swego męża.
24. Nie interesuję się lotami kosmicznymi.

CZĘŚĆ DRUGA

Struktura zdań pojedynczych i złożonych

Wybrane zagadnienia

---

8. Konstrukcja: There + (be) i konstrukcja It + (be)

8.1. Zastosowanie konstrukcji: There + (be)

Konstrukcją **there is, there are** posługujemy się mówiąc, że w danym miejscu, w danym czasie, w danej sytuacji lub w danych okolicznościach znajduje się (występuje) taka a taka rzecz (takie a takie zjawisko).

> There is a loaf of bread on the table.
> Na stole jest (znajduje się) bochenek chleba.
> There is some meat in the fridge.
> W lodówce jest mięso (trochę mięsa).
> There are some pictures in this book.
> W tej książce są obrazki (trochę, kilka obrazków).

W pytaniach stawiamy odpowiednią formę czasownika **be** przed wyrazem **there**, np.:

> Is there a hotel near here?
> Czy znajduje się tu blisko hotel?

Wyrażenia tego używamy także informując, że w danym miejscu, czasie, okolicznościach itp. coś nie istnieje lub nie występuje, np.:

> There are no chairs in this room.
> W tym pokoju nie ma krzeseł.

W konstrukcji tej rzeczowniki często występują z określnikami **some, any, no** [3].

There is some milk in the bottle.
W butelce jest trochę mleka.

There are some cigarettes in the box.
W pudełku jest trochę papierosów.

Is there any meat in the fridge?
Czy jest mięso w lodówce?

There isn't any coffee in the cupboard.
lub: There is no coffee in the cupboard.
W szafie nie ma kawy.

There aren't any English books in this library.
lub: There are no English books in this library.
W tej czytelni nie ma angielskich książek.

Konstrukcję **There** + (be) stosuje się w pytaniach o liczbę lub ilość, np [4].:

How much petrol is there in the canister?
Ile benzyny jest w kanistrze?

How many cigarettes are there in this packet?
Ile papierosów jest w tej paczce?

Konstrukcja **there** + forma czasownika **be** może występować w różnych czasach gramatycznych.

ĆWICZENIE I

Utwórz pytania według wzoru:

Wzór: people/street – Are there any people in the street?
coffee/tin   – Is there any coffee in the tin?

1. pepper/cupboard   6. oil/that container
2. knives/drawer   7. sugar/this tea
3. cheese/dish   8. tinned fruit/shop
4. bread/kitchen   9. biscuits/that box
5. beer/bottle   10. milk/fridge.

ĆWICZENIE II

Utwórz pytania według wzoru:

Wzór: towels/bathroom – How many towels are there in the bathroom?
meat/fridge   – How much meat is there in the fridge?

---

[3] Użycie: some, any, no patrz Zaimki nieokreślone rozdz. 3.3.
[4] Patrz użycie: many, much, little, a little, few, a few — rozdz. 1.2.5.1.

1. plates/the table   5. theatres/Warsaw
2. bread/the kitchen   6. money/that safe
3. restaurants/this town 7. mistakes/John's homework
4. petrol/the tank   8. rooms/your flat

ĆWICZENIE III

Odpowiedz na następujące pytania według wzoru:

Wzór: Can we have some coffee? Yes, there's some coffee left.
         Can we have some coffee? No, there isn't any coffee left.
                    or: No, there's no coffee left.

1. Can we have some wine? No, ...
2. Can we have some beer? Yes, ...
3. Can we have some potatoes? No, ...
4. Can we have some fish? Yes, ...
5. Can we have some meat? Yes, ...
6. Can we have some sandwiches? No, ...
7. Can we have some cakes? No, ...

ĆWICZENIE IV

Uzupełnij następujące zdania konstrukcją there + (be) w odpowiednim czasie:

1. ... a car waiting for us when we arrived at the station.
2. I'm looking for a stamp. ... some on your desk.
3. Have we got any biscuits? I'm sorry, ... any left.
4. ... a lot of people at John's party, won't there?
5. ... a lot of rain since Friday.
6. At our club yesterday ... several students who could speak English.
7. ... a beautiful airmail stamp on this envelope.
8. I'm afraid ... enough time for a visit to the Zoo tomorrow.
9. Who does the typing in your office? ... a typist who types all the letters.
10. ... a good film on TV tonight?
11. ... a very good article on economics in yesterday's paper.
12. ... any meetings of our society since January.
13. ... any hot water in the hotel when we arrived.
14. ... many foreign students at your college?

8.2. Konstrukcja: There + (be) i konstrukcja It + (be)

Porównanie

W zdaniach zawierających konstrukcję there + (be) wyraz there zaj-muje miejsce podmiotu, ale podmiotem nie jest. Podmiot właściwy jest w takich zdaniach przesunięty na dalsze miejsce, poza formę czasownika **be** stanowiącą orzeczenie zasadnicze zdania. Porównajmy zdanie polskie i angielskie:

There is **a telephone** in the hall.
W hallu jest **telefon.**

There will be **a meeting** tomorrow.
Jutro będzie **zebranie.**

W każdym z tych zdań zaakcentowany jest ten element treści, który jest wyrażony przez podmiot. Efekt ten uzyskuje się właśnie przez przesunięcie podmiotu poza orzeczenie — ku końcowi zdania.

W języku polskim, mającym elastyczny szyk zdania, można swobodnie umieścić podmiot **(telefon, zebranie)** po orzeczeniu zdania. W języku angielskim swoboda taka jest niemożliwa. Użycie **there,** które zastępuje niejako podmiot zajmując jego zwykłą pozycję, pozwala nam na przesunięcie właściwego podmiotu poza orzeczenie i w ten sposób zaakcentowanie tego właśnie elementu treści zdania, który jest wyrażony przez podmiot.

Oto dalsze przykłady z konstrukcją **there + (be):**

There have been four accidents at this cross-roads since Sunday.
Od ostatniej niedzieli na tym skrzyżowaniu były cztery wypadki.

There are no clean handkerchiefs in that drawer.
W tej szufladzie nie ma czystych chusteczek.

There was a good film on at the Odeon last week.
W zeszłym tygodniu w kinie Odeon był dobry film.

There is nothing to eat.
Nie ma nic do jedzenia.

There was no way of avoiding it.
Nie było sposobu uniknięcia tego.

There is much to be said on that topic.
Na ten temat jest wiele do powiedzenia.

There has been a lot of trouble about it.
Było z tym masę kłopotu.

Zdań takich jak powyższe nie można przekształcić tak, aby obyć się bez konstrukcji **there + (be)**, to jest nie można postawić na miejsce **there** ich właściwego podmiotu.

Zdania z konstrukcją **it + (be)** pozornie przypominają zdania zawierające **there + (be)**, jednakże w istocie różnią się od nich zasadniczo. Są to zdania z dwoma podmiotami. Jednym z nich jest słówko **it**, zwane Preparatory It (przygotowawcze it), a drugi może mieć różną postać. Jest kilka typów zdań z Preparatory It:

138

a) Zdania, w których drugi podmiot ma postać bezokolicznika, np.:

> It is easy to criticize.
> Łatwo jest krytykować.
> It is better to do it at once.
> Lepiej zrobić to zaraz.

Można takie zdania przekształcić tak, aby wyeliminować Preparatory It:

> To criticize is easy.
> To do it at once is better.

Zdania takie, choć poprawne, brzmią jednak mniej naturalnie niż zdania z użyciem Preparatory It. Zauważmy, że w języku polskim zdaniom tego typu odpowiadają zdania bezpodmiotowe.

Do tej samej grupy można zaliczyć zdania z czasownikami: seem, feel, sound, look użytymi bez osobowego podmiotu, np.:

> It seems impossible to help him.
> Pomóc mu (dopomożenie mu) wydaje się niemożliwe.
> It sounds strange to say so.
> Powiedzieć tak (powiedzenie tak) brzmi dziwnie.

b) Zdania, w których drugi podmiot ma postać zdania pobocznego, np.:

> It's strange that she hasn't come home yet.
> To dziwne, że jeszcze nie wróciła do domu.
> It's true that books are the truest friends.
> To prawda, że książki są najwierniejszymi przyjaciółmi.

Zdania takie również można przekształcić tak, aby wyeliminować Preparatory It:

> That she hasn't come home yet is strange.
> That books are the truest friends is true.

Zdania te, choć teoretycznie poprawne, brzmią sztucznie.

Często używane zwroty zawierające Preparatory It to m. in.: it is a pity, it is no use, it is fun. Oto przykłady:

> It's no use asking him to help us.
> Nie warto prosić go o pomoc.
> It's a pity she doesn't speak French.
> Szkoda, że ona nie mówi po francusku.
> It's fun learning foreign languages.
> Zabawnie (przyjemnie) jest uczyć się obcych języków.

c) Zdania, w których drugim podmiotem jest zdanie przydawkowe rozpoczynające się od zaimka: who, which, whom, that. Budowę takich zdań można wytłumaczyć jako rezultat „rozszczepienia" zwykłego zdania pojedynczego z jednym podmiotem.

Weźmy np. za punkt wyjścia zdanie:

> John broke the window.
> John zbił szybę.

Jeżeli chcemy podkreślić fakt, że to właśnie John a nie kto inny zbił szybę, powiemy tak:

> It is John who broke the window.
> To właśnie John zbił szybę.

Jeżeli chcemy powiedzieć, że John zbił szybę, a nie co innego, powiemy:

> It is the window that John broke.
> To właśnie szybę John zbił.

Oto przykłady zdań o takiej konstrukcji:

> It is Helen who found the watch.
> To właśnie Helen znalazła zegarek.
>
> It is the watch that Helen found.
> To właśnie zegarek Helen znalazła.
>
> It was Henry who took my best tie.
> To właśnie Henry wziął mój najlepszy krawat.
>
> It was my best tie that Henry took.
> To właśnie mój najlepszy krawat wziął Henry.

Porównajmy teraz zdania z konstrukcją **There + (be)** i z Preparatory It.

> There is a policeman in front of us.
> Przed nami znajduje się policjant.
>
> It was a policeman who told me to turn left.
> To (właśnie) policjant polecił mi skręcić w lewo.
>
> It is time for you to get up.
> Już pora, abyś wstawał.
>
> There is time for you to have a cup of tea before getting up.
> Masz jeszcze czas na wypicie filiżanki herbaty przed wstaniem.

W wielu przypadkach **it** występuje jako jedyny podmiot zdania. Oto przykłady zdań z takim podmiotem, które mogą Polakowi sprawiać pewne trudności.

> It is a month since I saw her.
> To już miesiąc od czasu jak ją widziałem.

It's two years since I had a holiday.
To już dwa lata odkąd miałem wakacje.

It's three miles to the nearest town.
Do najbliższego miasta jest trzy mile.

It's warm at this time of year in Poland.
O tej porze roku jest ciepło w Polsce.

It's nice to get out of town in summer.
Przyjemnie jest wyjechać z miasta w lecie.

ĆWICZENIE I

Wstaw **it** lub **there** z czasownikiem **to be** w odpowiednim czasie:

1. ... Mary who gave us your telephone number.
2. ... some interesting stories in this book.
3. ... difficult to cross the street in a big city.
4. ... a good play in our local theatre last week.
5. ... wet last Sunday, wasn't it?
6. I think ... John who introduced us.
7. Get up, ... time to go to school.
8. I'm sure ... a lot of people at the meeting tonight.
9. ... very cold last night, wasn't it?
10. ... on my first visit to France that I went to Nice.
11. Driving is dangerous when ... a fog.
12. ... difficult to understand what he is speaking about.
13. ... an information desk in the entrance hall.
14. ... a pity you can't come to our party.

ĆWICZENIE II

Uzupełnij wstawiając **it** lub **there** z czasownikiem **to be** w odpowiednim czasie. W niektórych zdaniach należy wprowadzić liczbę mnogą, formę pytającą lub przeczącą:

1. ... a river near the town? Yes, ... but ... dangerous to bathe in it.
2. ... no use discussing this problem. ... nothing to do but to wait.
3. ... far to the nearest service station?
4. ... enough food for everyone? Oh, yes, ... impossible to eat it all!
5. ... a pity you don't speak French: ... some charming French girls in our hotel.
6. ... a car park in the centre of the town? Yes, but I'm afraid ... impossible to park a car there in the rush hours.
7. ... Lucy who told us about your marriage.
8. ... too cold for a walk last night, so we stayed at home. Oh, yes, ... a very cold wind in the evening.

9. ... easy to talk but we've got to do something at last.
10. ... better to go to the seaside in June — ... such crowds of people there in July and August.
11. ... any scotch tape on your desk? No, I'm afraid ... any.
12. ... a pity we haven't got a car. Oh, I don't know. ... difficult to park a car in the city, and besides ... a very good bus service in our town.

ĆWICZENIE III

Przetłumacz na angielski:

1. Było wiele wypadków drogowych od początku roku.
2. Szkoda, że Mary nie odwiedzi nas jutro.
3. Na jutrzejszym zebraniu będzie wiele ludzi.
4. Wczoraj był bardzo dobry koncert w parku.
5. Miło jest znowu cię widzieć.
6. Nie ma wysokich budynków w tym małym miasteczku.
7. Nie warto próbować jej przekonywać. Ona cię nie usłucha.
8. Czy są czyste chusteczki do nosa w szafie?
9. Nie zawsze jest łatwo eksperymentować.
10. Po drugiej stronie ulicy jest przystanek autobusowy.

9. Struktura zdań z dwoma dopełnieniami

Zajmiemy się tu zdaniami, w których oba dopełnienia wyrażone są rzeczownikami (z przydawkami lub bez) lub zaimkami. Możemy rozróżnić dwa typy takich zdań. Pierwszy typ to zdania zawierające tzw. dopełnienie bliższe (odpowiadające na pytanie: kogo? co?) i tzw. dopełnienie dalsze (odpowiadające na pytanie: komu? czemu?). Oto przykłady takich zdań:

Mary has given me a present.
Mary dała mi present.
I can lend you my bicycle.
Mogę ci pożyczyć rower.
Mother told the children a story.
Mama opowiedziała dzieciom historyjkę.
I have told my wife everything.
Powiedziałem żonie wszystko.

W zdaniach o powyższej konstrukcji najpierw występuje dopełnienie dalsze a po nim dopełnienie bliższe. Dopełnienie dalsze może być dowolnym rodzajem rzeczownika lub zaimka, natomiast dopełnienie bliższe nie może być zaimkiem osobowym.

Drugi typ zdania z dwoma dopełnieniami zawiera dopełnienie bliższe i tzw. dopełnienie przyimkowe, tzn. rzeczownik lub zaimek poprzedzony przyimkiem. Oto przykłady:

Mary wrote a letter to John.
Mary napisała list do Johna.
I have bought some sweets for the children.
Kupiłem dzieciom cukierków.
John brought these flowers for you.
John przyniósł te kwiaty dla ciebie.
Mr. Smith gives lessons to some Polish students.
Pan Smith daje lekcje polskim studentom.

W tej konstrukcji zarówno dopełnienie bliższe, jak przyimkowe może być wyrażone dowolnym rodzajem zaimka lub rzeczownika.

Wybór pierwszego lub drugiego typu zdania z dwoma dopełnieniami zależy od tego, na jaką informację mówiący pragnie położyć główny nacisk. Jeśli chce podkreślić co ktoś daje, przekazuje, pożycza, ofiaruje, posyła itp. wybiera typ pierwszy, w którym ta właśnie informacja znajduje się na końcu zdania:

> Mary has given me a present.
> Mary dała mi prezent (a nie co innego).
>
> John sent Mary some flowers.
> John posłał Mary kwiaty.
>
> I bought myself a new hat.
> Kupiłem sobie nowy kapelusz.
>
> The postman brought John a parcel.
> Listonosz przyniósł Johnowi paczkę.

Jeśli natomiast mówiący chce podkreślić jako główną nową informację komu jest rzecz dawana, posyłana, kupowana itp. wybiera typ drugi, w którym ta właśnie osoba wymieniona jest na końcu zdania:

> Mary has given a present to me.
> Mary dała prezent mnie (a nie komuś innemu).
>
> John sent some flowers to Mary.
> John posłał kwiaty Mary.
>
> I bought a new hat for myself.
> Kupiłem nowy kapelusz sobie (dla siebie).
>
> The postman brought a parcel for John.
> Listonosz przyniósł paczkę dla Johna.

Dopełnienie bliższe wyrażone zaimkiem osobowym może wystąpić tylko w tym typie zdania. Oto przekształcenie zdań podanych powyżej:

> Mary has given it to me.
> Mary dała go mnie.
>
> John sent them to Mary.
> John posłał je Mary.
>
> I bought it for myself.
> Kupiłem go dla siebie.
>
> The postman brought it for John.
> Listonosz przyniósł ją dla Johna.

Drugim kryterium wyboru pierwszego lub drugiego typu zdania z dwoma dopełnieniami jest stopień rozbudowania tych dopełnień. Jeżeli dopełnienie bliższe jest rozbudowane, tj. wyrażone rzeczownikiem z przydawkami, częściej stosuje się typ pierwszy, np.:

John sent Mary an enormous bunch of red roses.
John posłał Mary olbrzymi bukiet czerwonych róż.

Jeśli dopełnienie dalsze jest rozbudowane, częściej stosuje się typ drugi, np.:

John sent some flowers to the pretty sister of his friend Tom.
John posłał kwiaty ładnej siostrze swego przyjaciela Toma.

Jeżeli oba dopełnienia wyrażone są zaimkami osobowymi, dopełnienie dalsze występuje przed dopełnieniem bliższym:

Give it to me.
Daj mi to.
I lent them to him.
Pożyczyłem mu je.
We showed her to them.
Pokazaliśmy im ją.

CWICZENIE I

Odpowiedz na pytania (wykorzystaj informację w nawiasie):

1. What did John buy Mary? (a ring)
2. When did he give it to her? (yesterday)
3. Have you bought these books for John or for yourself? (John)
4. Have you bought John a book or some other present? (a book)
5. Who did you lend your typewriter to? (my brother)
6. What does Mr. Brown teach his students? (French)
7. Did Mr. Black promise this job to John or to Peter? (Peter)
8. What did Jane tell her husband about her stay in Paris? (everything)
9. Whom did Jane tell the story of her stay in Paris? (her husband)
10. Whom are you going to give these apples and these oranges? (Jane, Mary)

CWICZENIE II

Przetłumacz na angielski zdania w nawiasie:

1. X. I've bought some records for John. (Y. Daj mu je.)
2. X. Have you shown Mark my new picture? (Y. Tak. Pokazałem mu go.)
3. X. Here are some photographs of the children (Y. Pokaż mi je.)
4. X. Here is the sugar. (Y. Przysuń mi go.)
5. X. John is enthusiastic about my new car. (Y. Nie pożyczaj mu go.)
6. X. What beautiful flowers! (Y. John mi je dał.)
7. X. Is this Mary's camera? (Y. Nie. John pożyczył go jej.)
8. X. Please don't tell this secret to my wife. (Y. Dobrze. Nie powiem go jej).

10. Konstrukcje w stronie biernej

10.1. Tworzenie strony biernej

Formy strony biernej tworzy się (podobnie jak w języku polskim) za pomocą czasownika **to be** oraz imiesłowu czasu przeszłego.
Present Simple

> The door **is locked** every night by my father.
> Drzwi są zamykane co wieczór przez mojego ojca.

Present Continuous

> A new school **is being built** in our town.
> W naszym mieście buduje się (właśnie teraz) nową szkołę.

Simple Past

> Your letter **was posted** yesterday.
> Twój list został wysłany wczoraj.

Past Continuous

> When I arrived dinner **was being served**.
> Kiedy przybyłem podawano obiad.

Present Perfect

> That house **has been sold**.
> Ten dom został sprzedany.

Past Perfect

> He said that his pen **had been found** at school.
> Powiedział, że jego pióro zostało znalezione w szkole.

Future Simple

> This bill **will be paid** tomorrow.
> Ten rachunek zostanie zapłacony jutro.

Bezokolicznik w stronie biernej tworzy się przez użycie bezokolicznika **to be** i imiesłowu biernego, np. **to be seen** — być widzianym.

This letter box is full. It **must be cleared**.
Ta skrzynka pocztowa jest pełna. Musi być opróżniona.

Zestawienie

Infinitive	to be brought
Present Simple	am (are, is) brought
Present Continuous	am (are, is) being brought
Past Simple	was (were) brought
Past Continuous	was (were) being brought
Present Perfect	have (has) been brought
Past Perfect	had been brought
Future Simple	will (shall) be brought
Future in the Past	would (should) be brought
Future Perfect in the Past	would (should) have been brought

10.2. Użycie strony biernej

Właściwe użycie strony biernej przedstawia trudności dla Polaka, ponieważ w języku angielskim używa się jej znacznie częściej niż w języku polskim.

1) Stronę bierną stosuje się najczęściej w następujących sytuacjach:
a) gdy interesuje nas wykonanie czynności a nie jej wykonawca, np.:

Those ships are built in Glasgow.
Te okręty buduje się w Glasgow.

b) Gdy sprawca czynności jest nieznany, np.:

My watch has been stolen.
Ukradziono mi zegarek.

lub gdy sprawca czynności jest nieokreślony (someone, somebody, everybody, everyone, they, people), np.:

Strona czynna People speak English all over the world.
Ludzie mówią po angielsku na całym świecie.
Strona bierna English is spoken all over the world.
Na całym świecie mówi się po angielsku.
Strona czynna They are renovating the Town Hall.
Odnawiają ratusz.
Strona bierna The Town Hall is being renovated.
Ratusz jest w odnowie.

c) W oficjalnych instrukcjach, zawiadomieniach, zakazach, np.:

> Passengers are requested to proceed to the customs.
> Pasażerowie proszeni są o udanie się do komory celnej.
> This form should be filled in block letters.
> Ten formularz należy wypełnić drukowanymi literami.

d) W zdaniach odpowiadających polskim zdaniom typu: mówi się (it is said), przypuszcza się lub mówiono (it was said, it has been said).

> It is said that the government will raise the price of meat.
> Mówi się, że rząd podniesie cenę mięsa.
> It has been announced that school holidays will last until the 3rd of January.
> Ogłoszono, że szkolne ferie będą trwały do 3 stycznia.
> It was said the talks were very fruitful.
> Mówiono, że rozmowy były bardzo owocne.

2) Stronę bierną stosuje się także, gdy sprawcę (wykonawcę) czynności chce się szczególnie wyeksponować, gdy to właśnie jest główną informacją udzielaną rozmówcy. Nazwę sprawcy poprzedza się przyimkiem **by**.

> These letters will be typed by Miss Jones.
> Te listy zostaną napisane na maszynie przez pannę Jones.
> America was discovered by Columbus.
> Ameryka została odkryta przez Kolumba.

Po niektórych czasownikach, jak np. give (dać), show (pokazać), tell (powiedzieć), award (przyznać), w stronie biernej podmiotem jest dopełnienie bliższe (kogo, co) lub też dopełnienie dalsze (komu, czemu), np.:

Strona czynna	They showed your letter to Father.
	Pokazali twój list ojcu.
Strona bierna	Your letter was shown to Father.
lub:	Father was shown your letter.
	Twój list został pokazany ojcu.

Podmiotem zdania w stronie biernej może być również dopełnienie przyimkowe, np.:

Strona czynna	They will send for a doctor.
	Oni poślą po doktora.
Strona bierna	A doctor will be sent for.
	Pośle się po doktora.
Strona czynna	They often laugh at her.
	Oni często się z niej śmieją.

Strona bierna   She is often laughed at.
                  Ona jest często wyśmiewana.

ĆWICZENIE I

Uzupełnij poniższe dialogi podając odpowiedzi według wzoru:

Wzór: Has lunch been cooked yet?
            It's just being cooked.

1. A.: Have you typed those letters yet?
   B.: They ...
2. A.: Have they built the swimming pool at last?
   B.: It's ...
3. A.: Has she made the coffee?
   B.: It's ...
4. A.: Have they written their report?
   B.: It's ...
5. A.: Have they painted the walls yet?
   B.: They ...

ĆWICZENIE II

Przepisz poniższe opowiadanie w stronie biernej, zaczynając od zdania:

In the seventies our town was modernized:

1. In the seventies they modernized our town.
2. They built a new shopping centre in the centre of the city.
3. They reconstructed the old cathedral.
4. They completed the reconstruction a month ago.
5. They widened some of the old narrow streets.

ĆWICZENIE III

Dyrektor szkoły Mr. B. omawia ze swoim zastępcą Mr. K. przygotowania do uroczystości zakończenia roku szkolnego i pragnie upewnić się, czy wszystko zostało należycie przygotowane. Uzupełnij odpowiedzi Mr. K. zdaniami w stronie biernej:

Wzór: Mr. B.: Have you sent the invitation to the Mayor yet?
            Mr. K.: Yes, it has been sent.

1. Mr. B.: Have you checked the list of the guests?
2. Mr. B.: Have you answered the parents' letters?
3. Mr. B.: Have you read the teachers' reports?
4. Mr. B.: Have you prepared the welcoming speech?
5. Mr. B.: Have you asked the teachers to be present at 12 a.m.?
6. Mr. B.: Have you told the canteen staff to prepare refreshments?

149

ĆWICZENIE IV

Profesor Paul Black pisze do kolegi zapraszając go na obchody 400-lecia uniwersytetu. Uzupełnij list profesora, stosując czas Future Simple w stronie biernej czasowników podanych w nawiasach.

Dear Professor Watson,

Next month our university will celebrate its 400th anniversary. Several eminent professors (invite) to the ceremony. The opening speech (deliver) by professor Jones, whom you have met. The big hall of the university (decorate) by our students and a concert (give) by a famous pianist. All the arrangements (complete) soon.

We would be happy to have you as our guest. Let us know if we can put your name on the list.

Yours sincerely,
Paul Black

ĆWICZENIE V

Przekształć poniższe zdania na stronę bierną:
Wzór: They may ask you a lot of questions.
            You may be asked a lot of questions.

1. You ought to return the books to the library before the first of March.
2. People mustn't park cars in front of that building.
3. They ought to pay him.
4. You should keep butter in the fridge.
5. They can build a school in five months.
6. You should inform the police.
7. You will have to fill in a lot of forms.
8. They can't sell their old car.
9. You ought to repair that old clock.
10. You needn't translate this article.

ĆWICZENIE VI

Napisz następujące zdania w stronie biernej, pomijając określenie wykonawcy:

1. Someone noticed the thief an hour earlier.
2. Everyone knows the facts very well.
3. They opened the theatre only last month.
4. Someone is serving coffee now.
5. People will soon forget the whole affair.

150

6. Someone has translated those documents.
7. You must write the answers in ink.
8. Someone has taken away two of my books.
9. One can easily forget a telephone number.
10. They are now producing this type of transistor radio in Japan.
11. Someone cleans the rooms every week.
12. Someone will send this parcel to Mr. Brown.
13. You must finish the work by five o'clock.
14. Someone is repairing the road to Winchester.
15. Someone has locked the safe.
16. They will cut the tree down.

ĆWICZENIE VII

Odpowiedz na poniższe pytania wykorzystując informację podaną w nawiasie. Odpowiedzi należy podać w stronie biernej:

Wzór: Who will pay the bill? (Mr. Brown)
          The bill will be paid by Mr. Brown.

1. Who sends those goods to Japan? (Smith and Co)
2. Who wrote this report? (Mr. Wilson)
3. Who usually cooks breakfast? (my sister)
4. Who will open the exhibition? (Princess Anne)
5. Who makes the best tea? (the English)
6. Who had opened the window before we came in? (the thief)
7. Who is repairing our car? (a good mechanic)
8. Who has opened my letter? (the secretary)
9. Who wrote "Pygmalion"? (George Bernard Shaw)
10. Who has stolen the jewellery? (a tramp)
11. Who took Mary's photograph? (Jim)
12. Who usually takes the boys to school? (Father)
13. Who has cleaned the kitchen? (Jane)
14. Who will give away the prizes? (the headmaster)

ĆWICZENIE VIII

Odpowiedz na następujące pytania:

Wzór: How often are these cacti watered?
          They are watered once a week.

1. What time are the shops opened in this town? (7 o'clock)
2. Will this plan be discussed at the next meeting? (No, next year)
3. Must the meeting be held today? (Yes, ...)

4. How often is this letter-box cleared? (twice a day)
5. Must this letter be posted at once? (Yes, ...)
6. Why hasn't the office been cleaned? (... because Mrs. Smith is ill).

ĆWICZENIE IX

Napisz następujące zdania w stronie biernej rozpoczynając zdanie od słów wytłuszczonych:

Wzór: Someone gave **Helen** a ring.
         Helen was given a ring.

         They gave **Janet** a free ticket to the opera.
         Janet was given a free ticket to the opera.

1. They have promised **Henry** a new bicycle.
2. Someone will lend **John** a camera to take our photograph.
3. Somebody has told **the police** a lie.
4. They offered **Mr. Jones** the post of treasurer.
5. Someone handed **Mary** the programme.
6. Someone should teach **Susan** to cook.
7. They will take **Mr. Smith** round the factory.

ĆWICZENIE X

Odpowiedz na następujące pytania według wzoru:

Wzór: Are they sending your brother abroad? Yes, he ... lub No, he ...
         Yes, he is being sent abroad — lub: No, he isn't being sent abroad.

1. Did they give Mary a ring at Christmas? Yes, she ...
2. Did they show the man how to operate the machine? No, he ...
3. Will they ask you to come on Sunday? Yes, I ...
4. Can they arrest that woman? No, she ...
5. Have they paid the boy for his work? Yes, he ...
6. Are they teaching your son to swim? Yes, he ...
7. Will they offer me that job? No, you ...

ĆWICZENIE XI

Uzupełnij stosując stronę bierną:

Wzór: Will you check these documents, Mr. Brown?
         No, they ... by Mr. Green. No, they will be checked by Mr. Green.

1. Did you correct Helen's homework? No, it ... by Miss Hill.
2. John hasn't posted that letter yet. That's too bad. It ought ... immediately.
3. Will you sign these letters, sir? No, they ... by Mr. Wilson.
4. Why didn't Jack come to Mary's party? I'm afraid she hadn't invited him. Oh, do you really think he ... ?
5. Did they pay you for your work, Mary? Yes, ... last Friday.

152

Przetłumacz na angielski:

1. W naszej dzielnicy buduje się duży basen.
2. Portret mojej córki został namalowany przez słynnego artystę.
3. Po hiszpańsku mówi się w większości krajów południowoamerykańskich.
4. Pasażerowie proszeni są o zapięcie pasów.
5. Ogłoszono, że prezydent przybędzie do Rzymu jutro.
6. Ta książka musi być zwrócona natychmiast.
7. Gdy weszliśmy, właśnie podawano obiad.
8. Dlaczego listy nie zostały jeszcze przepisane na maszynie?
9. Ryż jada się głównie na wschodzie.
10. Nie powiedziano mi, że goście już wyszli.
11. Czy Jim będzie zaproszony na przyjęcie?
12. Okno otwarto zanim poszedłeś spać.
13. Nie zapłacono za ten obraz.
14. Twoja książka będzie wydana w przyszłym roku.
15. Powieść Heleny będzie ukończona przez jej męża.

11. Konstrukcje pytające

11.1. General Questions — Pytania o rozstrzygnięcie

General Questions, zwane także Yes-No Questions, są to pytania, na które odpowiedzią jest potwierdzenie lub zaprzeczenie. Zaczynają się one od formy czasownika specjalnego (posiłkowego lub modalnego), po której następuje podmiot zdania. Innymi słowy, charakteryzuje je tzw. inwersja, to znaczy odwrócenie porządku podmiotu i tej części orzeczenia, którą stanowi czasownik w formie osobowej. W czasach Simple Present i Simple Past utworzenie pytania typu Yes-No wymaga użycia na początku pytania odpowiedniej formy czasownika posiłkowego **do**, a mianowicie **do, does** lub **did**. Pytania typu Yes-No odpowiadają polskim pytaniom zaczynającym się od słówka „czy". Słówko to nie ma odpowiednika, gdy zadajemy pytania w języku angielskim. Pytania Yes-No, tj. pytania o rozstrzygnięcie, mogą zawierać przeczenie lub nie zawierać przeczenia.

11.1.1. Pytania nie zawierające przeczenia

Pytania takie sugerują neutralną postawę mówiącego w stosunku do oczekiwanej odpowiedzi. Nie wyraża on ani tego, że oczekuje odpowiedzi twierdzącej, ani tego, że oczekuje odpowiedzi przeczącej. Wyraża on tylko swoją niewiedzę, jaka padnie odpowiedź.

Is Mary at home?	Yes, she is.	No, she isn't.
Czy Mary jest w domu?	Tak, jest.	Nie, nie ma jej.
Can John speak French?	Yes, he can.	No, he can't.
Czy John mówi po francusku?	Tak, mówi.	Nie, nie mówi.
Has the train already left?	Yes, it has.	No, it hasn't
Czy pociąg już odjechał?	Tak, odjechał.	Nie, nie odjechał.
Do you all like beer?	Yes, we do.	No, we don't.
Czy wszyscy lubicie piwo?	Tak, lubimy.	Nie, nie lubimy.
Does it rain much here?	Yes, it does.	No, it doesn't
Czy dużo tu pada deszczu?	Tak, dużo.	Nie, niedużo.

Did you ring?	Yes, I did.	No, I didn't.
Czy dzwoniłeś?	Tak, dzwoniłem.	Nie, nie dzwoniłem.

11.1.2. Pytania zawierające przeczenie

Pytania w formie przeczącej zadaje się w języku angielskim w tych samych okolicznościach, co podobne pytania w języku polskim. Mianowicie:

a) Zadaje się takie pytania, gdy twierdzenie, postawa, działanie lub decyzja naszego rozmówcy wzbudza nasze zdziwienie, niedowierzanie, niezadowolenie, sprzeciw. Na przykład, gdy proponujemy komuś oglądanie telewizji a ten ktoś odmawia, możemy zapytać:

Don't you like television?
Czy nie lubisz telewizji?

Gdy zapowiadają nam czyjąś wizytę w porze dla nas niedogodnej możemy zapytać:

Can't he come another time?
Czy on nie może przyjść kiedy indziej?

Gdy ktoś się źle czuje i nie idzie do lekarza, możemy zapytać:

Shouldn't you go and see a doctor?
Czy nie powinieneś iść do lekarza?

b) Zadajemy takie pytania, gdy nie jesteśmy całkowicie czegoś pewni i oczekujemy od rozmówcy rozwiania naszych wątpliwości, np.:

Wasn't it Dr. Wilson who cured your daughter?
Czy to nie doktor Wilson wyleczył twoją córkę?

Wypowiedzi w postaci pytań w formie przeczącej niekiedy funkcjonują jako wykrzykniki, np.:

Isn't it awful? Czyż to nie straszne?

ĆWICZENIE I

Utwórz pytania typu: yes-no questions, dotyczące informacji zawartych w podanych zdaniach:

Wzór: The children have never been to the circus.
. . . . ? No, they haven't.
Have the children ever been to the circus?

1. The strike at the Heathrow Airport has ended at last.
. . . . ? Yes, it has.

2. The conference is being held in that building.
   .... ? Yes, it is.
3. Our guest can speak Spanish fluently.
   .... ? No, he can't, but he understands Spanish.
4. He was driving his father's car when he had the accident.
   .... ? Yes, he was.
5. Mary has been playing the piano all the time.
   .... ? Yes, she has.
6. Henry had left before Mary came.
   .... ? Yes, he had.
7. The children are already asleep.
   .... ? No, they aren't. I can hear them laugh.
8. I'd like to go to the theatre.
   .... ? Yes, I would.
9. My secretary will book your air ticket.
   .... ? Yes, she will.
10. Miss Wilson does her shopping at the supermarket near here.
    .... ? Yes, she does.
11. Robert visited his parents in December.
    .... ? Yes, he did.
12. Jane always goes to school on foot.
    .... ? Yes, she does.
13. The Browns will bring their cousin to the party.
    .... ? Yes, they will.
14. Mr. Smith left the office before me.
    .... ? Yes, he did.
15. Jane liked the ring I gave her for her birthday.
    .... ? Yes, she did.

ĆWICZENIE II

Uzupełnij zdania pytająco-przeczące:

1. A. The Wilsons are coming on Friday.
   B. Can't .... on Saturday?
2. A. I'm going to a dance with George.
   B. Weren't .... with Jim?
3. A. Our children go to bed at eleven.
   B. .... too late?
4. A. We must have our fridge repaired.
   B. Wouldn't ... better ... a new one?
5. A. I will start at nine o'clock.
   B. .... too late?

156

6. A. We have a new director.
   B. .... name Harold Rogers?
7. A. No, thank you. No more coffee for me.
   B. Don't .... coffee?
8. A. It's Aunt Barbara's birthday tomorrow!
   B. Shouldn't .... a present?
9. A. Was Jane present at the meeting yesterday?
   B. Oh, yes, she was. .... see her?
10. A. I can't understand this expression.
    B. Haven't .... a dictionary?

11.2. Special Questions – Pytania o uzupełnienie

Special Questions są to pytania zaczynające się od zaimka, określnika lub przysłówka pytającego, czyli od tzw. Question Words — wyrazów pytających. Są to wyrazy: who, whom, whose, what, which, where, when, how, why.

11.2.1. Pytania, w których wyraz pytający nie jest podmiotem ani częścią podmiotu

W takich pytaniach występuje inwersja, tak jak w pytaniach o rozstrzygnięcie (patrz rozdz. 11.1). W Czasach Simple Present i Simple Past trzeba wprowadzić formy czasownika posiłkowego **do** (tj. do, does, did).

Oto przykłady pytań typu Special Questions.

11.2.1.1. Pytania z formami czasowników be i have oraz z czasownikami modalnymi

What's your name? Jak się nazywasz?
What can I do for you? Czym mogę służyć?
Who is that man? Kto to jest ten człowiek?
What are you doing? Co robisz?
When will she come? Kiedy ona przyjdzie?
What's the matter? O co chodzi?
Where may I put my things? Gdzie mogę położyć swoje rzeczy?
How long have you been living in Canada? Jak długo mieszkasz w Kanadzie?
Why are you so upset? Dlaczego jesteś taki zdenerwowany?
How many sisters have you? Ile masz sióstr?
How much must we pay? Ile musimy zapłacić?
What had the manager told you before you started work?
Co ci powiedział kierownik zanim rozpocząłeś pracę?

What is the Smith's house like? Jaki jest dom państwa Smith?
How is your wife? Jak się czuje (miewa) twoja żona?
What's your wife like? Jaka jest twoja żona?

Uwaga. Na pytanie: How is your wife? odpowiemy: Oh, she's fine, thank you. (Dziękuję, czuje się doskonale). Natomiast odpowiedź na pytanie What's your wife like? powinna podawać jakieś jej cechy, np. She's tall and dark (Jest wysoka i ma ciemne włosy). She's very pretty. (Jest bardzo ładna).

11.2.1.2. Pytania z użyciem form: do, does, did

Where does Mary live? Gdzie mieszka Mary?
When did you see John? Kiedy widziałeś Johna?
How does Jane speak French? Jak Jane mówi po francusku?
Why didn't you tell me the truth? Dlaczego nie powiedziałeś mi prawdy?
What does your wife usually cook for dinner?
Co twoja żona zwykle gotuje na obiad?
Whose glasses did you find? Czyje okulary znalazłeś?
Which of our friends did you meet at Zakopane?
Kogo z naszych przyjaciół spotkałeś w Zakopanem?
How much does it cost to get to London by air?
Ile kosztuje przelot do Londynu?

Uwaga: forma **whom** np. w zdaniach typu: Whom did you meet yesterday? jest rzadko używana i we współczesnym języku potocznym zastępuje ją **who**, np.: Who did you meet yesterday?

11.2.2. Pytania, w których wyraz pytający jest podmiotem lub częścią podmiotu

Pytania takie mają szyk zdania oznajmującego, tzn. podmiot nie jest w nich poprzedzony czasownikiem posiłkowym, jak w innych typach pytań. Nie występują w nich formy posiłkowe: do, does, did.

Who wants to watch television? Mary. (Mary does).
Kto chce oglądać telewizję? Mary.
How many of the children fell ill? Five. (Five of the children fell ill).
Ile dzieci zachorowało? Pięcioro.
Whose paper is the best? John's. (John's paper is the best).
Czyj referat jest najlepszy? Janka.
What makes you happy? Fine weather. (Fine weather makes me happy).
Co czyni cię szczęśliwym? Piękna pogoda.

Which student speaks French best? Henry. (Henry does).

Który student mówi najlepiej po francusku? Henry.

Who closed the window? Patrick. (Patrick did).

Kto zamknął okno? Patryk.

Who will help me? Alice. (Alice will).

Kto mi pomoże? Alice.

ĆWICZENIE I

Mary i Jane są w teatrze na premierze. Mary zna osobiście lub z widzenia wiele wybitnych osobistości. Jane nie zna nikogo i zadaje Mary wiele pytań. Uzupełnij dialog pytaniami Jane.

Mary: There are a lot of people in the theatre tonight. Do you see that beautiful woman in the box over there?

Jane:: Yes. Who is she?

Mary: It's Mrs. Bellows. Her husband is sitting next to her.

Jane: What's his job?

1. Mary: He is a film producer. He's speaking to his best friend Mr. Dobson.

Jane: And ... ?

2. Mary: He's the director of the play we are going to see. Oh, look at that pretty girl!

Jane: ... ?

3. Mary: She's Mr. Dobson's fiancée. She's charming and she has a very interesting job.

Jane: ... ?

4. Mary: She's a very gifted dress designer. Her father is very rich.

Jane: ... ?

Mary: He's a businessman.

ĆWICZENIE II

Wyobraź sobie, że wyjeżdżasz za granicę. W kraju docelowym funkcjonariusz kontroli paszportowej zapyta cię o nazwisko, imię, datę urodzenia, narodowość, numer paszportu, zawód, stały adres. Zadaj jego pytania w języku angielskim.

ĆWICZENIE III

Uzupełnij poniższy dialog pytaniami typu: What's he (she, it) like lub: How is he (she).

1. Chris: Have you met Helen's husband?

Kate: No, not yet. ... ?

2. Chris: He's very good looking and rather nice. They have just rented a flat.

Kate: Oh, ... ?

3. Chris: It's small but very comfortable. Oh, Kate, I wanted to ask about your father. ... ?
   Kate: Father is not well yet; he's still in bed. We had a new doctor examine him yesterday.
4. Chris: ... ?
   Kate: He looks very sensible and efficient.
5. Chris: And what about your mother. ... ?
   Kate: She is fairly well but she's worried about Father of course.

ĆWICZENIE IV

Odpowiedz na następujące pytania:
1. What's your name?
2. What's your job?
3. How old are you?
4. What is your flat like?
5. How many brothers and sisters have you?
6. What's your address?
7. What are your working hours?
8. What are you going to do on Sunday?
9. Where were you born?
10. What is your native town like?

ĆWICZENIE V

Przetłumacz poniższe pytania na angielski:
1. Jak długo możesz zostać z nami?
2. Dlaczego jesteś taki zły? O co chodzi?
3. Jak długo uczysz się angielskiego?
4. Dlaczego musicie wyjść tak wcześnie?
5. Gdzie są moje okulary?
6. Ile to kosztuje?
7. Czym mogę służyć?
8. Kiedy Mary przyjedzie do Londynu?
9. Gdzie oni mogą się zatrzymać?
10. Dlaczego twój zegarek się zatrzymał?
11. Jaki jest nowy samochód twojego brata?
12. Co robią dzieci?
13. Kto pomoże mi rozpakować walizkę?
14. Jak się miewa twoja córka?
15. Jak długo czekasz na Lucy?

ĆWICZENIE VI

Mary opowiada babci o przyjęciu, z którego właśnie wróciła. Ponieważ babcia źle słyszy, żąda powtórzenia wypowiedzi. W poniższym dialogu uzupełnij pytania babci:

Wzór.   Mary: There were about twenty people at the party.
Granny: How many people were there at the party?
Mary: About twenty.

1. M.: First they offered us drinks.
   G.: What ... ?
   M.: Drinks.

2. M.: Next we had a very good dinner.
   G.: What ... ?
   M.: A very good dinner.

3. M.: I met a very interesting man.
   G.: Who ... ?
   M.: A very interesting man.

4. M.: He is Alice's cousin.
   G.: Whose ... ?
   M.: Alice's.

5. M.: He told me he wrote TV plays.
   G.: What ... ?
   M.: That he wrote TV plays.

6. M.: He knew most of the other guests.
   G.: Who ... ?
   M.: Most of the other guests.

7. M.: He introduced me to the famous singer Miss Ellis.
   G.: Who ... to?
   M.: To the famous singer Miss Ellis.

8. M.: We all asked Miss Ellis to sing for us.
   G.: What ... ?
   M.: To sing for us.

9. M.: She sang some songs by Schubert.
   G.: What ... ?
   M.: Some songs by Schubert.

10. M.: Oh, I forgot to tell you! I saw your friend Mrs. White.
    G.: ... ?
    M.: Your friend Mrs. White.

ĆWICZENIE VII

Uzupełnij poniższe dialogi zadając pytania rozpoczynające się wyrazem pytającym **where.**

1. A.: Yesterday I bought a very nice handbag.
   B.: Where ... ?
   A.: In that big shop near the station.

2. A.: I'm going out.
   B.: ... ?
   A.: To the post office.
3. A.: I found your keys this morning.
   B.: ... ?
   A.: In the kitchen.
4. A.: Mr. Black earns a lot of money.
   B.: ... ?
   A.: In a big export firm.
5. A.: Frank stayed in Spain for some time several years ago.
   B.: ... ?
   A.: In Madrid.
6. A.: I met a charming girl the other day.
   B.: ... ?
   A.: At John's birthday party.
7. A.: I'm afraid I lost my watch yesterday.
   B.: ... ?
   A.: In the street.

ĆWICZENIE VIII

Uzupełnij poniższe dialogi zadając pytania rozpoczynające się wyrazem pytającym **when**:

1. A.: I passed a very difficult exam a short time ago.
   B.: When ... ?
   A.: Last month.
2. A.: You should telephone Mary.
   B.: ... ?
   A.: As soon as possible.
3. A.: The Browns are moving to Liverpool.
   B.: ... ?
   A.: Probably next month.
4. A.: Tom told me about his plans some time ago.
   B.: ... ?
   A.: Last week.
5. A.: John got a letter from Mr. White shortly ago.
   B.: ... ?
   A.: On Monday.
6. A.: We made a very interesting trip all over the United States during our holidays.

B.: ... ?
A.: Last spring.

7. A.: Alan is leaving Paris soon.
   B.: ... ?
   A.: Next month.

ĆWICZENIE IX

Uzupełnij poniższe dialogi zadając pytania rozpoczynające się wyrazem pytającym **why**:

1. A.: I'm very tired.
   B.: ... ?
   A.: Because I have worked too much lately.
2. A.: The Joneses sold their car yesterday.
   B.: Why ... ?
   A.: Because it was too expensive for them — it used up too much petrol.
3. A.: My sister is going to Italy.
   B.: Why ... ?
   A.: Because she wants to improve her Italian.
4. A.: My husband wants to stay here.
   B.: Why ... ?
   A.: Because he likes the place.
5. A.: You should turn the radio off.
   B.: Why ... ?
   A.: Because it's already past eleven.

ĆWICZENIE X

Mrs. Smith jest bardzo doświadczoną gospodynią. Mary chce się od niej wiele nauczyć. Uzupełnij pytania Mary. Wszystkie pytania rozpoczynają się od wyrazu **how**:

Wzór: Mary: ... ?
          Mrs. Smith: I usually take two tea spoonfuls of coffee for a cup.
          Pytanie Mary brzmi: How much coffee do you take for a cup?

1. Mary: ... ?
   Mrs. S.: I use a pound of flour to bake a cake.
2. Mary: ... ?
   Mrs. S.: I put eight eggs in it.
3. Mary: ... ?
   Mrs. S.: It usually takes about forty minutes to bake a sponge cake.
4. Mary: ... ?
   Mrs. S.: I clean the windows with warm water only.

5. Mary: ... ?
   Mrs. S.: I cook potatoes for about twenty minutes.
6. Mary: ... ?
   Mrs. S.: I wash the curtains twice a year.
7. Mary: ... ?
   Mrs. S.: I polish the furniture with a special spray "Pledge".

ĆWICZENIE XI

Rose i Jane są przyjaciółkami i razem pracują. Przeczytaj uważnie informacje dotyczące Rose i zadaj pytania, aby otrzymać te same informacje o Jane.

1. Rose is a very pretty girl.
2. She works in a big department store.
3. She is a shop assistant.
4. She gets to work by bus.
5. She starts work at 9 a.m.
6. She usually has a sandwich and a cup of coffee for lunch.
7. In the evening she often goes to the cinema.
8. On the weekends she visits her family.
9. She usually spends her holidays at the seaside.

ĆWICZENIE XII

George to zgryźliwy i podejrzliwy starszy pan. Zadręcza swoją żonę Mary pretensjami i podejrzeniami. Żona odpiera zarzuty. Uzupełnij pytania George'a według wzoru:

Wzór: George: Someone took my pen yesterday.
          Mary: I didn't take it.
          George: Who took it, then?

1. G.: Someone left the door open.
   M.: I didn't leave it open.
   G.: ... ?
2. G.: Someone uses my cup.
   M.: I don't use it.
   G.: ...?
3. G.: Someone has drunk my cocoa.
   M.: I haven't drunk it.
   G.: ... ?
4. G.: Someone searched my desk yesterday.
   M.: I didn't search it.
   G.: ... ?

164

5. G.: Someone lost my key.
   M.: I didn't lose it.
   G.: ... ?
6. G.: Someone always takes my glasses.
   M.: I don't take them.
   G.: ... ?
7. G.: Someone has borrowed my newspaper.
   M.: I haven't borrowed it.
   G.: ... ?

ĆWICZENIE XIII

Na podstawie list A i B zadaj pytania rozpoczynające się wyrazem pytającym **who** i daj krótkie odpowiedzi:

A	B
1. "Mona Lisa"	Napoleon
2. penicillin	James Watt
3. America	Sir Alexander Fleming
4. the steam engine	Shakespeare
5. "Othello"	Leonardo da Vinci
6. the battle of Austerlitz	Christopher Columbus

ĆWICZENIE XIV

Przetłumacz na angielski:

1. Kto chce jeszcze herbaty?
2. Czyja to filiżanka?
3. Co sprowadza deszcz?
4. Kto z was nie ma paszportu?
5. Co cię tak zmęczyło?
6. Czyj samochód był zostawiony na ulicy zeszłej nocy?
7. Co powoduje zatrucie środowiska?
8. Jakie kraje eksportują dużo ropy?
9. Ilu studentów postanowiło spędzić wakacje w górach?
10. Kto telefonował przed obiadem?

11.3. Inne konstrukcje pytające

11.3.1. Pytania alternatywne

Pytania alternatywne są to pytania sugerujące wybór jednej z dwóch możliwości, np.:

Is your brother a doctor or a dentist?
Czy twój brat jest lekarzem czy dentystą?

Do you want tea or coffee?
Czy chcesz kawy czy herbaty?

Will the concert be on Saturday or on Sunday?
Czy koncert odbędzie się w sobotę czy w niedzielę?

Shall we go to the theatre or to the cinema?
Czy pójdziemy do kina czy do teatru?

Shall we go for a walk or do you prefer a rest?
Czy pójdziemy na spacer czy wolisz odpocząć?

11.3.2. Pytania z przesuniętym przyimkiem

W języku angielskim pytania zaczynające się od przyimka występują bardzo rzadko. Można je spotkać niekiedy w piśmie i to raczej w stylu oficjalnym, ale nie używa się ich w mowie potocznej. Pytania w rodzaju: To whom was the telegram sent? można spotkać w tekście pisanym; powiemy jednak: Who was the telegram sent to?

Przyimek występuje:

a) po orzeczeniu zdania, np.:

What are you looking at? Na co patrzysz?

b) po dopełnieniu, jeżeli po orzeczeniu występuje dopełnienie, np.:

Who are you writing this letter to?
Do kogo piszesz ten list?

Przyimek zatem znajduje się zazwyczaj na końcu pytania. Jednakże, jeżeli pytanie zawiera okolicznik, przyimek najczęściej występuje przed tym okolicznikiem, np.:

What are you looking at so intently?
Na co patrzysz z takim napięciem?

What did you polish your shoes with yesterday?
Czym wyczyściłeś wczoraj buty?

Oto dalsze przykłady pytań z przesuniętym przyimkiem:

Who are you waiting for?
Na kogo czekasz?

Where does he come from?
Skąd (z jakiego kraju) on pochodzi?

What have you called this meeting for?
Po co zwołaliście to zebranie?

Whose photo are you laughing at?
Z czyjej fotografii się śmiejesz?

Which letter are you looking for?
Którego listu szukasz?

11.3.3. Zwroty typu „nieprawdaż" — Question Tags

Zwroty zwane Question Tags odpowiadają polskim zwrotom: „nieprawdaż?", „prawda?", „czyż nie?".

Porównajmy dwa rodzaje zwrotów Question Tags:

a) jeżeli zdanie poprzedzające zwrot Question Tag jest twierdzące, w zwrocie tym występuje przeczenie, np.:

The boys were here yesterday, weren't they?
Chłopcy byli tu wczoraj, nieprawdaż?

b) jeżeli zdanie poprzedzające zwrot Question Tag jest przeczące, w zwrocie tym nie występuje przeczenie, np.:

She wasn't at the meeting yesterday, was she?
Nie było jej na zebraniu wczoraj, nieprawdaż?

Tworząc zdania zakończone zwrotem Question Tag należy pamiętać, że:

a) w zwrocie Question Tag występuje ten sam czasownik posiłkowy
(lub modalny) co w orzeczeniu poprzedzającego zdania, np.:

John is a very good driver, isn't he?
John jest dobrym kierowcą, prawda?

Mary can't type, can she?
Mary nie umie pisać na maszynie, prawda?

You have finished, haven't you?
Skończyłeś, prawda?

Jeżeli zdanie poprzedzające zwrot Question Tag jest w czasie Simple
Present lub Simple Past, w zwrocie tym wystąpi odpowiednio **do, does** lub **did**:

You like to play tennis, don't you?
Lubisz grać w tenisa, prawda?

Mary doesn't speak French, does she?
Mary nie mówi po francusku, prawda?

Mr. Brown went to Paris last week, didn't he?
Pan Brown wyjechał do Paryża w zeszłym tygodniu, prawda?

b) Czasownik w zwrocie Question Tag zawierającym przeczenie zawsze łączy się ze słówkiem **not** tworząc formę skróconą, np.:

Jane is Tom's sister, isn't she?
Jane jest siostrą Toma, prawda?

You would like some coffee, wouldn't you?
Chciałbyś napić się kawy, prawda?

They will arrive by car, won't they?
Przyjadą samochodem, prawda?

c) Podmiotem zwrotu Question Tag jest odpowiedni zaimek osobowy.

The Browns have sold their house, haven't they?
Państwo Brown sprzedali dom, prawda?

Mary is your sister, isn't she?
Mary jest twoją siostrą, prawda?

d) Na wypowiedź zakończoną Question Tag odpowiadamy — niezależnie od formy tej wypowiedzi — twierdząco, gdy chcemy potwierdzić fakty i przecząco, gdy chcemy tym faktom zaprzeczyć, np.:

Mary is your sister, isn't she?
    Yes, she is. (Mary jest moją siostrą).
    No, she isn't. (Mary nie jest moją siostrą).
Mary isn't your sister, is she?
    Yes, she is. (Mary jest moją siostrą).
    No, she isn't. (Mary nie jest moją siostrą).

ĆWICZENIE I

Utwórz pytania w języku angielskim do podanych sytuacji:
1. Zapytaj swego gościa czy wypije kieliszek wina, czy też sok pomarańczowy.
2. Zapytaj wychodzącego gościa czy wziął swoją własną parasolkę, czy też twoją.
3. Zapytaj sprzedawcę sklepowego czy walizka jest zrobiona ze skóry, czy z plastiku.
4. Zapytaj czy konferencja odbędzie się w maju, czy w czerwcu.
5. Zapytaj dziecko czy woli dostać piłkę, czy lalkę.

ĆWICZENIE II

Uzupełnij poniższe dialogi zadając pytania z przyimkiem na końcu zdania:

1. A.: Mrs. Green is a foreigner.
    B.: Where ... ?
    A.: From the United States.

2. A.: My wife spends a lot of money.
   B.: What ... ?
   A.: On housekeeping and on her clothes.
3. A.: We had a very interesting talk.
   B.: What ... ?
   A.: About literature.
4. A.: Look, it's Mr. Jones. He's waiting for someone.
   B.: Who ... ?
   A.: I don't know, probably for a pretty girl.
5. A.: Jane is talking to someone on the phone.
   B.: Who ... ?
   A.: I don't know, probably to her boy-friend.
6. A.: I think I put my bag in someone else's car.
   B.: Whose ... ?
   A.: I've no idea.
7. A.: Mary has borrowed a very good English-Polish dictionary.
   B.: Who ... ?
   A.: From her grandfather.

ĆWICZENIE III

Przetłumacz poniższe pytania na angielski. Na końcu pytania powinien się znajdować przyimek:

1. Na co czekasz?
2. O czym ona mówi?
3. O jakie formularze prosiłeś?
4. Z kim idziesz do kina?
5. Do kogo piszesz?
6. Po czyjej on będzie stronie?
7. Po co kupiłeś ten obraz?
8. Z kogo się wyśmiewasz?
9. Czym się zraniłeś?
10. Komu zostawiłeś swój adres?

ĆWICZENIE IV

Ułóż pytania, na które następujące zdania mogłyby być odpowiedzią:

Wzór: John is dancing with Henry's wife. (Who ... with)
          Who is John dancing with?

1. The telegram was addressed to your wife. (Who ... to)
2. I have been thinking about tomorrow's lecture. (What ... about)
3. I'm going to have dinner with a film director. (Who ... with)

4. Granny is looking for her glasses. (What ... for)
5. She is looking at a plane in the sky. (What ... at)
6. We have been waiting for the teacher since 5 p.m. (Who ... for)

ĆWICZENIE V

Wstaw wyraz pytający **who, which, what** lub **whose** na początku pytania oraz odpowiedni przyimek na końcu.

Wzór: ... is butter made ... ?
          What is butter made from?

1. ... can we use old newspapers ... ?
2. ... hotel did you spend your weekend ... ?
3. ... is John dancing ... ?
4. ... have you borrowed money ... ?
5. ... is the little girl afraid ... ?
6. ... are you talking ... ?
7. ... have you been thinking ... ?
8. ... of you is that telegram ... ?

ĆWICZENIE VI

Dodaj zwroty typu: nieprawdaż.
1. It's cold today, ... ?
2. You will be ready soon, ... ?
3. Mark works for his father, ... ?
4. Tom can help you, ... ?
5. John has booked seats for "Hamlet", ... ?
6. Mrs. Black was in Scotland last year, ... ?
7. The Browns stayed with you over the weekend, ... ?
8. We shall see you later, ... ?
9. It wasn't your fault, ... ?
10. Paul doesn't enjoy fishing, ... ?
11. There wasn't a fountain here last year, ... ?
12. John won't be at Cambridge in March, ... ?
13. Tom hasn't returned our records, ... ?
14. The Joneses haven't gone over to France, ... ?
15. My husband didn't ring you up yesterday, ... ?
16. You won't be offended with me, ... ?

ĆWICZENIE VII

Zamień następujące pytania na zdania ze zwrotami Question Tags w dwóch wersjach:

Wzór: Will Pat come to our party?
         Pat will come to our party, won't she?
         Pat won't come to our party, will she?

 1. Isn't there any food left over?
 2. Did you have your house repainted last year?
 3. Is John older than you?
 4. Do your children always tell the truth?
 5. Is Mr. Black going to speak now?
 6. Are there any good hotels in your town?
 7. Are we going to meet Walter at the party?
 8. Have you got a temperature?
 9. Could we meet here tomorrow?
10. Did your grandfather live in Japan?
11. Does Joan like her new job?
12. Can you come at five?
13. Has your brother come home yet?
14. Did Alan paint this picture himself?
15. Will there be enough food for all of us?
16. Does Larry always come home so late?

12. Konstrukcje rozkazujące

Tryb rozkazujący w drugiej osobie liczby pojedynczej i mnogiej wyrażamy podstawową formą czasownika.

Come here.   Chodź tutaj.
Listen!   Słuchajcie.

W formie bardziej uprzejmej dodajemy **please**.

Please eat up your dinner.   Proszę cię zjedz obiad.
Shut the door, please.   Proszę zamknij drzwi.

W formie przeczącej występuje wyrażenie **don't**.

Don't read that letter.   Nie czytaj tego listu.
Don't use your dictionary.   Nie korzystajcie ze słowników.
Don't be late.   Nie spóźnij się.

W pierwszej i trzeciej osobie liczby pojedynczej i mnogiej odpowiednikiem trybu rozkazującego są wyrażenia z czasownikiem **let**.
W pierwszej osobie liczby pojedynczej stosujemy wyrażenie **let me**.

Let me have a look at my notes. Niech spojrzę w notatki.
Let me think. Zaraz — niech pomyślę. Pozwól, że pomyślę.
Let me see. Zaraz — niech się zastanowię. Pozwól, że się zastanowię.

W pierwszej osobie liczby mnogiej stosujemy wyrażenie **let's** będące skrótem wyrażenia **let us**.

Let's have dinner. Jedzmy obiad.
Let's go. Chodźmy.

W trzeciej osobie liczby pojedynczej i mnogiej **let** występuje z zaimkiem osobowym w formie dopełnienia lub z rzeczownikiem.

Let Henry do it himself. Niech Henry sam to zrobi.
Let them stay here. Niech oni zostaną tutaj.
Let him find the way himself. Niech sam trafi.
Let her come at once! Niech ona zaraz przyjdzie!

172

ĆWICZENIE I

A) Utwórz polecenia w drugiej osobie trybu rozkazującego wykorzystując następujące wyrażenia:

Wzór: Door.
          Shut the door (albo: Open the door, albo: Lock the door).

1. time
2. your hands
3. the television set
4. my question
5. the window
6. the medicine

B) Utwórz zdania przeczące w drugiej osobie trybu rozkazującego, wykorzystując następujące wyrażenia:

Wzór: The window
          Don't open the window (don't shut the window).

1. so much noise
2. so many sweets
3. such silly questions
4. out in the rain
5. so many lies
6. this dreadful hat

ĆWICZENIE II

Przekształć następujące zdania według podanego wzoru (z użyciem właściwej formy zaimka osobowego):

Wzór: Father wants the children to go to bed at once.
          Father: Let them go to bed at once.

1. The doctor wants Jim to take his temperature.
2. The teacher wants Jane to correct her mistakes.
3. Mr. Smith wants George and Helen to come and see him.
4. The director wants Miss Jones to take the message.
5. Mr. Smith wants the gardener to plant some roses.
6. Mr. Andrews wants his client to wait half an hour.
7. Jenny wants Robert to telephone at ten o'clock.
8. The manager wants Mr. Clerk to check this account.
9. Mary wants Tom to offer the guests some more drinks.
10. The judge wants the witness to repeat his statement.

ĆWICZENIE III

Przetłumacz następujące zdania na angielski:

1. Gdzie są twoje rękawiczki? Niech no się zastanowię. Myślę, że zostawiłem je w samochodzie. Niechaj mój syn ich poszuka.
2. Zapytaj go o radę.
3. Niech on sam wyczyści swoje buty.
4. Nie krzycz na mnie!
5. Nie powtarzaj mojego pytania.
6. Jest piękna pogoda — chodźmy na spacer.
7. Nie mogę rozmawiać z nim teraz. Niech zaczeka.
8. Kiedy ją ostatnio widziałeś? Niech no pomyślę ... To było na przyjęciu u Jane.
9. Otwórzcie podręczniki i przeczytajcie tekst o transporcie miejskim.
10. Nie bądź niecierpliwy — powtórzmy tę piosenkę jeszcze raz.
11. Boli mnie głowa — chodźmy na spacer.
12. Jestem bardzo spragniony. Niech John przyniesie mi coś chłodnego do picia.
13. Czy jutro są urodziny Tomka? Niech no pomyślę — tak, on jutro kończy siedem lat.
14. Nie wyłączaj radia, chcę słuchać muzyki.

13. Konstrukcje bezokolicznikowe

13.1. Formy i funkcje bezokolicznika

Bezokolicznik jest formą czasownika wyrażającą czynność lub stan, lecz nie podającą osoby ani liczby, ani czasu. Bezokolicznik, najczęściej poprzedzony partykułą **to**, występuje w stronie czynnej oraz biernej.

Formy bezokolicznika ilustruje podana poniżej tabela:

Aspekt — aspect	Strona — Voice	
	czynna — active	bierna — passive
Simple	to take	to be taken
Continuous	to be taking	—
Perfect	to have taken	to have been taken
Perfect Continuous	to have been taking	

Uwaga: Bezokolicznik zaprzeczony wyrażamy stawiając **not** przed **to**, np. **not to take** — nie brać.

Bezokolicznik w zdaniu może być:

1) podmiotem lub pierwszym elementem podmiotu, np.:

> **To copy** these letters is not an easy task.
> Przepisanie tych listów nie jest łatwym zadaniem.

2) orzecznikiem lub pierwszym elementem orzecznika, np.:

> To see is **to believe**.
> Widzieć to znaczy wierzyć.

3) dopełnieniem (zastępującym zdanie dopełnieniowe), np.:

> I am glad **to see** you.
> Cieszę się, że cię widzę.
> The police are sure not to **believe** you.
> Policja z pewnością nie uwierzy ci.

4) przydawką lub pierwszym elementem przydawki, np.:

Tom was the last **to go.**
Tom był ostatnim, który odszedł.

Was Mary very sorry **to have missed** our party?
Czy Mary było bardzo przykro, że nie była na naszym przyjęciu?

5) okolicznikiem celu lub jego pierwszym elementem, np.:

John came here **to talk to** your mother.
John przyszedł tutaj, aby porozmawiać z twoją matką.

6) okolicznikiem skutku lub jego pierwszym elementem po przysłówkach **too** lub **enough** np.:

Tom was here long enough **to know** the circumstances.
Tom był tutaj wystarczająco długo, aby znać okoliczności.

It is too warm **to dance** in this room.
Jest zbyt ciepło, aby tańczyć w tym pokoju.

Bezokolicznik występuje po niektórych przymiotnikach i imiesłowach, takich jak: able, afraid, anxious, glad, fit, inclined, pleased, sorry, sure, itd., np.:

They were **anxious to know** more about me.
Bardzo chcieli więcej o mnie wiedzieć.

Mary is **inclined to accept** our invitation.
Mary jest skłonna przyjąć nasze zaproszenie.

I was **pleased to be taken** for a rich tourist.
Byłem zadowolony, że mnie wzięli za bogatego turystę.

The patients seemed **glad to be sitting** in the warm waiting room.
Pacjenci wydawali się zadowoleni, że siedzą w ciepłej poczekalni.

ĆWICZENIE I

Zmień następujące zdania wprowadzając przysłówek **too** lub **enough** według podanego wzoru:

He is so old that he can understand these problems.
He is old enough to understand these problems.

1. I have very little time and I cannot go to the cinema with you.
2. Are you so clever that you can solve this problem on your own?
3. I am so depressed that I cannot do anything.
4. The film is so bad that it cannot amuse us.
5. John is so ill that he cannot leave his bed.
6. Mary was so angry that she didn't look at me.
7. We were so bored that we couldn't stay any longer.

8. Tom was so clever that he couldn't believe such lies.
9. Father was so pleased that he couldn't be angry with me.
10. The teacher was so kind-hearted that he didn't blame us for what we had done.

CWICZENIE II

Przekształć następujące zdania według poniżej podanego wzoru:

> Neil Armstrong reached the moon.
> Neil Armstrong was the first man to reach the moon.

1. The Browns will accept these conditions.
The Browns will be the only people ...
2. It is sure that John will pass this examination.
John is sure ...
3. My sister left the room last.
My sister was the last ...
4. It is sure that the police will look for these men.
The police are sure ...
5. It is sure that the boss will blame you for this.
The boss is sure ...

CWICZENIE III

Zastąp wytłuszczone części zdań odpowiednią formą bezokolicznikową:

1. I am really sorry **that I have neglected** my duties.
2. I regret **that I have forgotten** my book.
3. Mary said she was happy **that she had missed** that unpleasant scene.
4. John was terribly sorry **that he hadn't come** in time.
5. I am glad **that I see** you again.

CWICZENIE IV

Uzupełnij następujące zdania stosując formy bezokolicznikowe:

1. The children are glad (że dostały pudełko czekoladek).
2. Our teacher is anxious (nauczyć nas jak najwięcej).
3. They are awfully sorry (że nie byli obecni na zebraniu).
4. This play deserves (aby była wystawiona).
5. Father is ready (żeby nam przebaczyć).
6. Such an occasion is not (do przepuszczenia)
7. Mr. Smith was the only one (który wyrzekł się tego pomysłu).
8. He is not a man (któremu można zaufać).
9. John hopes (że nas wszystkich wkrótce zobaczy).
10. Tom was not the only one (który o to pytał).

13.2. Konstrukcje zdaniowe z bezokolicznikiem

13.2.1. Czasownik + dopełnienie + bezokolicznik (Verb + Object + Infinitive)

Powyższa konstrukcja jest stosowana:

a) po czasownikach wyrażających życzenie, chęć, niechęć, pragnienie, itp., np.: want, wish, desire, like, hate.

> I want you to come again.
> Chcę, żebyś znowu przyszedł.

b) po czasownikach wyrażających czynności naszych zmysłów, np.: hear, see, feel, notice, watch, oraz po czasownikach let (zezwolić) i make (spowodować, sprawić, kazać), np.:

> I saw the girl get into a taxi.
> Widziałem jak dziewczyna wsiadała do taksówki.
> I made my students work harder.
> Zmusiłem swoich studentów, aby więcej pracowali.

Uwaga: Po czasownikach wyrażających czynności naszych zmysłów, jak również po **let** i **make** bezokolicznik występuje bez partykuły **to,** jeśli te czasowniki są użyte w stronie czynnej; natomiast jeżeli wymienione czasowniki występują w stronie biernej, to bezokolicznik przybiera partykułę **to,** np.

> Mary was seen to leave the house.
> Widziano jak Mary wychodziła z domu.
> Henry was made to learn the poem by heart.
> Zmuszono Henryka do nauczenia się wiersza na pamięć.

c) po czasownikach wyrażających świadomość, przypuszczenie, przekonanie, oczekiwanie, zamierzenie, intencję, np. believe, consider, expect, know, mean, think, understand, a także declare, np.:

> I expect you to help me.
> Spodziewam się, że mi pomożesz.
> John didn't mean us to wait for him.
> Intencją Johna nie było to, żebyśmy na niego czekali.

Uwaga: Część czasowników tej grupy występuje tylko z bezokolicznikiem **to be,** przy czym bywa on często pomijany, np.:

> The teacher considers John (to be) very gifted.
> Nauczyciel uważa Johna za bardzo zdolnego.

Ograniczenie to dotyczy np. czasowników: believe, consider, think, declare, a także know, przy czym po know nie można pominąć bezokolicznika to be:

We know these people to be honest.
Wiemy, że ci ludzie są uczciwi.

d) po czasownikach wyrażających nakaz, prośbę lub zezwolenie, np.:
ask, allow, order.

Will you allow us to come?
Czy pozwolisz nam przyjść?
The officer ordered the men to fire.
Oficer kazał żołnierzom strzelać.

e) po czasownikach, których dopełnienie poprzedzone jest przyimkiem.
Pod względem znaczenia należą one do różnych grup spośród wymienionych
wyżej.

We waited for the waiter to serve us.
Czekaliśmy, aby kelner nas obsłużył.

I count upon you to help me.
Liczę na ciebie, że mi pomożesz.

13.2.2. Czasownik w stronie biernej + bezokolicznik (Verb Passive + Infinitive)

Zdania z tą konstrukcją są to odpowiedniki w stronie biernej zdań omówionych w rozdz. 13.2.1. Na przykład:

Strona czynna: We saw Mary leave the house.
Widzieliśmy, że Mary wychodzi z domu.
Strona bierna: Mary was seen to leave the house.
Widziano, że Mary wychodzi z domu.
Strona czynna: We didn't mean you to hear about it.
Nie zamierzaliśmy, żebyś o tym usłyszała.
Strona bierna: You were not meant to hear about it.
To nie było zamierzone, żebyś o tym usłyszała.

W odniesieniu do niektórych czasowników zdania powyższego typu
w stronie biernej mogą być także uważane za równoważne zdaniom zło-
żonym, w których zdanie nadrzędne ma następującą postać:

It is said that ...
Mówi się, że ...
It is reported that ...
Donoszą, że ...
It is believed that ...
Uważa się, że ...
It is known that ...
Wiadomo, że ...

Oto przykłady transformacji zdań złożonych tego typu na zdania proste w stronie biernej:

> { It is said that Dr. Brown lives only for his work.
> { Dr. Brown is said to live only for his work.

> Mówi się, że dr Brown żyje tylko dla swojej pracy.

> { It is reported that a prisoner escaped from Dartmoor last night.
> { A prisoner is reported to have escaped from Dartmoor last night.

> Donoszą, że jakiś więzień uciekł z Dartmoor zeszłej nocy.

Uwaga: Gdy czynność wyrażona bezokolicznikiem miała miejsce wcześniej niż czynność wyrażona czasownikiem w stronie biernej stanowiącym orzeczenie zdania, bezokolicznik ma aspekt Perfect (patrz formy bezokolicznika rozdz. 13.1).

Następujące typy czasowników występują jako orzeczenie w stronie biernej w omawianej tu konstrukcji:

a) czasowniki wyrażające przyzwolenie, rozkaz, prośbę, a więc: allow, permit, order, command, request, np.:

> Students are requested to gather in the main hall.
> Studenci są proszeni o zebranie się w głównej sali.

b) czasowniki wyrażające czynności zmysłów: see, hear, feel, itd. np.:

> She was seen to take a pill from this box.
> Widziano jak wzięła pigułkę z tego pudełka.

c) czasowniki oznaczające świadomość, przekonanie, intencję, oczekiwanie, np.: know, mean, believe, expect, itd., np.:

> Mary is expected to cope with these difficulties.
> Oczekuje się, że Mary poradzi sobie z tymi trudnościami.

d) czasowniki say, report, np.:

> He is said to be an extremely gifted man.
> Mówią, że on jest niezwykle utalentowanym człowiekiem.

13.2.3. Konstrukcja: for + rzeczownik lub zaimek + bezokolicznik

Konstrukcja ta występuje w sytuacji, gdy wyraz stanowiący podmiot nie oznacza osoby (rzeczy), do której odnosi się czynność wyrażona przez bezokolicznik, np.:

> It is necessary for us to go there.
> Jest konieczne, abyśmy tam poszli.

One year is too long for the goods to be stored.

Jeden rok to zbyt długo, aby towary były składowane.

The only thing for him to do is to get some sleep.

Jedyna rzecz, jaką powinien zrobić, to przespać się trochę.

ĆWICZENIE I

Przekształć następujące zdania stosując dopełnienia z bezokolicznikiem zamiast zdań podrzędnych:

1. I saw that the postman dropped some letters in our letter-box.
2. Many people believe that money is the most important thing in life.
3. I noticed that John entered the room.
4. We expect that the Joneses will return our lawn-mower.
5. The secretary knows that her boss is very busy.
6. I heard that the door closed.
7. I do not expect that he will understand his mistake.
8. The teacher hates it when his students lie about their homework.
9. She felt that her hands were trembling.
10. The chairman declared that the meeting was over.

ĆWICZENIE II

Uzupełnij i zmień następujące zdania według podanego poniżej wzoru:

Mr. Smith was working in his garden.
I saw Mr. Smith work in his garden.

1. A man died in the tram. I saw ...
2. The children were singing. I heard ...
3. Somebody touched his arm. He felt ...
4. A car ran over a dog. I saw ...
5. I wrote to Aunt Agatha. My wife made ...
6. She is an extremely rich woman. We believe ...
7. He is over sixty years old. We judged. ...
8. Jane spoke to a stranger. We heard ...
9. Mary opened your bookcase. I saw ...
10. John was playing some Chopin on the piano. We heard ...

ĆWICZENIE III

Przetłumacz następujące zdania stosując konstrukcję dopełnienia z bez-okolicznikiem:

1. Chcę, abyś przetłumaczył sześć zdań na angielski.
2. John spodziewa się, że pieniądze zostaną wysłane w przyszłym tygodniu.
3. Co chcesz, abym zrobił w tej sprawie?
4. Policja zmusiła go do opuszczenia miasta.

5. Pozwól, abym miał własne zdanie na ten temat.
6. Matka skłoniła Mary do pójścia do lekarza.
7. Chcę, abyś pożyczył mi trochę pieniędzy.
8. Widziano go jak wychodził z tego domu o piątej po południu.
9. Nie zmuszaj mnie do zrobienia tego, czego nie chcę.
10. Wszyscy wierzą, że jesteś uczciwym człowiekiem.
11. Nikt nie lubi, aby mu przypominano o jego błędach.
12. Widziałem jak samochód wpadł w poślizg.
13. Słyszałem jak rozmawialiście na mój temat.
14. Dlaczego rodzice Johna chcą, aby on ożenił się z Mary?

ĆWICZENIE IV

Przekształcić następujące zdania według wzoru:

Wzór: It is expected that they will leave Paris next week.
         They are expected to leave Paris next week.

1. It is reported that the conference is over.
2. It is known that the two brothers hate each other.
3. It is said that the headmaster approves of our plans for the summer.
4. It is expected that the new administration will make numerous reforms.
5. It was reported that our team had won the football match.
6. It is supposed that the earthquake has caused much damage.
7. It is said that the epidemic is very serious.
8. It is believed that the police caught the thieves two days later.
9. It is said that similar accidents have happened before.
10. It is reported that no progress was made.

ĆWICZENIE V

Przetłumacz następujące zdania stosując konstrukcję z bezokolicznikiem:

1. Uprasza się publiczność o niepalenie w sali.
2. Podano, że minister przybył wcześniej niż go oczekiwano.
3. Mówią, że firma Brown i S-ka ma trudności finansowe.
4. Mówi się, że warunki umowy zostały zmienione.
5. Ogólnie uważa się, że podróżowanie rozszerza horyzonty myślowe.
6. Wiadomo, że John i Mary spotkali się kiedyś w Londynie.
7. Uważa się ich za dobrych partnerów w handlu.
8. Podano, że ministrowie przedyskutowali nową reformę ekonomiczną.
9. Istnieje ogólne przekonanie, że nowy system cen jest skuteczny.
10. Wiadomo, że pan Green stracił masę pieniędzy na wyścigach.

ĆWICZENIE VI

Przetłumacz następujące zdania stosując konstrukcję: **for** + rzeczownik lub zaimek + bezokolicznik:

1. Jest niemożliwe, aby ludzie zapomnieli o wojnie.
2. Jest konieczne, aby żywność była trzymana w lodówce.
3. Następną sprawą, którą mamy omówić, jest jak otrzymać kredyt.
4. Było za późno, aby dyrektor zwołał konferencję.
5. Czy trudną rzeczą było dla ciebie uzyskanie tych informacji?
6. Jest rzeczą niemożliwą, aby Jane zaprosiła ciebie na swój ślub.
7. Jest rzeczą naturalną, że młode dziewczęta myślą o miłości.
8. Było za późno, aby uczestnicy konferencji zostali dłużej.
9. Jest rzeczą trudną, abyśmy załatwili wszystko od razu.

13.3. Zwroty bezokolicznikowe

Bezokolicznik występuje także w pewnych utartych zwrotach, wtrącanych w mowie potocznej, w przemówieniach oraz przy różnych innych okazjach, np.:

so to speak	– że tak powiem
to tell the truth	– mówiąc prawdę
to cut a long story short	– krótko mówiąc, aby się streścić, streszczając się
to be quite frank	– mówiąc szczerze
to be sure	– z pewnością
to say nothing of ...	– pomijając już, abstrahując od ...
to be brief	– krótko mówiąc
to begin with	– na początek, aby zacząć, po pierwsze

ĆWICZENIE

Przetłumacz następujące zdania:

1. Krótko mówiąc, musiałem zapłacić za szkodę, którą spowodowałem.
2. Prawdę mówiąc, nie mamy wyjścia.
3. Na początek chcę zaznaczyć, że nie zamierzam nikogo krytykować.
4. Z pewnością nie mamy się czym martwić.
5. To jest, że tak powiem, rozwiązanie tymczasowe.
6. Mówiąc szczerze, nie podejmowałbym zbyt szybkich decyzji.
7. Krótko mówiąc, musimy zrezygnować z wielu przywilejów.
8. Doceniamy w pełni twoje wysiłki, nie mówiąc już o twoim powszechnie znanym oddaniu naszej sprawie.
9. Ten człowiek chce 100 funtów tygodniowo, na początek.
10. Te sprawy z pewnością przysporzą nam wiele trudności.

14. Konstrukcje imiesłowowe

14.1. Formy i funkcje imiesłowu

Poniżej podane tabele ilustrują formy imiesłowu:

Czasowniki przechodnie — Transitive verbs		
aspekt — aspect	strona czynna — active	strona bierna — passive
Present	taking — biorący	being taken — brany, będąc brany
Past	—	taken — wzięty
Perfect	having taken — wziąwszy	having been taken — wzięty, będąc wzięty

Czasowniki nieprzechodnie — Intransitive verbs	
aspekt — aspect	strona czynna — active
Present	arriving — przybywający
Past	arrived — przybyły
Perfect	having arrived — przybywszy

Imiesłów czasu teraźniejszego (czynny) — Present Participle jest częścią składową formy ciągłej (Continuous) we wszystkich czasach gramatycznych, np.:

> I am working
> you were working
> John has been working

Imiesłów czasu przeszłego (bierny) — Past Participle jest częścią składową strony biernej (Passive Voice) we wszystkich czasach gramatycznych, np.:

> I am invited to a party.
> Jestem zaproszony na przyjęcie.

184

You will be punished.

Będziesz ukarany.

Mary has been shown a picture.

Mary pokazano obraz.

Imiesłów występujący w funkcji przymiotnika może być:

a) przydawką, np.:

The rising prices cause much trouble nowadays.

Wzrastające ceny powodują w dzisiejszych czasach wiele kłopotów.

Your written work was quite good.

Twoja praca pisemna była zupełnie dobra.

b) orzecznikiem, np.:

The speech he delivered was very interesting.

Mowa, którą wygłosił, była bardzo interesująca.

Imiesłów może także zastąpić całe zdanie przydawkowe, np.:

This is a report prepared by our office.

To jest sprawozdanie przygotowane (które zostało przygotowane) przez nasze biuro.

Imiesłów może także pełnić funkcję przysłówkową i może wtedy występować jako:

a) okolicznik sposobu lub jego pierwszy element, np.:

They spend their leisure playing cards.

Spędzają wolny czas grając w karty.

b) równoważnik zdania podrzędnego okolicznikowego lub jego pierwszego elementu, np.:

Waiting for the train, John realized that he had left his season ticket at home.

Czekając na pociąg, John zdał sobie sprawę, że zostawił bilet miesięczny w domu.

(As he was waiting for the train, John realized ... – Gdy czekał na pociąg, John zdał sobie sprawę ...)

ĆWICZENIE I

Uzupełnij następujące zdania wstawiając odpowiednie imiesłowy zamiast podanych w nawiasach bezokoliczników:

1. His friends used to call him a (sing) boy.
2. We can observe the (rise) sun from here.

3. The ingenious plan (suggest) by the manager can be (accept).
4. Have you read a book (entitle) "The (Laugh) Policeman"?
5. Does (speak) English differ much from (write) English?
6. This (excite) story was successfully (stage) in Paris.
7. (Shock) by John's words, I got nervous and (confuse).
8. The (wound) man's days were (number).
9. The rats leave a (sink) ship.
10. My film (show) at the festival won the first prize.

ĆWICZENIE II

Przetłumacz następujące zdania stosując imiesłów, gdzie to jest możliwe:
1. Egzamin pisemny nie będzie bardzo długi.
2. Miasto widziane z daleka wydaje się piękniejsze i bardziej tajemnicze.
3. Czy chcesz gotowane jajko, czy smażone?
4. Mój zgubiony portfel znalazł się wczoraj.
5. Oczekiwany list przyszedł dziś rano.
6. Gdzie znaleźliście skradzione rzeczy?
7. Film, który widzieliśmy wczoraj był bardzo emocjonujący.
8. Była to bardzo męcząca konferencja.
9. Sprzedajemy ten towar po zniżonych cenach.
10. Wzrastająca liczba ludzi głodujących na świecie powinna niepokoić rządy państw rozwiniętych.

14.2. Konstrukcje zdaniowe z imiesłowem

Konstrukcje imiesłowowe są to równoważniki zdań podrzędnych (najczęściej czasowych i przyczynowych).

14.2.1. Konstrukcja: czasownik + dopełnienie + imiesłów czynny

(verb + object + present participle) jest stosowana po czasownikach wyrażających życzenie, postrzeganie lub czynności naszych zmysłów, np.:

> I saw him entering this room.
> Widziałem jak on wchodził do tego pokoju.
> (I saw him as he was entering this room).

Uwaga: Nasuwa się tutaj porównanie konstrukcji imiesłowowej z konstrukcją z bezokolicznikiem (patrz rozdz. 13.2.1):

> stosując imiesłów, podkreślamy trwanie czynności w chwili jej zauważenia, natomiast stosując bezokolicznik zaznaczamy, że czynność w ogóle miała miejsce.

Wyżej wymieniona konstrukcja może być również stosowana z imiesłowem biernym, np.:

> We heard these particulars mentioned at the conference.
> Słyszeliśmy, jak wspominano o tych szczegółach na konferencji.
> The boss wants all these letters typed at once.
> Szef chce, aby wszystkie listy zostały natychmiast przepisane na maszynie.

14.2.2. Konstrukcja: czasownik w stronie biernej + imiesłów czynny

(verb passive + participle) jest stosowana po czasownikach wyrażających czynności naszych zmysłów (podobnie jak konstrukcja z bezokolicznikiem), np.:

> John was heard quarrelling with his boss.
> = John was heard as he was quarrelling with his boss.
> Słyszano jak John kłócił się ze swym szefem.
> They were seen changing money at the bank.
> = They were seen as they were changing money at the bank.
> Widziano jak zmieniali pieniądze w banku.

Konstrukcja z imiesłowem bywa także stosowana z czasownikiem **have** (patrz rozdział 6.2.2. o czasownikach specjalnych), przy czym używamy tu imiesłowu przeszłego, np.:

> I had my watch repaired.
> Kazałem (zleciłem) zreperować zegarek.

14.2.3. Imiesłów przysłówkowy występuje jako odpowiednik orzeczenia w równoważnikach zdań podrzędnych

> Writing his French homework, John looked up new words in a dictionary.
> Odrabiając francuski, John szukał nowych słówek w słowniku.

Uwaga: Aby zdanie powyższego typu było poprawne, wykonawca czynności wyrażonej imiesłowem i czynności wyrażonej w orzeczeniu zdania musi być ten sam. Można to sprawdzić rozwijając wyrażenie z imiesłowem w pełne zdanie podrzędne.

> Writing his French homework, John looked for new words in a dictionary.
> As he was writing his French homework, John looked for ...
> (He oraz John to ta sama osoba).

Jeśli ten warunek nie jest spełniony, powstaje zdanie absurdalne, np.:

Walking in the park, my hat blew off.

Spacerując w parku, kapelusz sfrunął mi z głowy. (Z tego zdania wynika, że to kapelusz spacerował w parku).

Takie błędy popełniają niekiedy zarówno Polacy, jak i Anglicy.

Oto dalsze przykłady zdań z równoważnikami imiesłowowymi zdań okolicznikowych:

Coming too late, we missed our train.

= As we came too late, we ...

Przychodząc zbyt późno, nie zdążyliśmy na pociąg.

Working more, you will pass your exam.

= If you work more, you ...

Pracując więcej, zdasz ten egzamin.

Opening the door, I noticed a letter on the floor.

= When I was opening the door, I ...

Otwierając drzwi, zauważyłem list na podłodze.

Gdy czynność wyrażona imiesłowem miała miejsce wcześniej niż czynność wyrażona w orzeczeniu zdania, stosujemy imiesłów w formie Perfect:

Having closed the door, John walked away.

Zamknąwszy drzwi, John odszedł.

Rozwijając wyrażenie z imiesłowem w pełne zdanie podrzędne, możemy użyć czasu wskazującego na uprzedniość czynności wyrażonej imiesłowem:

After he had closed the door, John walked away.

Oto dalsze przykłady takich zdań:

Having been asked to keep silent, the children stopped talking.

= As they had been asked to keep silent ...

Ponieważ poproszono je, aby były cicho, dzieci przestały rozmawiać.

Having come too early, we had to wait for half an hour.

= As we had come too early, we ...

Przybywszy za wcześnie, musieliśmy poczekać pół godziny.

Having finished my work, I could go for a walk.

= After I had finished my work, I ...

Skończywszy pracę, mogłem iść na spacer.

14.2.4. Konstrukcja absolutna

Imiesłowy czynne oraz bierne występują także w tzw. konstrukcji absolutnej (the Absolute Construction). Mają one wtedy swój własny podmiot, np.:

The conference (being) over, all the participants left the room.
= When the conference was over, all ...
Gdy konferencja się skończyła, wszyscy uczestnicy opuścili pokój.

The shops having been closed, we couldn't buy anything.
= As the shops had been closed, we ...
Ponieważ sklepy zostały zamknięte, nie mogliśmy niczego kupić.

The weather being fine, we have decided to go for a walk.
= As the weather was fine, we ...
Ponieważ pogoda była ładna, postanowiliśmy iść na spacer.

There being no time to lose, we hurried to the station.
= As there was no time to lose, we ...
Ponieważ nie było czasu do stracenia, pośpieszyliśmy na stację.

Uwaga: Konstrukcja absolutna występuje przede wszystkim w piśmie i na ogół nie jest używana w języku potocznym.

ĆWICZENIE I

Uzupełnij następujące zdania stosując odpowiednie formy imiesłowów:
1. Have these bottles (uncork). We want to have a drink.
2. She saw several people (stand) in the hall.
3. (Sell) my car, I have to travel by bus now.
4. I want these documents (xerox).
5. (Hear) the news, all the reporters hurried to the telephone.
6. We had our dog (examine) by the vet.
7. (Stop) at the lake, we decided to have a long rest.
8. When did you have your flat (redecorate)?
9. Mary saw some children (pick) berries in the wood.
10. We seldom see such things (do) in public.

ĆWICZENIE II

Zmień następujące zdania, stosując zamiast wytłuszczonych członów konstrukcje imiesłowowe:
1. She **entered the hall and** noticed that a great many people had gathered there.
2. **After Mary had translated the text,** she read it once again.
3. Mary **was shocked by her little brother's behaviour and** told him to leave the room.
4. I was looking everywhere **for I hoped to find the missing document.**
5. **As he was accused of lying,** he tried to protest.
6. **When I tried to solve the problem,** I got a headache.
7. The minister arrived at the airport **and he was accompanied by a group of officials.**

189

8. **As he was angry with us,** Henry didn't come to our party.
9. **As I was very tired,** I didn't want to stay any longer.
10. **As we knew nothing about the accident,** we enjoyed the party.

ĆWICZENIE III

Zmień następujące zdania stosując konstrukcję: Verb + Object + Participle według poniższego wzoru:

> The Browns were talking about their new car. We heard it.
> We heard the Browns talking about their new car.

1. Jane was doing her room. Did you see it?
2. The children disappeared. Nobody noticed it.
3. John was handling this apparatus. He was seen.
4. The birds were eating crumbs. I observed it.
5. John was quarrelling with his wife. He was heard.
6. The men were taking some papers out of that box. They were noticed.
7. The car was running at great speed. It was seen.
8. He was discussing this offer. We heard it.
9. My daughter's friend was leaving the garden in a hurry. My daughter saw it.
10. They were laughing at me. I heard it.

ĆWICZENIE IV

Połącz w jedno następujące pary zdań stosując konstrukcje imiesłowowe:

1. The appeal had been read. Everybody signed it.
2. The man's manners were very unpleasant. We decided to ask him to leave.
3. The inscriptions in the museum were in Polish. Foreign visitors couldn't understand them.
4. The demand for the new model was very big. Our firm decided to increase production.
5. The letter had been wrongly addressed. I never got it.
6. The storm was over. The travellers left their shelter.
7. Our guide fell ill. We had to wait for another one.
8. There were no means of transport. We decided to walk.
9. The plan had been approved. We could start production.
10. The weather was very bad. We had to stay at home.

ĆWICZENIE V

Przetłumacz następujące zdania stosując odpowiednie konstrukcje imiesłowowe:

a) Verb + Object + Participle

1. Słyszeliśmy, jak ktoś wołał o pomoc.
2. Obserwowaliśmy, jak robotnicy naprawiali most.

3. Kazaliśmy sprzątnąć oba pokoje.
4. Poleciłem, aby pomalowano mój samochód na zielono.

b) zwykłą konstrukcję imiesłowową

1. Skończywszy pracę w ogrodzie, postanowiliśmy napić się kawy.
2. Znalazłszy kopertę z pieniędzmi, zaczęliśmy szukać właściciela.
3. Czekając na pociąg, John czytał gazetę.
4. Czując się bardzo zmęczony, nauczyciel pośpieszył do domu.

c) absolutną konstrukcję imiesłowową

1. Ponieważ pogoda była ładna, pojechaliśmy nad morze.
2. Ponieważ porozumienie zostało podpisane, ministrowie opuścili salę.
3. Ponieważ żywność była bardzo droga, wielu ludzi głodowało.
4. Ponieważ nie było żadnej taksówki, musieli iść pieszo.

14.3. Zwroty z imiesłowem

Imiesłowy występują także w pewnych utartych zwrotach, zarówno w mowie potocznej, jak i w tekstach pisanych — naukowych, publicystycznych i innych. Oto przykłady:

generally speaking – ogólnie biorąc, ogólnie mówiąc
judging by appearances – sądząc po pozorach
frankly speaking – mówiąc szczerze
putting it mildly – mówiąc łagodnie
strictly speaking – mówiąc ściśle
considering – biorąc pod uwagę

ĆWICZENIE

Przetłumacz następujące zdania:

1. Ogólnie biorąc, plan wydaje się dobry.
2. Biorąc pod uwagę jego wiek, on musi być niesłychanie zdolny.
3. Ściśle biorąc, nie obiecywałem wam niczego.
4. Sądząc po jego zachowaniu, on musi się czuć obrażony.
5. Mówiąc łagodnie, czy nie robicie za dużo hałasu?
6. Mówiąc szczerze, nie podoba mi się twoja nowa suknia.

15. Konstrukcje z rzeczownikiem odsłownym

15.1. Formy i funkcje rzeczownika odsłownego

Rzeczownik odsłowny, czyli tzw. Gerund, ma taką samą formę jak imiesłów czasu teraźniejszego:

imiesłów: reading – czytający, czytając
                     singing – śpiewający, śpiewając
forma Gerund: reading – czytanie
                     singing – śpiewanie

Oto tabela form rzeczownika odsłownego:

The Gerund	Strona — Voice	
	czynna — active	bierna — passive
Present	taking	being taken
Perfect	having taken	having been taken

W języku polskim nie rozróżniamy rzeczowników odsłownych czasu teraźniejszego i przeszłego. Rozróżniamy natomiast ich dokonaność i niedokonaność, np.: czytanie – przeczytanie, kończenie – skończenie. W języku angielskim dokonaność można wyrazić przyimkiem, najczęściej **on, upon, after,** np.:

On finishing work I left the office.
Po skończeniu pracy opuściłem biuro.

Po wyżej wymienionych przyimkach używamy najczęściej form Present Gerund, mimo że mamy na myśli czynność przeszłą.

Angielski rzeczownik odsłowny strony biernej tłumaczymy na polski w sposób opisowy, np.:

His being constantly tired worries me.
To, że on jest stale zmęczony, martwi mnie.

Their having been offended with your words seems obvious.
To, że oni byli urażeni twoimi słowami, wydaje się oczywiste.

Forma Gerund występuje w zdaniu w tych samych funkcjach co rzeczownik, a więc jako:

1) podmiot (lub jego pierwszy element), np.:

> Thinking makes him tired.
> Myślenie męczy go.
> Swimming and skiing are my favourite sports.
> Pływanie i narciarstwo są moimi ulubionymi sportami.

2) orzecznik (lub jego pierwszy element), np.:

> The student's aim is mastering the language.
> Celem studenta jest opanowanie języka.
> Your main fault is being always late.
> Twoja główna wada to stałe spóźnianie się.

3) dopełnienie (lub jego pierwszy element)
a) po niektórych czasownikach występujących wyłącznie z formą Gerund, a mianowicie po czasownikach:

suggest	put off	mind (w przeczeniu i pytaniu)
enjoy	postpone	want (= need)
avoid	excuse	go on
delay	fancy	give up
require	need	

oraz wyrażeniach: can't help
can't stand

> Would you mind opening the window?
> Czy byłbyś łaskaw otworzyć okno?
> I enjoy playing games.
> Sprawia mi przyjemność granie w gry (sportowe).
> Your car wants washing.
> Twój samochód potrzebuje umycia.
> I can't help laughing at him.
> Nie mogę nie śmiać się z niego.

b) po czasownikach, których dopełnienie bliższe może być wyrażone formą Gerund lub bezokolicznikiem, a mianowicie:

begin	forget	intend	start
stop	remember	like	omit
regret	try	dislike	prefer
continue	end	detest	love
finish	hate	neglect	

Możemy powiedzieć:

> I hate being stared at.
> I hate to be stared at.
> Nie znoszę jak na mnie patrzą.

> Do you like dancing?
> Do you like to dance?
> Czy lubisz tańczyć?

> John regrets having missed your lecture.
> John regrets to have missed your lecture.
> John żałuje, że nie był na twoim wykładzie.

Uwaga: W odniesieniu do niektórych czasowników użycie formy Gerund i bezokolicznika wiąże się z różnicą znaczeniową, np.:

to remember to do something – pamiętać, aby coś zrobić

> Did you remember to lock the door?
> Czy pamiętałeś, żeby zamknąć drzwi na klucz?

to remember doing something – pamiętać, że się coś zrobiło

> I remember locking the door.
> Pamiętam, że zamykałem drzwi.

to forget to do something – zapominać coś zrobić:

> Don't forget to post this letter.
> Nie zapomnij wysłać tego listu.

to forget doing something – zapomnieć, że się coś zrobiło:

> I will never forget meeting you here today.
> Nigdy nie zapomnę, że cię tu dziś spotkałem.

to stop to do something – zatrzymać się, aby coś zrobić:

> I stopped to talk to John.
> Zatrzymałem się, aby porozmawiać z Johnem.

to stop doing something – przestać coś robić:

> I stopped talking to John.
> Przestałem rozmawiać z Johnem.

c) po czasownikach występujących z tzw. dopełnieniem przyimkowym, (przechodnich i nieprzechodnich), np.:

to insist on	to succeed in
to object to	to think of
to blame somebody for	to prevent somebody from

We object to voting on the motion now.
Sprzeciwiamy się głosowaniu w sprawie wniosku teraz.

John succeeded in winning the prize.
Johnowi udało się zdobyć nagrodę.

The rain prevented us from going for a walk.
Deszcz przeszkodził nam pójść na spacer.

I blame John for starting the quarrel.
Obwiniam Johna o rozpoczęcie kłótni.

Uwaga: Forma Gerund jest tą formą czasownikową, którą się stosuje po przyimkach – niezależnie od tego, w jakich konstrukcjach lub wyrażeniach występują te przyimki. Np.:

I can't live without reading.
Nie mogę żyć bez czytania.

Instead of arguing you should accept the facts.
Zamiast się sprzeczać, powinieneś pogodzić się z faktami.

I am tired of waiting.
Jestem zmęczony czekaniem.

We are used to getting up early.
Jesteśmy przyzwyczajeni do wstawania wcześnie.

John is fond of swimming.
John bardzo lubi pływanie.

Forma Gerund występuje też po niektórych przymiotnikach, np.: busy, worth.

Anything worth doing is worth doing well.
Cokolwiek jest warte zrobienia, warte jest zrobienia dobrze.

John was busy preparing his lecture.
John był zajęty przygotowywaniem swego wykładu.

Forma Gerund występuje też w wyrażeniach następującego typu:

it's no use ...
it's no good ...
there is no harm in ...
there isn't much hope ...
there is no ...

There isn't much hope of finishing this work in time.
Nie ma wiele nadziei na skończenie tej pracy w terminie.

There is no harm in joking.
Nie ma nic złego w żartowaniu.

It's no use waiting.
Na nic się nie zda czekanie.

It's no good getting angry with me.
Nie ma sensu na mnie się złościć.

There is no arguing with them.
Nie ma co spierać się z nimi.

ĆWICZENIE I

Podaj czasowniki w nawiasach w formie Gerund:

1. He stopped (talk) and sat down without (look) at us.
2. I am against (accept) this motion but I suggest (hold) another meeting next week.
3. You can't make an omelette without (break) eggs.
4. I haven't heard anything worth (mention).
5. Would you mind (spell) your name?
6. I hate (drink) cold tea.
7. It's no use (try) again.
8. Stop (talk) and concentrate on (listen).
9. John made me angry by (disregard) my advice.
10. Before (come) here I did my best to persuade my mother to stay at home

ĆWICZENIE II

Zmień następujące zdania według poniżej podanego wzoru:
    Answer my question, please
    Would you mind answering my question?

1. Look at this picture, please.
2. Take my daughter to the cinema, please.
3. Copy this recipe for me, please.
4. Take this coat to the cleaners', please.
5. Leave us for a few minutes, please.
6. Translate this article into English, please.
7. Buy two tickets for the concert on Monday, please.
8. Switch on the radio, please.
9. Speak a little louder, please.
10. Bring me a glass of water, please.

15.2. Zdania z konstrukcjami gerundialnymi

Konstrukcje gerundialne na ogół pozwalają na dużą zwięzłość. Niektóre z nich są szczególnie przydatne przy tłumaczeniu z języka polskiego na angielski. Tak więc mówimy:

196

To, że jesteś zmęczony, nie usprawiedliwia cię.
Your being tired does not justify you.
(= The fact that you are tired does not justify you).

Ukarano go grzywną za nieostrożną jazdę.
He was fined for careless driving.
(= He was fined because he had been driving carelessly).

To, że go uwięziono, komplikuje sytuację.
His being imprisoned complicates the situation.
(= The fact that he is imprisoned complicates the situation).

W wypadku, gdy podmiot zdania podrzędnego odnosi się do tej samej osoby lub rzeczy co w zdaniu głównym, przekształcenie zdania podrzędnego na konstrukcję gerundialną jest proste, np.:

He was surprised when he saw us. = He was surprised at seeing us.
I don't remember that I had even heard about this before. =
I don't remember ever having heard about this before.

Natomiast gdy podmiot zdania podrzędnego odnosi się do innej osoby lub rzeczy niż podmiot w zdaniu głównym, przekształcenie zdania podrzędnego na konstrukcję gerundialną wymaga zazwyczaj poprzedzenia jej przymiotnikiem dzierżawczym lub rzeczownikiem w dopełniaczu fleksyjnym, np.:

Have you heard that John has been appointed professor? =
Have you heard about John's being appointed professor?

There isn't much hope that she will recover soon. =
There isn't much hope of her recovering soon.

John was grateful that I had spoken in his defence. =
John was grateful for my having spoken in his defence.

ĆWICZENIE I

Wstaw formę Gerund lub bezokolicznik w następujących zdaniach:

1. Please go on (write); I don't mind (wait) a bit longer.
2. I couldn't help (laugh) when I heard him (tell) that story again.
3. He surprised us all by (leave) the meeting without (say) good-bye to anybody.
4. Henry advised me (look) for a flat for he was unable (have) me stay in his house any longer.
5. He delayed (take) the necessary steps till it was too late (do) anything.
6. It is much easier (study) a subject by (reading) than by (listen) to lectures.
7. The manager is trying (conciliate) the workers by (offer) higher wages.
8. You must find time (go) to the hairdresser's. Your hair badly wants (cut).

9. Mary resented (be) treated unjustly and told her brother (apologize).
10. The thief avoided (be caught) by (jump) out of the window.

Przeredaguj następujące zdania stosując konstrukcje gerundialne:

1. The fact that he was not successful in his work made him miserable.
2. The fact that our grandfather was getting weaker every day depressed the whole family.
3. I don't remember that he has ever mentioned these facts.
4. He was fined because he had not paid the taxes in time.
5. The fact that John refused to answer my questions made me angry.

Przetłumacz następujące zdania, stosując:

a) formy Gerund

1. Wszyscy lubimy rozprawianie o polityce.
2. Po przyjeździe do Londynu zaczęliśmy się rozglądać za tanim hotelem.
3. Dyrektor jest zajęty oprowadzaniem klientów po fabryce.
4. Byłem zmęczony chodzeniem po ulicach miasta i marzyłem o wypiciu filiżanki dobrej herbaty.
5. Nie ma nic złego w odwiedzeniu tego człowieka.
6. Muszę odłożyć spłacenie długów na przyszły rok.
7. Mary bardzo lubi pieczenie ciastek dla całej rodziny.
8. Wybacz mi, że przychodzę tak późno.

b) konstrukcje gerundialne

1. To, że spotykamy się tutaj po latach jest wielką niespodzianką.
2. Mary nalega, abym odwiedził ją w przyszłym tygodniu.
3. Fakt, że oni są Anglikami, wyjaśnia wszystko.
4. Nie pamiętam, abym kiedykolwiek przebywał w tym hotelu.
5. Wybacz mi, że ci przerywam, ale muszę dodać jeszcze jeden szczegół.
6. Będziesz kiedyś żałował, że jesteś tak dla niej okrutny.

16. Zdania przydawkowe

Zdania przydawkowe są to zdania podrzędne stojące po rzeczowniku i spełniające rolę przydawki, np.:

a **very gifted** man (przydawka)
bardzo uzdolniony człowiek
a man **who has invented a new machine** (zdanie przydawkowe)
człowiek, który wynalazł nową maszynę

Te zdania odpowiadają na pytania: jaki? który? i łączą się ze zdaniem głównym za pomocą zaimków względnych: **who, whose, whom, which** oraz **that** lub z pominięciem tych zaimków, jak również z przysłówkami: **when, where, why.**

Rozróżniamy dwa rodzaje zdań przydawkowych:

a) zdania przydawkowe stanowiące nierozłączną część całego zdania złożonego, których nie można opuścić ani oddzielić przecinkiem, gdyż nie wiadomo byłoby wtedy, o której osobie lub rzeczy jest mowa, np.:

The man **who is standing over there** is my teacher.
Człowiek, który tam stoi, jest moim nauczycielem.

The garden **which is in front of this house** belongs to my uncle.
Ogród, który jest przed tym domem, należy do mojego wuja.

Tego typu zdania nazywamy zdaniami określającymi – **Defining Relative Clauses** lub zdaniami ograniczającymi – **Restrictive Relative Clauses.** Te zdania, w przeciwieństwie do zdań polskich, nie są oddzielane przecinkami od reszty zdania złożonego.

b) Zdania przydawkowe nie stanowiące nierozłącznej części całego zdania złożonego, lecz będące dodatkową informacją, którą można opuścić bez spowodowania niejasności, o którą rzecz lub osobę chodzi, np.:

My sister, **who is just back from Paris,** brought me some interesting books.
Moja siostra, która właśnie wróciła z Paryża, przywiozła mi kilka interesujących książek.

Mr. Smith, **who lives in the neighbouring house,** has bought a new car.

Pan Smith, który mieszka w sąsiednim domu, kupił nowy samochód.

W zdaniach wyżej wymienionych określenie **my sister,** jak również **Mr. Smith.** wyraża jasno o kogo chodzi, natomiast zdania: **who is just back from Paris,** jak również **who lives in the neighbouring house** są informacjami dodatkowymi. Te zdania, tzw. zdania przydawkowe opisowe – Descriptive Relative Clauses lub nieokreślające – Non-Defining Relative Clauses, są w języku angielskim zawsze oddzielone przecinkami od reszty zdania złożonego.

Zdania przydawkowe są połączone ze zdaniami głównymi za pomocą zaimków względnych oraz przysłówków. W wypadku zdań ograniczających zaimek względny bywa często pomijany, szczególnie w mowie potocznej. Nie można go jednak pominąć, jeśli stanowi podmiot lub część podmiotu zdania przydawkowego, np.:

The boy **(who) I met yesterday** has a beautiful collection of stamps.

Chłopiec, którego spotkałem wczoraj, ma piękną kolekcję znaczków.

W tym zdaniu zaimek **who** można pominąć, gdyż nie stanowi on podmiotu zdania przydawkowego. Podmiotem tego zdania jest bowiem wyraz: **I.** Natomiast w zdaniu:

The boy **who gave me this stamp** has a beautiful collection

Chłopiec, który dał mi ten znaczek, ma piękną kolekcję

zaimka **who** nie można pominąć, gdyż stanowi on podmiot zdania przydawkowego.

Również w zdaniu:

The boy **whose stamp collection I have shown you** is a friend of my brother's

Chłopiec, którego kolekcję pokazałem ci, jest znajomym mego brata

zaimek **whose** nie może być pominięty, gdyż jest częścią podmiotu.

W zdaniach przydawkowych ograniczających stosujemy następujące formy zaimków względnych. W przypadku podmiotu i dopełnienia:

who lub **that** dla osób
which lub **that** dla rzeczy

Na przykład:

The girl **who** is talking to my brother is a student.
Dziewczyna, która rozmawia z moim bratem, jest studentką.
The table **which** stands in the corner is round.
Stół, który stoi w kącie, jest okrągły.

W zdaniach

The people **(that)** we invited to dinner will come soon.
Osoby, które zaprosiliśmy na obiad, wkrótce nadejdą.

The table **(that)** we bought yesterday is just what we needed
Stół, który kupiliśmy wczoraj, jest tym, czego potrzebowaliśmy

zaimek **that** może być opuszczony, gdyż nie stanowi podmiotu zdania przydawkowego. Podmiotem tego zdania jest wyraz **we.**

Zaimek **that** jest używany wyłącznie w zdaniach ograniczających, czyli tzw. Restrictive Relative Clauses. Kiedy mówimy o osobach istnieje tendencja, aby raczej używać **who** niż **that.**
W formie wyrażającej posiadanie stosujemy:

whose dla osób
of which lub **whose** dla rzeczy, np.:

The artist **whose** pictures you are looking at is quite famous.
Artysta, którego obrazy oglądasz, jest dosyć sławny.

Yesterday I saw a play **whose** plot (the plot of which) was based on the assassination of John Kennedy.
Wczoraj widziałem sztukę, której fabuła jest oparta na zabójstwie Johna Kennedy'ego.

that z przyimkiem przesuniętym:

The watch **(that)** you are looking **at** is fast.
Zegarek, na który patrzysz, śpieszy się.

The student **(that)** I was waiting **for** didn't come.
Student, na którego czekałem, nie przyszedł.

Zdania przydawkowe ograniczające możemy łączyć ze zdaniem głównym również za pomocą przysłówków, np.:

This is a place **where** it never rains.
To jest miejsce, gdzie nigdy nie pada.

That is the reason **why** he disappeared.
Oto dlaczego on zniknął.

You must wait for the time **when** you will be able to act.
Musisz poczekać na czas, kiedy będziesz mógł działać.

Jeśli chodzi o zdania przydawkowe opisowe, czyli nieokreślające, tzw. Non-Defining lub Descriptive Relative Clauses, to należy pamiętać, że:

a) zaimek względny nie może być w nich opuszczony,

b) nie występuje w nich zaimek względny **that**,

c) w odniesieniu do osób w funkcji dopełnienia występuje forma **whom**,

d) przyimek zawsze poprzedza zaimek względny (about whom, to whom, in which, for which, itd.),

e) w piśmie zdania te są zawsze oddzielone przecinkiem od reszty zdania.

W przypadku podmiotu stosujemy:

who dla osób
which dla rzeczy, np.:

My sister, **who** lives in Cracow, is going to visit us.
Moja siostra, która mieszka w Krakowie, przybędzie nas odwiedzić.

The Vistula, **which** divides Poland into two parts, is a very long river.
Wisła, która dzieli Polskę na dwie części, jest bardzo długą rzeką.

W przypadku dopełnienia stosujemy:

whom dla osób
which dla rzeczy, np.:

Mr. Brown, **whom** you met at the station, will be here soon.
Pan Brown, którego spotkałeś na stacji, będzie tu wkrótce.

"Love Story", **which** you liked so much, has been filmed.
"Love Story", która ci się tak podobała, została sfilmowana.

W formie wyrażającej posiadanie stosujemy:

whose dla osób
of which (whose) dla rzeczy, np.:

Your brother, **whose** kindness we all admire, is sure to help you.
Twój brat, którego dobroć wszyscy podziwiamy, z pewnością pomoże ci.

Our agreement, **whose** provisions (the provisions **of which**) have been discussed separately, will be signed at last.
Nasza umowa, której założenia zostały omówione osobno, będzie wreszcie podpisana.

Po przyimku stosujemy:

whom dla osób
which dla rzeczy, np.:

My best friend, **to whom** I am really devoted, has left us for good.
Mój najlepszy przyjaciel, do którego jestem rzeczywiście przywiązany, opuścił nas na dobre.

John's letter, **of which** I have already told you, has changed all my plans.
List Johna, o którym ci już mówiłem, zmienił wszystkie moje plany.

Zdania przydawkowe opisowe możemy także łączyć ze zdaniem głównym za pomocą przysłówków, np.:

Cracow, **where** I live, was once the capital of our country.
Kraków, w którym mieszkam, był niegdyś stolicą naszego kraju.

Do zdań przydawkowych należą również zdania odnoszące się do treści **całego zdania głównego**, a nie do pojedynczego wyrazu; łączymy je zaimkiem względnym **which,** oraz oddzielamy przecinkiem od zdania głównego, np.:

He gave up drinking, **which** was a real success.
On przestał pić, **co** było prawdziwym sukcesem.

My sister wants to go to London with me, **which** is absolutely impossible.
Moja siostra chce pojechać ze mną do Londynu, **co** jest zupełnie niemożliwe.

John went to buy some spare parts for his car, **which** was an urgent matter.
John poszedł, aby kupić części zamienne do swego samochodu, **co** było pilną sprawą.

Uwaga: Należy pamiętać, że w powyższych zdaniach polskie słowo **co** tłumaczymy na angielskie **which,** a nie **what.**

ĆWICZENIE I

Wstaw gdzie jest to konieczne zaimki względne:

1. The river ... flows through Warsaw is called the Vistula.
2. The author ... books you admire so much is my cousin.
3. The man ... house we are going to visit is my uncle.
4. Do you know the book ... I am reading?
5. This is the cat ... ate our meat.
6. The man ... we saw in the theatre yesterday was Tom's cousin.
7. My brother, ... paintings were shown at an exhibition last week, is not a very well known painter yet.
8. The Warsaw castle, ... tragic story you know, has been rebuilt.

9. Put in envelopes the postcards ... you want to send abroad.
10. Your elder brother, ... I happened to meet a few days ago, has changed very much.

ĆWICZENIE II

Opuść zaimki względne, gdzie to jest możliwe i przenieś przyimki na właściwe miejsce:

1. I know the man of whom you are speaking.
2. The man in whose house we are going to stay is our neighbour's brother.
3. The room in which I sleep is cold.
4. The palace about which our teacher is going to speak is a historical monument.
5. The doctor for whom you sent will arrive in half an hour.
6. I will send the documents for which you asked me.
7. We have a garden in which we can grow flowers.
8. The landscape at which you are looking was painted by Rapacki.
9. The girls about whom we are talking will not attend the lessons.
10. John expressed an opinion on which we can rely.

ĆWICZENIE III

Połącz zdania za pomocą zaimków względnych, by tworzyły jedno zdanie złożone:

1. My younger sister is ill. You met her at Zakopane.
2. That woman is going to help us. Her name is Mrs. Gardiner.
3. My brother will pay me a visit. He lives in England.
4. Mary asked me for help. Her husband is seriously ill.
5. George has been arrested. He caused a car accident.

ĆWICZENIE IV

Przetłumacz następujące zdania:

1. Pan Smith, którego obraziłeś, nigdy ci tego nie wybaczy.
2. Człowiek, o którego pytasz, zginął kilka dni temu.
3. Plan, nad którym pracujecie, wydaje się nierealny.
4. Paczka, którą wysłałam do Londynu, nie nadeszła.
5. Konferencja, której celem było przedyskutowanie problemu bezrobocia, nie odbyła się.
6. Dom, który chciałbym kupić, musi być wygodny i niezbyt drogi.
7. Chłopiec, którego widzisz przed sklepem, jest kolegą mego syna.
8. Czy to jest miejsce, o którym mi mówiłeś?
9. Dentysta usunął mi ząb, co było bardzo bolesne.
10. Cała nasza rodzina przebywała w Londynie cały miesiąc, co było niesłychanie kosztowne.

17. Zdania czasowe

Zdania czasowe odpowiadają na pytania: **when?** (kiedy), **since when** (odkąd), **how long** (jak długo) i są wprowadzane następującymi spójnikami:

when	– kiedy	after	– potem gdy
whereas	– podczas gdy	as	– kiedy
while	– podczas gdy	as soon as	– skoro tylko
till	– dopóki	as long as	– tak długo jak
until	– dopóki	since	– od, od kiedy
by the time	– do czasu kiedy	before	– zanim

Po spójnikach: when, before, as soon as, as long as, till, until, mówiąc o przyszłości nie używamy czasów Future, lecz odpowiednich czasów Present, np.:

> We will go to the Zoo **when we have** time.
> Pójdziemy do Zoo, kiedy będziemy mieli czas.
>
> You must wait **till (until) John comes.**
> Musisz poczekać aż John przyjdzie.
>
> **When I have been** in this country for several years, I'll be able to write a book about it.
> Kiedy już będę w tym kraju przez kilka lat, będę mógł napisać o nim książkę.
>
> I will read the paper **as soon as I get** it.
> Przeczytam gazetę, skoro tylko ją dostanę.
>
> John will not go away **before he has seen** you.
> John nie odejdzie, zanim cię nie zobaczy.

Gdy mówimy, że jedna czynność przeszła nastąpiła w czasie, gdy druga się odbywała, używamy czasów Simple Past i Past Continuous, np.:

> When I **came,** my sister **was playing** with her little daughter.
> Kiedy przyszedłem, moja siostra bawiła się ze swoją małą córeczką.

Natomiast gdy mówimy, że obie czynności przeszłe odbywały się równocześnie, używamy w obu zdaniach Past Continuous i łączymy je spójnikiem **while**, np.:

While we **were talking,** our friends **were playing** cards.
Kiedy rozmawialiśmy, nasi znajomi grali w karty.

Gdy chcemy podkreślić uprzedniość jednej czynności przeszłej wobec drugiej czynności przeszłej, używamy niekiedy czasu Past Perfect, np.:

We **had finished** our dinner before John **arrived.**
John **arrived** when we **had finished** dinner.
Skończyliśmy obiad, zanim John przybył.

Patrz także użycie Past Perfect 6.3.2.6.

ĆWICZENIE I

Dokończ następujące zdania wstawiając odpowiedni czas po spójnikach czasowych:

1. We will meet when ...
2. You must stay here till ...
3. I will not leave you before ...
4. When he ... , we will show him our garden.
5. As soon as we ... , we will understand everything.
6. I'll come to see you before I ... for Vienna.
7. You must get off before the train ...
8. The roof will be repaired before you ...
9. By the time you ... they will be gone.
10. The trees will look bare when the leaves ...
11. Don't come here again till you ...
12. Will you write to me when I ...
13. It will be dark by the time we ...
14. You must wait till the police ...
15. John will stay in England as long as ...

ĆWICZENIE II

Wstaw brakujące spójniki czasowe w następujących zdaniach:

1. I will pay my debts ... I have money.
2. ... Mary arrives we will meet her at the station.
3. We will not sell these flowers ... you return.
4. Have some rest ... you start working again.
5. The car will be attended to ... you bring it to our service station.
6. She will be upset ... she hears the doctor's opinion.
7. I won't forget your rudeness ... you apologize.
8. Try to get there ... he does.
9. Wait ... he has finished his speech.
10. ... the lesson is over, we will go for a walk.
11. Mary will see you ... she can.

12. ... he has finished his book, he will take a long holiday.
13. You will know each other better ... you are married.
14. We will be able to leave ... we have earned enough money for the journey.

ĆWICZENIE III

Przetłumacz następujące zdania:

1. Musisz poczekać, aż to spotkanie się skończy.
2. Kiedy zobaczę to na własne oczy, uwierzę ci.
3. Będę cię pamiętał, dopóki będę żył.
4. Pozostanę tutaj, aż skończę moje sprawozdanie.
5. Powiem mu o tym, skoro tylko go spotkam.
6. Kiedy się ocieli, pojadę na wieś.
7. Jak długo będziemy razem, nic złego się nie stanie.
8. Sprzedamy ten dom, zanim wrócisz z zagranicy.
9. Kiedy nauczę się tego wiersza na pamięć, wyrecytuję ci go.
10. On przyniesie swoje rysunki, skoro tylko je wykończy.
11. Dopóki będziesz pracował w tej firmie, będziesz miał z czego żyć.
12. Przyjdę się pożegnać, zanim wyjadę do Ameryki.
13. Kiedy wrócisz, twój pokój będzie na ciebie czekał.
14. Skoro tylko zadzwonisz, będziemy wszyscy gotowi.
15. Nie będę kupować nic kosztownego, aż zarobię więcej pieniędzy.

18. Zdania celowe

Zdania celowe odpowiadają na pytania: **what for?** (po co?, dlaczego?), **for what purpose?** (w jakim celu?) i są wprowadzane spójnikami:

that (aby)
so that (tak aby)
in order that (aby)

W zdaniach celowych występują czasowniki ułomne: **can, could, may, might** oraz **should.** Jeśli czasownik zdania głównego jest wyrażony w czasie teraźniejszym lub w trybie rozkazującym, to w zdaniu celowym występuje **may** lub **can.** Natomiast jeśli czasownik zdania głównego jest w czasie przeszłym, to w zdaniu celowym występuje **might** lub **could,** np.:

Write to him at once **so that he may know** about our visit.
Napisz do niego zaraz, aby wiedział o naszej wizycie.

I opened the door **so that my sister should enter** the room.
Otworzyłem drzwi, aby moja siostra weszła do pokoju.

Those people died **so that we might live.**
Ci ludzie umarli, abyśmy my mogli żyć.

Should stosujemy w zdaniach celowych niezależnie od czasu zdania głównego, np.:

I **will write** this letter at once **so that he should get** it in time.
Napiszę ten list natychmiast, aby on go otrzymał w porę.

I **brought** this letter **so that Mary should read** it by herself.
Przyniosłem ten list, aby Mary sama go przeczytała.

Zdanie celowe stosujemy zazwyczaj wtedy, gdy jego podmiot oznacza inną osobę lub rzecz niż podmiot zdania głównego, np.:

I **bought** this book **so that my brother could read** it.
Kupiłem tę książkę, aby mój brat mógł ją przeczytać.

John **rang** me up **so that I should be ready** in time.
John zadzwonił do mnie, abym była gotowa w porę.

I **have prepared** an excellent meal **so that my guests should not be hungry.**
Przygotowałam doskonały posiłek, aby moi goście nie byli głodni.

Gdy jednak w zdaniu jest mowa o działaniu osoby lub rzeczy w celu spowodowania innego działania tej samej osoby lub rzeczy, wtedy używamy konstrukcji bezokolicznikowej (stanowiącej równoważnik zdania celowego), np.:

He often comes to this shop (in order) **to buy** bread and butter.
On często przychodzi do tego sklepu, aby kupować chleb i masło.

I get up early **in order not to be late.**
Wstaję wcześnie, by się nie spóźnić.

Niekiedy można uniknąć użycia zdania celowego zmieniając redakcję tak, aby w obu segmentach całego zdania zachować tę samą osobę lub rzecz jako czynnik działający, np.:

I wrote to him **so that he should know** about our visit.
    (mamy tu dwie osoby działające: I — he)
Napisałem do niego, aby wiedział o naszej wizycie.

I wrote to him **to let him know** about our visit.
    (jedna osoba działająca)
Napisałem do niego, aby go zawiadomić o naszej wizycie.

I opened the door **so that my sister might enter** the room.
    (dwie osoby działające: I — my sister)
Otworzyłem drzwi, aby siostra mogła wejść do pokoju.

I opened the door **to enable** my sister to enter the room.
    (jedna osoba działająca)
Otworzyłem drzwi, aby umożliwić siostrze wejście do pokoju.

ĆWICZENIE I

Dokończ następujące zdania dodając zdania celowe:

1. I will repeat these sentences so that you ... (je zrozumieli).
2. The teacher dictated the text very slowly so that the students ... (mieli czas go zapisać).
3. They hurried up in order that their friends ... (nie musieli czekać).
4. John gave me the book in order that I ... (ją przeczytał).
5. They stopped at a restaurant in order that everybody ... (zjeść obiad).
6. We study languages in order ... (rozumieć lepiej świat).
7. Mary works hard so that her little brother ... (miał wszystko czego potrzebuje).

8. They save money in order ... (kupić nowe radio).
9. Turn to the right so that I ... (zobaczyć wyraźnie twą twarz).
10. Switch the light off so that the children ... (spać).

ĆWICZENIE II

Uzupełnij następujące zdania:

1. ... in order that the passengers could get off. (konduktor dał sygnał)
2. ... so that your mother may have a rest. (zamknij te drzwi)
3. ... in order that I might understand him. (cudzoziemiec mówił bardzo wyraźnie)
4. ... to open the books on page twenty-three. (nauczyciel polecił uczniom)
5. ... so that we should not find it. (oni dobrze schowali dokument)
6. ... so that the others should not understand us. (mówił po francusku)
7. ... to keep warm. (włóż gruby płaszcz)
8. ... so that the teacher could correct them. (chłopiec pozbierał wszystkie wypracowania)
9. ... so that his mother might have a nice surprise. (Henryk przyniósł kwiaty do domu)
10. ... so that we may have a chat. (zapraszam cię na obiad)

ĆWICZENIE III

Uzupełnij następujące zdania odpowiednimi spójnikami oraz czasownikami: should, may, might, can, could:

1. Give me your hand ... I ... feel your pulse.
2. Mary asked him to deposit all his money with the bank ... he ... not spend it too quickly.
3. Please come early ... we ... have a nice chat.
4. The food is being rationed ... everybody ... get his share.
5. Mark these items in red pencil ... you ... not overlook them.
6. He opened the window ... we ... get some fresh air.
7. I will prepare the meal ... you ... not go hungry.
8. The new motorway was built ... the cars ... not have to go through the centre of the town.
9. The police closed some streets ... the criminal ... not run away.
10. All precautions have been taken ... we ... be protected from theft.

ĆWICZENIE IV

Przetłumacz następujące zdania:

1. Przenieśliśmy się na wieś, aby dzieci żyły w zdrowym środowisku.
2. John usiadł z boku, aby nas obserwować.
3. Wyślij ten teleks natychmiast, aby klient wiedział, że towar jest przygotowany.

4. Mary mówiła cicho, aby nikt jej nie słyszał.
5. Pan Brown pracował bez przerwy na lunch, aby powrócić wcześniej do domu.
6. Nauczyciel wyjaśnił zagadnienie jeszcze raz, aby wszyscy studenci je zrozumieli.
7. Powinniście kupić więcej owoców, aby każde dziecko dostało przynajmniej dwa jabłka.
8. Przestanę palić, aby moja rodzina przestała się martwić moim zdrowiem.
9. John jechał bardzo wolno, aby widzieć dokładnie numery domów.
10. Policja zrobiła co mogła, aby złapać złodzieja.
11. Dałem mu trochę pieniędzy, aby sobie kupił nowe ubranie.
12. Musimy wyruszyć natychmiast, aby przybyć na czas.
13. Przynieś lornetkę, abyśmy zobaczyli co się tam dzieje.
14. Chcę zaprosić twego brata na święta, aby mój syn miał towarzystwo.
15. Zawiadomiłem siostrę, że przyjeżdżacie, żeby przygotowała się na waszą wizytę.
16. John pośpieszył do autobusu, aby się nie spóźnić do pracy.
17. Daję ci tę mapę, abyś się nie zgubił w drodze.
18. Zasugerowałem późniejszą konferencję, aby wszyscy rozważyli sprawę jeszcze raz.
19. Minister powtórzył jeszcze raz swoje oświadczenie, aby uniknąć nieporozumień.
20. Przeliczyłem pieniądze bardzo starannie, aby się upewnić, że nie ma pomyłki.

19. Następstwo czasów i mowa zależna

19.1. Zasady następstwa czasów

W zdaniach złożonych zawierających tzw. zdania podrzędne dopełnieniowe obowiązuje w języku angielskim zasada następstwa czasów.

Zdania dopełnieniowe są to takie, które w strukturze zdania złożonego funkcjonują tak jak dopełnienie w zdaniu pojedynczym. Porównajmy:

Podmiot	Orzeczenie	Dopełnienie
I	know	John.

Podmiot	Orzeczenie	Zdanie dopełnieniowe
I	know	that John is in London.
I	know	where John lives.
I	know	who lives in that house.
I	know	when John arrived.

Zasada następstwa czasów w zdaniach powyższego typu polega na tym, że jeżeli czasownik w zdaniu nadrzędnym jest w czasie przeszłym (Simple Past lub Past Continuous), zdanie podrzędne dopełnieniowe występuje zazwyczaj także w czasie przeszłym.

a) Oto jak mówimy po angielsku i po polsku o czynnościach równoczesnych w teraźniejszości i w przeszłości.

I know that John **is** in London.
Wiem, że John **jest** w Londynie.

I knew that John **was** in London
Wiedziałem, że John **jest** w Londynie.

We think that John **works** too hard.
Uważamy, że John za dużo **pracuje.**

We thought that John **worked** too hard.
Uważaliśmy, że John zbyt dużo **pracuje.**

Zauważmy, że w języku angielskim zmiana czasu z teraźniejszego na przeszły w zdaniu nadrzędnym pociąga za sobą taką samą zmianę w zdaniu podrzędnym. Następuje w tym zdaniu przesunięcie czasu jak gdyby o krok wstecz. W języku polskim natomiast takie przesunięcie nie następuje.

b) Oto jakich czasów używamy w języku angielskim i polskim, aby wyrazić, że czynność wymieniona w zdaniu podrzędnym odbyła się wcześniej niż czynność wymieniona w zdaniu nadrzędnym.

I know that John **was** in London as a young boy.
Wiem, że John **był** w Londynie jako młody chłopiec.

I knew that John **had been** in London as a young boy.
Wiedziałem, że John **był** w Londynie jako młody chłopiec.

I know that John **has lived** in London.
Wiem, że John **mieszkał** w Londynie.

I knew that John **had lived** in London.
Wiedziałem, że John **mieszkał** w Londynie.

W języku angielskim zmiana czasu teraźniejszego (Simple Present) na przeszły w zdaniu nadrzędnym pociąga za sobą zmianę czasu przeszłego na zaprzeszły (Past Perfect) w zdaniu podrzędnym. Czas Present Perfect również ulega zmianie na czas Past Perfect. Mamy tu znowu do czynienia z przesunięciem o krok wstecz. W języku polskim takie przesunięcie nie następuje.

c) Oto jakich czasów używamy, aby wyrazić, że czynność wymieniona w zdaniu podrzędnym była traktowana jako przyszła wtedy, gdy miała miejsce czynność wymieniona w zdaniu nadrzędnym.

I hope that John **will arrive** soon.
Mam nadzieję, że John wkrótce **przyjedzie.**

I hoped that John **would arrive** soon.
Miałem nadzieję, że John wkrótce **przyjedzie.**

W języku angielskim zmiana czasu teraźniejszego na czas przeszły w zdaniu nadrzędnym pociąga za sobą zmianę czasu przyszłego (Future Tense) na czas „przyszły w przeszłości" (Future in the Past), czyli zmianę słówka **will** na **would.** Jest to znowu przykład przesunięcia wstecz.

W języku polskim takie przesunięcie nie następuje – czas przyszły pozostaje czasem przyszłym.

Uwaga: Zasada następstwa czasów nie obowiązuje, gdy w zdaniu podrzędnym wyrażana jest stała prawidłowość, pewnik, prawo przyrody, przepis prawny, przepis regulaminu, itp.:

The child couldn't believe that the earth **is** round.
Dziecko nie mogło uwierzyć, że ziemia jest okrągła.

I didn't know that only club members **are** allowed to use the library.

Nie wiedziałem, że tylko członkom klubu wolno korzystać z biblioteki.

ĆWICZENIE I

Przetłumacz na angielski:

1. Nie wiedziałem, że chcesz mnie jutro zobaczyć.
2. Myślałem, że szukasz pracy.
3. Miałem nadzieję, że twój brat zwróci mi £ 100.
4. Sędzia chciał wiedzieć, kiedy ostatnio widziałeś tego człowieka.
5. On był pewien, że nigdy cię nie spotkał.
6. Wyjaśniłem, że sprawozdanie będzie wkrótce gotowe.
7. Myślałem, że piszesz list do Kanady.
8. Wierzyłem, że nigdy mnie nie opuścisz.
9. Sądziłem, że już zapomniałeś o mnie.
10. Peter miał nadzieję, że otrzyma lepsze stanowisko.

ĆWICZENIE II

Przekształć poniższe zdania wprowadzając Simple Past zamiast Present Simple w zdaniu nadrzędnym oraz odpowiedni czas w zdaniu podrzędnym:

Wzór:　　Mr. Smith thinks that you are younger than your sister.
　　　　Mr. Smith thought that you were younger than your sister.

1. My wife is sure you will pass your exams.
2. Mary thinks Mr. Brown has stayed here for a few days.
3. Mrs. Brown is afraid there is a mouse in her room.
4. I believe her brother is an architect.
5. I think the singer will sing again.
6. We see that you can't understand us.
7. I think I left my pen in the office.
8. I see that you have already finished the class test.
9. The teacher complains that we are very lazy.
10. I hear that Mr. Brown has gone to Paris.
11. I don't think Mary likes her job.
12. John is glad that his wife is a good cook.
13. Tom thinks that the weather will be bad on Sunday.
14. I hope Jane will stay with us for a week.
15. I am sure Mr. White has a lot of money.
16. I remember I saw Ann at a party a few months ago.
17. Alice hopes that she will be able to go to bed early.

18. I see you have already prepared supper.
19. Father thinks I wrote to Mother last week.
20. I am sure Joan knows George.

Uzupełnij wprowadzając odpowiedni czas w zdaniu podrzędnym:

1. Tom has two tickets for the concert.
   Susan didn't know that ...
2. Mary says John has already left.
   Mary said that ...
3. John says he met Sylvia in 1969.
   John said ...
4. I know Father will leave for Berlin on Friday.
   I knew ...
5. We hear Jack has passed his test.
   We heard ...
6. I think you can borrow Mary's umbrella.
   I thought ...
7. Tom says the shop will be opened at 3 p.m.
   Tom said ...

19.2. Mowa zależna

19.2.1. Użycie czasów w mowie zależnej

Szczególnym przypadkiem następstwa czasów jest tzw. mowa zależna.

Mowa zależna występuje wtedy, gdy zamiast przytaczać czyjąś wypowiedź dosłownie, tak jak została sformułowana, relacjonujemy ją, stosując jako zdanie wyjściowe zdanie typu: John said that ... Janek powiedział, że ... Mary asked if ... Marysia zapytała czy ... itp. Oto przykłady:

Mowa niezależna (Direct Speech)	John said: "I'm tired". John powiedział: „Jestem zmęczony".
Mowa zależna (Report Speech)	John said that he was tired. John powiedział, że jest zmęczony.
Mowa niezależna	John said: "I was in London last year". John powiedział: „Byłem w Londynie w zeszłym roku".
Mowa zależna	John said that he had been in London last year. John powiedział, że był w Londynie w zeszłym roku.

Mowa niezależna	John said: "I have lived in London".
	John powiedział: „Mieszkałem w Londynie".
Mowa zależna	John said that he had lived in London.
	John powiedział, że mieszkał w Londynie.
Mowa niezależna	John said: "I will go to Paris next year".
	John powiedział: „Pojadę do Paryża w przyszłym roku".
Mowa zależna	John said he would go to Paris the following year.
	John powiedział, że pojedzie do Paryża następnego roku.

Jak widzimy, w mowie zależnej stosuje się czasy zgodnie z zasadą następstwa czasów.

Uwaga 1. Należy stwierdzić, że we współczesnej angielszczyźnie, zwłaszcza w mowie potocznej, istnieje tendencja do odstępowania od zasady następstwa czasów, gdy relacjonowana wypowiedź dotyczy stanu, który nie uległ zmianie, np.:

John said: "I'm tired".
John said that he is tired.

Takie zdanie w mowie zależnej możemy wygłosić, jeżeli nadal pozostaje faktem to, że John jest zmęczony. Obcokrajowiec nie popełni jednak błędu stosując rygorystycznie zasady następstwa czasów.

Oto zestawienie zmian czasów przy przekształcaniu zdań z mowy niezależnej na mowę zależną:

Mowa niezależna		Mowa zależna
Present Simple		Past Simple
Present Continuous		Past Continuous
Past Simple		Past Perfect
Past Continuous		Past Perfect Continuous
Present Perfect		Past Perfect
Present Perfect Continuous		Past Perfect Continuous
Future Simple		Future in the Past
Future Continuous		Future Continuous in the Past
Past Perfect	pozostaje	Past Perfect
Past Perfect Continuous	pozostaje	Past Perfect Continuous
can		could
could	pozostaje	could
may		might
should	pozostaje	should
ought to	pozostaje	ought to

must   had to lub:
                                         would have to lub:
                                         must

U w a g a: **Must** użyte

a) dla wyrażenia teraźniejszości w mowie niezależnej zmieniamy na **had to**
w mowie zależnej, np.:

> He said: "I must write to my father".
> Powiedział: „Muszę napisać do ojca".
> He said he had to write to his father.
> Powiedział, że musi napisać do ojca.

b) dla wyrażenia przyszłości w mowie niezależnej zmieniamy na **would have
to** w mowie zależnej, np.:

> Tom said: "I must leave for England next week".
> Tom powiedział: „Muszę w przyszłym tygodniu jechać do Anglii".
> Tom said he would have to leave for England the following week.
> Tom powiedział, że będzie musiał w przyszłym tygodniu jechać do
> Anglii.

c) **must** wyrażające stale obowiązującą regułę, nakaz lub zakaz pozostaje
w mowie zależnej niezmienione, np.:

> Mr. Brown said: "Children must obey their parents".
> Pan Brown powiedział: „Dzieci muszą słuchać rodziców".
> Mr. Brown said that children must obey their parents.
> Pan Brown powiedział, że dzieci muszą słuchać rodziców.

19.2.2. Użycie niektórych zaimków i przysłówków w mowie zależnej

W mowie zależnej należy wprowadzać niekiedy — zgodnie z sensem zdania
— zmiany określników, zaimków, okoliczników czasu i miejsca, zależnie od
tego, kto relacjonuje wypowiedź pierwotną, do kogo mówi, oraz gdzie i kiedy
to się dzieje. Na przykład[5]:

Mowa niezależna: I waited for your message here yesterday, Mrs. Black.
                 Czekałem tu wczoraj na wiadomość od pani.

Mowa zależna:

a) Ten sam mówiący i słuchacz, to samo miejsce i czas:

> I said I had waited for your message here yesterday, Mrs. Black.
> Mówiłem, że czekałem tu wczoraj na wiadomość od pani.

---

[5] J. Smólska, „Gramatyka języka angielskiego", Warszawa 1974, s. 239.

b) Ten sam mówiący, inny słuchacz, to samo miejsce i czas:

I told Mrs. Black I had waited for her message here yesterday.
Powiedziałem pani Black, że czekałem tu wczoraj na wiadomość od niej.

c) Inny mówiący, ten sam słuchacz, co w a), to samo miejsce i czas:

Mr. White said he had waited for your message here yesterday, Mrs. Black.
Pan White mówił, że czekał tu wczoraj na wiadomość od pani.

d) Inny mówiący, inny słuchacz, to samo miejsce i czas:

Mr. White told Mrs. Black he had waited for her message here yesterday.
Pan White powiedział pani Black, że czekał tu wczoraj na wiadomość od niej.

e) Inny mówiący, inny słuchacz, inne miejsce, ten sam czas:

Mr. White told Mrs. Black he had waited for her message there yesterday.
Pan White powiedział pani Black, że czekał tam wczoraj na wiadomość od niej.

f) Inny mówiący, inny słuchacz, inne miejsce, inny czas:

Mr. White told Mrs. Black he had waited for her message there the day before.
Pan White powiedział pani Black, że czekał tam poprzedniego dnia na wiadomość od niej.

Tak więc, zależnie od okoliczności, oprócz zmian zaimków osobowych i określników dzierżawczych, w mowie zależnej mogą wystąpić poniższe zmiany:

Direct Speech	Reported Speech
here	there
now	then
today	that day
tomorrow	the next day
next week, month etc.	the following week, month
yesterday	the day before, the previous day
last week, month etc.	the week before, the previous week
this	that
these	those

Uwaga 2. Należy pamiętać o składni czasowników **say** i **tell**. **Say** może wystąpić w następujących konstrukcjach:

John said that he was hungry.
John mówił, że jest głodny.

John said to me that he was hungry.
John powiedział mi, że jest głodny.

Czasownik **tell** wymaga zawsze dopełnienia dalszego w postaci zaimka lub rzeczownika.

John told me that he was hungry.
John powiedział mi, że jest głodny.

John told Mary that he was hungry.
John powiedział Mary, że jest głodny.

U w a g a 3. Zamiast **say** i **tell** w zdaniu nadrzędnym mogą występować czasowniki takie, jak np. declare (oświadczać), state (stwierdzać), report (donosić), suggest (sugerować), promise (obiecać), np.:

The minister stated that the conference had been fruitful.
Minister stwierdził, że konferencja była owocna.
The Press reported that the President would arrive on Sunday.
Prasa doniosła, że Prezydent przybędzie w niedzielę.

Zdania w mowie niezależnej w stronie biernej przekształcamy na zdania w mowie zależnej zgodnie z tymi samymi zasadami następstwa czasów, użycia zaimków i okoliczników co zdania w stronie czynnej.

Mowa niezależna: Jim said: "The thief was seen near our house yesterday".
Jim powiedział: „Złodzieja widziano wczoraj blisko naszego domu".

Mowa zależna: Jim said that the thief had been seen near their house the day before.
Jim powiedział, że złodzieja widziano poprzedniego dnia w pobliżu ich domu.

Składnia zdań w mowie zależnej jest uzależniona od typu wypowiedzi referowanej, od tego mianowicie, czy jest to zdanie oznajmujące, pytanie, czy też zdanie rozkazujące.

Zdania oznajmujące mają w mowie zależnej taką samą składnię jak w mowie niezależnej.

19.2.3. Pytania w mowie zależnej

Pytania zależne mają następujące cechy:

a) Pytania takie mają strukturę zdań oznajmujących, a nie pytających, to znaczy nie występuje w nich inwersja podmiotu i czasownika posiłkowego, lecz całość orzeczenia umieszczona jest po podmiocie. Porównajmy:

Pytanie niezależne: Where are you going, Mary?
Pytanie zależne: John asked Mary where she was going.

W pytaniach zależnych ogólnych występuje wyraz **if** lub (mniej potocznie) **whether** jako odpowiednik polskiego „czy", którego, jak wiemy, brak w niezależnych pytaniach ogólnych. Porównajmy:

Pytanie niezależne: Do you like westerns, Mary?
                     Czy lubisz westerny, Mary?
Pytanie zależne: John asked Mary if she liked westerns.
                     John zapytał Mary, czy lubi westerny.

Oto dalsze przykłady przekształcania pytań ogólnych z niezależnych na zależne:

Pytanie niezależne: Have you met my wife?
                     Czy zna pan moją żonę?
Pytanie zależne: Mr. Smith asked me if I had met his wife.
                     Pan Smith zapytał mnie, czy znam jego żonę.
Pytanie niezależne: Is the museum open?
                     Czy muzeum jest otwarte?
Pytanie zależne: The tourist inquired whether the museum was open.
                     Turysta zapytał, czy muzeum jest otwarte.
Pytanie niezależne: Does John play tennis?
                     Czy John gra w tenisa?
Pytanie zależne: I asked Mary if John played tennis.
                     Zapytałem Mary, czy John gra w tenisa.
Pytanie niezależne: Can you help me?
                     Czy możesz mi pomóc?
Pytanie zależne: Mary asked me if I could help her.
                     Mary zapytała mnie, czy mogę jej pomóc.

Trzeba pamiętać, że struktura zdania oznajmującego, a nie pytającego występuje nie tylko przy relacjonowaniu autentycznego pytania, które ktoś zadał, ale wszędzie tam, gdzie zdanie zaczynające się od wyrazu (zaimka, przysłówka) pytającego nie jest zdaniem samodzielnym, lecz jest wbudowane w inne zdanie.

Porównajmy:

John asks where Mary lives.
John pyta, gdzie mieszka Mary.

Tell me where Mary lives.
Powiedz mi, gdzie mieszka Mary.

I know where Mary lives.
Wiem, gdzie mieszka Mary.

It isn't important where Mary lives.
To nieważne, gdzie mieszka Mary.

I'll find out where Mary lives.
Dowiem się, gdzie mieszka Mary.

Pytanie zależne może być wbudowane w zdanie, które w całości stanowi zdanie pytające, np.:

Could you tell me where Mary lives?
Czy mógłbyś mi powiedzieć, gdzie mieszka Mary?

Do you know where Mary lives?
Czy wiesz, gdzie mieszka Mary? itp.

Przy relacjonowaniu czyjegoś pytania, tak jak przy relacjonowaniu każdej innej wypowiedzi, kasujemy dwukropek bądź przecinek i cudzysłów. W zdaniu nadrzędnym występuje czasownik **ask**, a niekiedy, w stylu bardziej urzędowym, czasownik **inquire**. Na końcu całego zdania złożonego nie stawiamy znaku zapytania. Porównajmy:

Pytanie niezależne: John asked: "Where does Mary live?"
Pytanie zależne: John asked where Mary lived.

b) W zdaniach zawierających pytania zależne obowiązują te same zasady następstwa czasów, co w zdaniach relacjonujących zdania oznajmujące w mowie zależnej (patrz rozdz. 19.2).

c) W zdaniach zawierających pytania zależne obowiązują te same zasady stosowania zaimków i określeń miejsca i czasu, co w zdaniach relacjonujących zdania oznajmujące w mowie zależnej (patrz rozdz. 19.2).

19.2.4. Rozkazy i propozycje w mowie zależnej

Rozkazy, polecenia lub prośby relacjonuje się w mowie zależnej stosując w zdaniu nadrzędnym najczęściej czasownik **tell** lub **ask**, po którym następuje jako tak zwane dopełnienie dalsze (odpowiadające na pytanie komu?) nazwa osoby, do której pierwotna wypowiedź była skierowana, a po niej czasownik z bezokolicznikiem.

Oto przykłady:

Mowa niezależna: "Come later, John".
                 „Przyjdź później Johnie".
Mowa zależna: Mary told John to come later.
                 Mary powiedziała Johnowi, żeby przyszedł później.
Mowa niezależna: "Please open the window, Mary".
                 „Proszę otwórz okno, Mary".

Mowa zależna: The teacher asked Mary to open the window.
                  Nauczyciel powiedział Mary, żeby otworzyła okno.

Zależnie od sytuacji, stosunków łączących dane osoby, stopnia intensyw-
ności rozkazu, polecenia lub prośby, mogą być także użyte takie czasowniki,
jak: order, command, implore, beg, itp.

Oto przykłady:

Mowa niezależna: "Leave the classroom at once, boys".
                  „Wyjdźcie z klasy natychmiast, chłopcy".
Mowa zależna: The teacher ordered the boys to leave the classroom at once.
                  Nauczyciel kazał chłopcom wyjść z klasy natychmiast.
Mowa niezależna: "Do let me have some money, Father"
                  „Proszę daj mi trochę pieniędzy, Ojcze".
Mowa zależna: John begged his father to let him have some money.
                  John prosił ojca, aby dał mu trochę pieniędzy.

Zakazy oraz polecenia i prośby, aby nie wykonywać danej czynności
relacjonowane są w mowie zależnej przy użyciu słówka **not** umieszczonego
przed bezokolicznikiem. Na przykład:

Mowa niezależna: "Don't answer the telephone, Mary".
                  „Nie odbieraj telefonu, Mary".
Mowa zależna: John told Mary not to answer the telephone.
                  John powiedział Mary, żeby nie odbierała telefonu.
Mowa niezależna: "Please don't be angry with me, Father".
                  „Proszę nie gniewaj się na mnie, Ojcze".
Mowa zależna: John begged his father not to be angry with him.
                  John prosił ojca, żeby się na niego nie gniewał.

Relacjonując propozycję w mowie zależnej, wprowadzamy czasownik
suggest, np.:

                  "Let's go to the cinema", said Ann.
                  „Chodźmy do kina", powiedziała Ann.
Mowa zależna: Ann suggested that they should go to the cinema.
        lub: Ann suggested going to the cinema.
                  Ann zaproponowała, żeby pójść do kina.
                  "Shall we meet at the station?", said Mary.
                  „Może spotkamy się na dworcu", powiedziała Mary.
Mowa zależna: Mary suggested meeting at the station.
        lub: Mary suggested that they should meet at the station.
                  Mary zaproponowała, żeby spotkać się na dworcu.

Krótkie odpowiedzi **yes** lub **no** relacjonujemy w mowie zależnej stosując odpowiedni czasownik posiłkowy, np.:

Mowa niezależna: "Do you like this picture?", asked Tom.
„Czy podoba ci się ten obraz?", zapytał Tom.
"Yes", I said.
„Tak", powiedziałem.

Mowa zależna: Tom asked if I liked that picture and I said I did.
Tom zapytał, czy mi się podoba ten obraz, a ja powiedziałem, że tak.

Mowa niezależna: "Will you bring your girl-friend?", asked Mary.
„Czy przyprowadzisz swoją dziewczynę?", zapytała Mary.
"No", said Jim.
„Nie", odpowiedział Jim.

Mowa zależna: Mary asked Jim if he would bring his girl-friend and he said he would not.
Mary zapytała Jima, czy przyprowadzi swoją dziewczynę, a on odpowiedział, że nie.

Hello

Mowa niezależna: "Hello, where are you going"?, he said.
„Halo, dokąd idziesz?", powiedział.

Mowa zależna: He greated me and asked where I was going.
Przywitał mnie i zapytał, dokąd idę.

Thank you

Mowa niezależna: "Thank you, Helen", said George.
„Dziękuję, Heleno", powiedział George.

Mowa zależna: George thanked Helen.
George podziękował Helenie.

ĆWICZENIE I

Mary bought a new dress. She talked about it to her friend Ann. Write what the girls said.

1. Mary: I've just bought a new dress.
   Mary told Ann that ...
2. Mary: How do you like it, Ann?
3. Ann: It's very nice indeed.
4. Ann: Are you going to wear it to John's party?
5. Mary: Yes, I am.
6. Mary: That's just why I bought it.

ĆWICZENIE II

Paul has got the following letter from his girl-friend Lucy:
Dear Paul,

I'm sorry I can't meet you on Friday afternoon, but I have to visit Aunt Helen. On Saturday I'm going to my sister's birthday party and on Sunday I can't go out as my parents are coming to see me. On Monday I'm very busy as I have an appointment with my dentist and lectures until late in the afternoon.

I'm going to ring you up on Tuesday evening and I hope to meet you on Wednesday. Don't be angry!

Love,
Lucy

On Tuesday morning Paul meets his friend John. Write what Paul says in the following dialogue:

1. John: I say, Paul. I saw Lucy in a café on Friday afternoon.
   Paul: But she told me she couldn't meet me because ...
2. John: On Saturday evening I saw her in a restaurant. She was dancing with a tall dark boy.
   Paul: But she told me ...
3. John: On Sunday I saw her in Regent's Park with the same boy.
   Paul: But she ...
4. John: On Monday morning she played tennis with him.
   Paul: ...
5. John: On Monday afternoon she was absent from college.
   Paul: ...
6. John: When is she going to phone you?
   Paul: She said ...
7. John: When do you hope to see her?
   Paul: ...

ĆWICZENIE III

Diana told her friend Alice about a trip to Paris she had made. Write what she said.

Wzór: Diana: "We crossed from Dover to Calais on the 13th".
        Diana said they had crossed from Dover to Calais on the 13th.

1. "We had a very good crossing because the sea was calm". She said ...
2. "There were a lot of people on the boat".
3. "We had some drinks in the bar".
4. "We got to Calais at 11 a.m.".

224

5. "Our friends came to meet us and took us to Paris by car".
6. "We found a very nice hotel".
7. "We decided to stay in Paris for a fortnight".
8. "We visited several museums and went to the theatre on two or three evenings a week".
9. "We did a lot of sight-seeing".
10. "I met a lot of interesting people".
11. "I spoke French and the French understood me".
12. "We returned home by plane".

ĆWICZENIE IV

Mrs. Gold went to see a famous doctor. Then she told a friend about the visit. Write what she said.

Wzór: Mrs. Gold: "I have been to a famous specialist in Harley Street".
          Mrs. Gold told her friend she had been to a famous specialist in Harley Street.

1. "The specialist examined me very carefully".
2. "He asked me a lot of questions".
3. "He told me to sleep eight hours a day at least".
4. "He ordered me to go for a walk every day".
5. "He forbade me to smoke".
6. "He told me not to drink so much coffee".
7. "He advised me to have a light supper".
8. "He prescribed some wonderful new medicine for me".
9. "He told me to make an appointment to see him next month".
10. "He took an enormous fee!"

ĆWICZENIE V

Uzupełnij według wzoru:

Wzór: "We haven't been to the pictures for ages". Mary remarked ...
          Mary remarked they hadn't been to the pictures for ages.

1. "I haven't been to England for three years". Robert said ...
2. "Tom has broken his arm". We learnt that ...
3. "These letters haven't been posted yet". The secretary admitted that ...
4. "I have never heard such nonsense in all my life". Grandfather said ...
5. "Mary has sent John a beautiful Christmas card". John said that ...
6. "I have just bought some new records". Sheila said ...
7. "The thief has taken all Lucy's money". Lucy said that ...
8. "Two policeman have been shot in Rome". The radio announced that ...
9. "The clock in the dining room has stopped". I was surprised to see that ...

10. "I have tried to ring you up several times". Henry told his wife that ...
11. "I haven't been told about John's illness". Helen said she ...
12. "I haven't found Mr. Smith's telephone number though I have looked everywhere". I said ...

ĆWICZENIE VI

Mary is talking to a friend at a party. Write what she said.

Wzór: Mary: "I have just been talking to a Frenchman".
          Mary said she had been talking to a Frenchman.

1. "He has been staying here for three months".
2. "He has been writing articles about our country".
3. "He has been telling me his impression of our people".
4. "I have been trying to tell him what I think about France".

ĆWICZENIE VII

Peter is leaving for Italy. At breakfast the family were talking about his trip. Write what they said.

Wzór: Helen: "Peter will go to Florence and Rome".
          Helen said Peter would go to Florence and Rome.

1. Mother: "Peter will leave at ten o'clock".
2. Father to Peter: "You will catch the 10.15 boat train".
3. Mother: "Peter will speak Italian with his cousins".
4. Father: "We will send a telegram to my sister in Rome".
5. Peter: "I'll visit Capri in April".
6. Peter's sister: "I hope you'will have a good time there".
7. Peter: "I'll bring you a nice present".
8. Peter: "I'll write home every week".

ĆWICZENIE VIII

Uzupełnij poniższe zdania przez wybór właściwej odpowiedzi:

1. Jim said that Lily ... tennis next Saturday.

   A) plays   C) would play
   B) is playing   D) has played

2. The policeman stated that he ... that man standing near the shop two days earlier.

   A) was seeing   C) would see
   B) is seeing   D) had seen

3. Sylvia's brother told me he ... in an office in Brighton.

   A) works   C) is working
   B) worked   D) had worked

4. The boy told his mother he ... enough breakfast that morning.

    A) had not   C) was not having
    B) has not had   D) had not had

5. The bookseller said he ... all the copies of the new dictionary.

    A) has already sold   C) sells
    B) will sell   D) had already sold

ĆWICZENIE IX

Mr. Smith lost his glasses. Write what he said.

Wzór: Mr. Smith: "I can't find my glasses".
             Mr. Smith said he couldn't find his glasses.

1. "I'm sure I didn't leave them in the car".
2. "I expect Mary will help me to find them".
3. "I don't often lose things".
4. "I think I left them at home".
5. "I believe I put them near the telephone".
6. "I won't tell my wife I have lost them".

ĆWICZENIE X

Przepisz poniższe opowiadanie w mowie zależnej:
Mrs. White said to her husband: "My friend Sylvia is coming for the weekend".
Mr. White answered: "I'm afraid I'll have to go to town on Saturday to see Uncle Henry".
Mrs. White said: "Can't you go another day? Sylvia wants to meet you. She has come from Canada and won't stay here long".
Mr. White answered: "All right. I'll telephone Uncle Henry and tell him I'll visit him next week".

ĆWICZENIE XI

Wyraź w mowie zależnej pytania pani Brown:

Wzór: "Where does your brother work?"
             Mrs. Brown asked me where my brother worked.

a) 1. What time do you start working?
   2. How many languages do you know?
   3. Why is Mary looking so unhappy?
   4. Where do you want to go on Sunday?
   5. When is your wife coming back?
b) 1. How much did you pay for your shoes?
   2. What time did you have dinner?

3. Who did you meet on Saturday?
4. How did you learn about John's arrival?
5. When did the Smiths come to Rome?

ĆWICZENIE XII

Uzupełnij według wzoru:

Wzór: Mrs. Black asked Mr. White: "Do you like your job?"
           Mrs. Black asked Mr. White if (whether) he liked his job.

a) 1. Do you often meet old Mr. Green?
   2. Are you going to tell your wife about our meeting?
   3. Do you find your new job interesting?
   4. Do you work overtime?
   5. Are you feeling tired?
b) 1. Did you get my letter on Friday?
   2. Did Mr. Jones bring you my report?
   3. Did you tell Mr. Jones to come at once?
   4. Did your firm get an offer from Brown & Co.?
   5. Did your director leave for Berlin on Friday?
c) 1. Have you ever been to Warsaw?
   2. Have you read the papers?
   3. Have you heard the news?
   4. Have you met my husband?
   5. Has your secretary given you my message?
d) 1. Will you have to look for a new job?
   2. Will your secretary find time to type our report?
   3. Will your son be able to study medicine?
   4. Will your daughter marry young Benson?
   5. Will you see me on Tuesday?

ĆWICZENIE XIII

Na zabawie Mark zadaje Daisy pytania, ale orkiestra gra tak głośno, że Daisy nie może ich dosłyszeć. Mark powtarza swoje pytania w mowie zależnej. Podaj te wypowiedzi Marka:

Wzór: Mark: "Do you dance?"
           Daisy: "What did you say?"
           Mark: I asked whether you danced.

1. Do you know many people here?
2. Do you like the band?
3. Do you smoke?
4. Do you often go to parties?

5. Do you want a drink?
6. Do you feel tired?
7. Do you always make people repeat their questions?

ĆWICZENIE XIV

Pan Kowalski, nauczyciel języka angielskiego, był na kursie w Anglii i po powrocie do Polski opowiada swoim kolegom o przybyciu na uniwersytet i powtarza pytania, jakie mu zadawali uczestnicy kursu. Podaj wypowiedzi p. Kowalskiego według wzoru:

Wzór: "Is it your first visit to Britain?"
         I was asked if it was my first visit to Britain.

1. "Did you come by plane?"
2. "Was the flight good?"
3. "Which university do you work at?"
4. "Have you got many students?"
5. "Are people in your country learning many foreign languages?"
6. "Are they keen on learning English?"
7. "What do you think of English food?"
8. "Which part of Britain do you like best?"
9. "Where are you going to stay after the course?"
10. "When will you return home?"

ĆWICZENIE XV

Uzupełnij przez dobór właściwej formy:
1. The doctor asked Mrs. Green why she ... her baby to the hospital the week before.
   A) was not bringing   C) has not brought
   B) had not brought   D) would not bring
2. I asked Jane if she ... before she started school.
   A) is reading   C) could read
   B) reads   D) can read
3. Father asked me what I ... so carefully.
   A) am looking at   C) would look at
   B) look at   D) was looking at
4. John asked if I ... Mary the day before.
   A) have seen   C) were seeing
   B) had seen   D) saw

ĆWICZENIE XVI

Alan zaprasza Jane do teatru. Przeczytaj poniższy dialog, a następnie odpowiedz na pytania. Wyróżnione zdania w dialogu pomogą w podaniu właściwej odpowiedzi:

Alan: Can you come to the theatre with me on Friday?
Jane: I'm afraid I can't tell you now.
1. Alan: Well, **let me know if you want to go**.
   Jane: All right, I will.
2. Alan: And **make up your mind soon if you want a good seat**.
   Jane: I'll call you on Wednesday. Will that be soon enough?
3. Alan: I think so. **Call me on Wednesday** then.
   Jane: What play is it?
4. Alan: It's "The Dumb Waiter" by Pinter. If you like Pinter **you ought to see** it.
   Jane: I suppose so. Well then, **come and fetch me on Friday at six**.

1. What did Alan tell Jane to do if she wanted to go to the theatre?
2. What did Alan tell her to do if she wanted a good seat?
3. When did Alan tell her to call him?
4. What did Alan tell her she ought to do if she liked Pinter?
5. What did Jane tell him to do?

ĆWICZENIE XVII

Wyraź poniżej podane rozkazy w mowie zależnej:

1. "Children, be quiet", said Mother.
2. "Don't work too much", the doctor advised him.
3. Mr. White said: "Don't be late again, Robert".
4. Henry said to the waiter: "Bring me some more wine, please".
5. "Come to my birthday party, both of you", said George.
6. The teacher said: "Sit down, Helen".
7. "Please help me, Dad", said the little girl.
8. "Write this exercise again", my teacher told me.
9. Tom said to Rose: "Come back soon, please".
10. Mother said: "Don't smoke so much, Ronald".

ĆWICZENIE XVIII

Przetłumacz na angielski:

1. Ojciec poprosił mnie, abym umył samochód.
2. Żona kazała mi kupić butelkę mleka.
3. Policjant polecił mi nie parkować samochodu przed domem.
4. Przechodzień poradził mi, abym zapytał policjanta.
5. Dowódca kazał żołnierzom przejść przez most.
6. Konduktor poprosił pasażera, aby okazał mu swój bilet.
7. Doktor polecił mi ważyć się co tydzień i nie pić alkoholu.
8. Kapitan rozkazał załodze opuścić okręt.
9. Lilian poprosiła mnie, abym wysłał jej list.
10. Matka powiedziała mi, abym nie zapomniał zapakować szczotki do zębów.

ĆWICZENIE XIX

Przetłumacz poniższe zdania na angielski, a następnie przekształć zdania w mowie niezależnej na zdania w mowie zależnej, wprowadzając odpowiedni czasownik w Simple Past:

Wzór: Tom zapytał siostrę: „Gdzie byłaś?"
Tom asked his sister: "Where have you been?"
Tom asked his sister where she had been.

1. Pani Brown zapytała syna: „Co robiłeś od rana?"
2. Pan Smith zapytał żonę: „Czy jesteś gotowa?"
3. Mary powiedziała do przyjaciółki: „Boję się, że spóźnimy się na pociąg".
4. Pani Brown powiedziała do pani Jones: „Mój mąż wyjechał w piątek".
5. Tom zapytał brata: „Czy wziąłeś moją piłkę?"
6. Mary powiedziała do siostry: „Jestem przeziębiona".
7. Jej siostra zapytała: „Dlaczego nie wzywasz lekarza?"
8. Nauczyciel powiedział do klasy: „Nie róbcie tyle hałasu".

ĆWICZENIE XX

Przekształć następujące zdania w mowie niezależnej na zdania w mowie zależnej:

1. The man said: "Get out of my way".
2. "You can phone from my office, Ann", I told her.
3. Another passenger came in and said: "Is this seat taken?"
4. My English teacher asked me: "Have you read Graham Greene's latest novel?"
5. "Don't say anything to make Mother angry", said my father.
6. "Don't forget to put your name at the top of the page", said the teacher.
7. "Did any of you see the accident happen?", said the policeman.
8. "We're waiting for the school bus", said the children.
9. "I have a message for your brother", I said to Jack.
10. "Who did you give the money to?", Ann asked Betty.
11. "We'll wait for you if you are late", said my friends.
12. "Who do you want to speak to?", said the telephone operator.
13. "Don't smoke so much", said Helen to Jim.

ĆWICZENIE XXI

Zamień na mowę zależną:

1. "My car is being repaired", said Mr. Brown.
2. "The test questions were prepared a week ago", said the teacher.
3. "The examination will be taken by 50 students", said the professor.

4. The shopkeeper said: "The order can't be made out immediately".
5. The doctor stated: "The man was killed last night".
6. The clerk said: "Information can be obtained from the secretary".

ĆWICZENIE XXII

Zamień na mowę zależną:

1. Jim said: "I must be at the docks at six a.m. tomorrow".
2. "You mustn't come in without knocking", Mrs. Smith told us.
3. "I must fly to Rome next week", said Jane.
4. "You mustn't play with knives, children", said Mother.
5. "You may have the car if you want it, Jim", said Father.
6. "Must you make such a noise?", he asked.
7. "Charles may have some new records", said Lucy.
8. "Must you do all the work tonight?", I asked Tom.

ĆWICZENIE XXIII

Zamień na mowę zależną:

1. "Have you ever seen a plane crash?", asked John. "No", I said.
2. "Let's give a party", said Ann.
3. "Will you come to meet him at the station?", asked John. "Yes", I said.
4. "Let's stay here till the storm has passed", he said.
5. "Do you often go to the Zoo?", said Jim. "No", said Mary.
6. "Shall I help you?", said Tom. "Thank you, it's very kind of you", said Jim.
7. "Hello, Tom!", said Henry. "When did you arrive in London?"

20. Okresy warunkowe

Okres warunkowy[6] składa się ze zdania nadrzędnego i zdania podrzędnego warunkowego (po **if**).

20.1. Okresy warunkowe I typu

Możemy rozróżnić dwa rodzaje okresów warunkowych I typu. W obu rodzajach spójnik **if** odpowiada polskiemu spójnikowi „jeżeli".

a) W zdaniach tych mówimy o trwałym lub powtarzającym się stanie rzeczy, a nie o jednostkowym zdarzeniu. Mowa jest o teraźniejszości.

> I can't work if I don't get enough sleep.
> Nie mogę pracować, jeśli nie mam dosyć snu.
>
> If the weather is fine, lots of people go to the seaside.
> Jeżeli pogoda jest ładna, masę ludzi jedzie nad morze.

Podobnie jak w języku polskim, w obu członach okresu warunkowego, tj. w zdaniu nadrzędnym i w zdaniu podrzędnym warunkowym (po **if**), występuje czas teraźniejszy.

b) W zdaniach tych mówimy o tym, że jeżeli zostanie spełniony pewien warunek w przyszłości, to będzie taki a taki skutek.

> If it rains, we'll get wet.
> Jeżeli będzie padało, zmokniemy.
>
> You will miss your train if you don't start at once.
> Spóźnisz się na pociąg, jeżeli zaraz nie wyruszysz.

W języku polskim w obu członach występuje czas przyszły, natomiast w języku angielskim w zdaniu nadrzędnym występuje czas przyszły (Future Simple), a w zdaniu podrzędnym warunkowym (po **if**) czas teraźniejszy (Present Simple).

---

[6] W opracowaniu objaśnień zdań warunkowych korzystano z podręcznika J. Smólskiej i J. Rusieckiego, "English Every Day, Part Two", Warszawa 1982, WSiP.

Porównaj:

> If you finish work early, we will go to the theatre.
> Jeżeli skończysz wcześnie pracę, pójdziemy do teatru.

Kolejność członów okresu warunkowego bywa różna.

> If Henry takes his medicine, he will feel much better.
> Jeśli Henry zażyje lekarstwo, poczuje się znacznie lepiej.
> Henry will feel much better if he takes his medicine.
> Henry poczuje się znacznie lepiej, jeśli zażyje lekarstwo.

W zdaniu nadrzędnym może wystąpić tryb rozkazujący, np.:

> If you feel sick, take one of these pills.
> Jeżeli źle się poczujesz, weź jedną z tych pigułek.

W zdaniu nadrzędnym mogą wystąpić również czasowniki modalne, np.:

> If John comes, he should ring up Mr. Jones.
> Jeżeli John przyjdzie, powinien zatelefonować do p. Jonesa.
> If you see Lucy, you must tell her about your trip to Greece.
> Jeżeli zobaczysz Lucy, musisz jej opowiedzieć o swojej podróży do Grecji.
> If we leave at once, we may catch the early bus to Brighton.
> Jeżeli wyjdziemy zaraz, może złapiemy wczesny autobus do Brighton.

U w a g a. W okresach warunkowych I typu w zdaniu warunkowym (po **if**) występuje czas teraźniejszy. Wyjątkiem są zdania warunkowe będące w istocie uprzejmą prośbą. W tych wypadkach używamy w nich czasu przyszłego, np.:

> If you will kindly wait a moment, I'll look for Mr. King.
> Jeżeli będzie pan tak uprzejmy zaczekać chwilę, poszukam pana Kinga.

20.2. Okresy warunkowe II typu

W zdaniach tych mówimy o tym, że gdyby sytuacja była inna niż jest obecnie, miałoby to taki a taki skutek w przyszłości. Spójnik **if** odpowiada w nich polskiemu spójnikowi „gdyby".

W zdaniu nadrzędnym stosujemy czas Future in the Past, tj. **should** lub **would** oraz bezokolicznik, a w zdaniu podrzędnym (po **if**) czas Simple Past.

234

If I were you, I would not take this job.

Na twoim miejscu (dosł.: gdybym był tobą), nie przyjąłbym tej pracy (ale nie jestem tobą).

It would be nice if it wasn't so hot.

Byłoby przyjemnie, gdyby nie było tak gorąco (ale jest gorąco)

We would get there quickly if we had a car.

Dojechalibyśmy tam szybko, gdybyśmy mieli samochód (ale nie mamy samochodu).

Porównaj:

If John is at home, he will answer the phone.

Jeżeli John będzie w domu, to odbierze telefon (ale nie wiemy, czy John będzie w domu).

If John was (were) at home, he would answer the phone.

Gdyby John był w domu, odebrałby telefon (wiemy, że Johna nie ma w domu).

Oto dalsze przykłady:

If I won a lot of money, I would travel all over the world.

Gdybym wygrał dużo pieniędzy, podróżowałbym dookoła świata.

I wouldn't work for him even if he offered me a good job.

Nie pracowałbym dla niego nawet gdyby proponował mi dobrą pracę.

Uwaga: Wyjątek stanowią zdania warunkowe będące w istocie uprzejmą prośbą. W tych wypadkach w zdaniu warunkowym używamy form czasu Future in the Past, np.:

We would be grateful if you would kindly reply at once.

Bylibyśmy wdzięczni, gdybyście odpowiedzieli nam niezwłocznie.

W okresach warunkowych II typu występuje niekiedy dawna forma trybu łączącego **were** we wszystkich osobach, zwłaszcza z zaimkiem I, np.:

If I were you, I would sell this house.

Na twoim miejscu (dosł.: gdybym był tobą) sprzedałbym ten dom.

20.3. Okresy warunkowe III typu

W zdaniach tych mówi się o tym, że gdyby w przeszłości został spełniony taki a taki warunek, nastąpiłby taki a taki skutek[7]. Zdanie odnosi się do przeszłości – do czegoś co nie nastąpiło, ponieważ dany warunek nie został spełniony.

---

[7] J. Smólska, "We Use English", Warszawa 1982, s. 102, WSiP (podręcznik dla klasy IV liceum ogólnokształcącego).

If we had gone by plane, we wouldn't have been late.
Gdybyśmy lecieli samolotem, nie bylibyśmy się spóźnili (ale nie lecieliśmy samolotem i spóźniliśmy się).

W zdaniu warunkowym (po **if**) występuje czas Past Perfect, a w zdaniu nadrzędnym Future Perfect in the Past, tj. **should have** lub **would have** oraz imiesłów bierny czasownika głównego.

Oto dalsze przykłady:

They wouldn't have come if my wife hadn't asked them.
Nie byliby przyszli, gyby moja żona ich nie zaprosiła.
I wouldn't have been angry if they hadn't been late.
Nie złościłbym się, gdyby oni się nie spóźnili.

W stylu książkowym można ominąć **if** w zdaniu warunkowym, np.:

Had we gone by plane, we wouldn't have been late.

W języku polskim nie różnicuje się okresów warunkowych II i III typu, jak to jest w języku angielskim.

Na przykład zdanie:

Gdybym miał czas, poszedłbym na spacer.

może odnosić się zarówno do teraźniejszości (nie mam czasu, więc nie idę na spacer), jak i do przeszłości (nie miałem czasu, więc nie poszedłem na spacer).

W języku angielskim mówiąc o teraźniejszości użylibyśmy II okresu warunkowego:

If I had time, I would go for a walk.
Gdybym miał czas (teraz), poszedłbym na spacer (teraz).

Mówiąc o przeszłości wprowadzilibyśmy III okres warunkowy:

If I had had time, I would have gone for a walk.
Gdybym miał czas (w przeszłości), byłbym poszedł na spacer (wtedy).

20.4. Okresy warunkowe mieszane

Gdy każde z dwóch zdań składowych okresu warunkowego odnosi się do innego czasu chronologicznego, mamy do czynienia z okresem warunkowym mieszanym [8].

---

[8] J. Smólska, "We Use English", jw., s. 147.

a) Zdanie podrzędne może wyrażać warunek stały, odnoszący się zarówno do przeszłości, jak i do teraźniejszości, a zdanie nadrzędne może odnosić się do przeszłości – do tego, co mogłoby się stać, ale się nie stało, np.:

If I were you, I would have told him the truth.
Na twoim miejscu powiedziałbym mu prawdę.

If I were his wife, I would have divorced him long ago.
Gdybym była jego żoną, dawno bym się z nim rozwiodła.

W zdaniu podrzędnym (po **if**) występuje tu czas Simple Past, a w zdaniu nadrzędnym czas Future Perfect in the Past.

b) Zdanie nadrzędne może odnosić się do teraźniejszości, a zdanie podrzędne warunkowe może wyrażać coś, co nie zostało dokonane w przeszłości, np.:

If my husband had lived in Italy, he wouldn't be learning Italian now.
Gdyby mój mąż mieszkał (kiedyś) we Włoszech, nie uczyłby się teraz włoskiego.

If I had had a good rest in summer, I wouldn't be so tired now.
Gdybym dobrze wypoczął w lecie, nie byłbym tak zmęczony teraz.

W zdaniu nadrzędnym wystąpił tu czas Future in the Past, a w zdaniu podrzędnym warunkowym czas Past Perfect.

Zestawienie

I Okres: Present Tense   Present Tense

  a) If the sun shines, it is warm.
     If you are hungry, you eat.

    Present Tense   Future Simple

  b) If you work hard, you will pass the exam.
     If I have time, I will write some letters.

II Okres: Simple Past   Future in the Past

    If I were you, I would move to a bigger flat.
    If you invited her to lunch, she would be very pleased.

III Okres: Past Perfect   Future Perfect in the Past

    If we had gone by car, we would not have been late.
    If they had sent for a doctor, the patient would not have died.

Okres mieszany	Simple Past	Future Perfect in the Past

a) If I were you, I would have told him the truth.
   If I were his wife, I would have divorced him long ago.

	Past Perfect	Future in the Past

b) If he had lived in Italy, he would not be learning Italian now.
   If I had had a good rest in summer, I would not be so tired now.

W okresach warunkowych zamiast spójnika **if** występuje niekiedy spójnik **unless**, który odpowiada mniej więcej polskiemu wyrażeniu „chyba że", np.:

Okres I typu: I won't go to the party unless you come.
                Nie pójdę na przyjęcie, chyba że ty przyjdziesz.
Okres II typu: Mr. Brown wouldn't say that if he didn't believe it.
                Pan Brown nie powiedziałby tego, gdyby w to nie wierzył.
Okres III typu: I wouldn't have gone to the party unless Helen had asked
                me to.
                Nie byłbym poszedł na przyjęcie, chyba że Helen by mnie
                zaprosiła.

Podobny sens można wyrazić za pomocą spójnika **if** i zaprzeczonej formy czasownika, np.:

I won't come to the party if you don't come, too.
Nie przyjdę na przyjęcie, jeśli ty nie przyjdziesz także.

ĆWICZENIE I

Uzupełnij następujące dialogi według wzoru:

Wzór: A.: you/go to the cinema tonight?
        B.: it/rain
        A.: And not/rain?
        B.: I/go for a walk.
        A.: Will you go to the cinema tonight?
        B.: Only if it rains.
        A.: And if it doesn't rain?
        B.: I'll go for a walk.

1. A.: he/pass the entrance examination?
   B.: he/work hard.
   A.: he/not work hard?
   B.: he/fail.

238

2. A.: you/spend your holidays abroad?
    B.: I/get an invitation from a friend of mine.
    A.: you/not get an invitation?
    B.: I/stay in Poland.

3. A.: you/stay in hotels in France?
    B.: I/have enough money.
    A.: you/not have enough money?
    B.: I/look for students' hostels.

4. A.: Peter/join us at the seaside?
    B.: he/get leave from his boss.
    A.: he/not get leave?
    B.: he/not come.

5. A.: you/take this medicine?
    B.: you/give me a cake.
    A.: I/not give you a cake?
    B.: I/pour the medicine down the kitchen sink.

ĆWICZENIE II

Uzupełnij stosując odpowiednio czas Present Simple i Future Simple
czasowników podanych w nawiasach:

Wzór: If you (be) late to the office again, the boss (be) angry.
         If you are late to the office again, the boss will be angry.

 1. If you (find) a cheap room, we (stay) here for the week-end.
 2. If Sally (buy) a new party dress, I (buy) a new one too.
 3. We (catch) the last bus if we (leave) at once.
 4. He (help) us if it (be) really necessary.
 5. It (not seem) such a long way if you (walk) quickly.
 6. I (join) you for a drink if you (want) me to.
 7. We (go) on that trip even if I (not feel) well.
 8. If I (cook) the dinner, you (wash) the plates?
 9. What languages you (study) if you (become) a student of this college?
10. We (not wait) for Lilian if she (not come) in five minutes.
11. I've forgotten the keys but my wife (let) us in if she (be) at home.
12. I (not be able) to do any work if I (not have) some peace and quiet.
13. If it (snow) tomorrow, we (go) skiing.

ĆWICZENIE III

Odpowiedz na poniższe pytania według wzoru:

Wzór: What will happen if John eats too many cakes? (fall ill)
         If he eats too many cakes, he'll fall ill.

1. What will Tom do if he gets hungry? (go to a café)
2. What will happen if Mr. Smith doesn't hurry? (miss his train)
3. What will you do if there is no train? (go by bus)
4. What will you do if it begins to rain? (take an umbrella)
5. What will happen if your dog sees a stranger? (bark)
6. What will you do if Jane doesn't come? (telephone)
7. What will happen if John drops the glass? (break)
8. What will Robert do if he doesn't pass the entrance examination? (try next year)
9. What will you do if you lose your job? (try to find another)
10. What will you do if the bus is very crowded? (take the next one)

ĆWICZENIE IV

Uzupełnij zdania według wzoru:

Wzór: If it's fine tomorrow, we'll go for a walk.
And what will you do if it isn't fine tomorrow?

1. If I pass this exam, I'll study at Oxford.
And what will you do ... ?
2. If John meets us at the station, he'll drive us to the hotel.
And what shall we do ... ?
3. I'll stay a fortnight if I can find a room.
And what will you do ... ?
4. If we get a lift, we'll be in time!
And what will happen ... ?
5. I'll have enough money to pay for our holiday if my boss pays me tonight.
And what shall we do ... ?
6. Christine will let us in if she is at home.
And what shall we do ... ?

ĆWICZENIE V

Uzupełnij poniższe dialogi (Okres I):

Wzór: A.: Why do you want to pass this exam?
B.: I want to study architecture. If ...
If I pass this exam, I'll study architecture.

1. A.: Why do you think of changing your job?
B.: I want to earn more. If ...
2. A.: Why does Alice want to become a nurse?
B.: She wants to work in a hospital. If she ...
3. A.: Why do you want to go to Paris?
B.: I want to learn French. If ...

4. A.: Why does Robert want to get a house in the country?
   B.: He wants to spend pleasant weekends in the fresh air. If he ...
5. A.: Why are you trying to eat less?
   B.: I want to lose some weight. If ...
6. A.: Why do you want to pay the Smiths a visit?
   B.: I want to meet Tom. If ...

ĆWICZENIE VI

Uzupełnij poniższe dialogi według wzoru:

Wzór: A.: If you were me, what would you do?
         B.: If I were you, I would study languages.

1. A.: If you could get a loan, what would you buy?
   B.: If .... a flat.
2. A.: If you were a writer, what novels would you write?
   B.: If .... historical novels.
3. A.: If you had a sailing boat, where would you go?
   B.: If .... to South America.
4. A.: If you could afford to go abroad, what countries would you visit?
   B.: If .... India and Japan.
5. A.: What would you do if you lost your glasses?
   B.: If .... buy a new pair.
6. A.: If you had more money, what would you do?
   B.: If .... buy a house in the country.

ĆWICZENIE VII

Odpowiedz na pytania według wzoru:

Wzór: What would happen if you wrote more letters? (get more letters)
         If I wrote more letters, I would (I'd) get more letters.

1. What would you do if you lost your keys? (have new ones made)
2. What would you do if your car was stolen? (call the police)
3. What cities would you visit if you went to America? (New York, San Francisco).
4. What would you do if you saw a house on fire? (call the Fire Brigade)
5. What would happen if Steve stopped smoking? (feel better)
6. What would you do if the Smiths came? (offer them a drink)
7. What would you do if you wanted to learn to drive? (take driving lessons)

ĆWICZENIE VIII

Daj komentarz do niżej podanych wypowiedzi, wprowadzając zdania warunkowe z **if**:

Wzór: People speak Polish to me, and so my English doesn't improve.
         If they spoke English to me, my English would improve.

1. Tom doesn't take any exercise – that's why he is so weak.
2. Helen doesn't work overtime, and so she doesn't earn as much as I do.
3. My number isn't listed in the telephone directory, and so people don't ring me up.
4. I haven't much time, and so I read very little.
5. They don't clean the windows, and so the rooms look rather dark.
6. I can't park my car near the office – that's why I don't come by car.
7. I haven't got a map – that's why I can't direct you.

ĆWICZENIE IX

Uzupełnij odpowiednią formą czasowników podanych w nawiasach:

Wzór: I (ring) him up if I (know) his telephone number.
         I would ring him up if I knew his telephone number.

 1. If Helen (come) along, we (have) a good time.
 2. I (lock) the door if you (give) me the key.
 3. If they (offer) that house to me for nothing, I still (not take) it.
 4. His family (live) better if he (not drink) so much.
 5. If I (be) young again, I (become) a pilot.
 6. You (drive) much better if you (take) some driving lessons.
 7. I (buy) this car myself if I (have) money.
 8. Do you think Adam (stay) at his job if the manager (offer) him higher wages?
 9. I (come) to see you tonight if I (can) – but I can't.
10. Your baby's health (improve) if it (get) more fresh air.
11. He (be) one of my best students if he (be not) so careless.
12. It's a pity you can't get a longer leave. If you (get) a month's leave, we (visit) Italy.
13. If only Jim (write) to me, I (answer) at once.
14. It's a pity you can't stay. If you (wait) a little, you (meet) my wife.
15. I (understand) the lecture if the professor (speak) slowly.

ĆWICZENIE X

Zadaj pytania na temat podanych sytuacji (A), a następnie podaj odpowiedź, dokonując wyboru z podanych możliwości (B):
Wzór: Suppose you see a child fall into a lake.
         A.: What would you do if you saw a child fall into a lake?
         B.: Jump into the lake to rescue it/call for help.
             If I saw a child fall into a lake, I'd jump into the lake to rescue it. – or: I'd call for help.

1. Suppose you see a charming girl at a party.
   A. What would you do if ...

B. Ask somebody to introduce me to her/ask her to dance.
   If ...

2. Suppose a thief takes your watch.
   A. What ...
   B. Run after him/look for a policeman.
      If ...

3. Suppose you smell gas in your kitchen.
   A. What ...
   B. Shout for help/open the window
      If ...

4. Suppose you have a bad cold.
   A. What ...
   B. Take some aspirin/consult a doctor
      If ...

5. Suppose you are in a foreign country and you lose your passport.
   A. What ...
   B. Go to the nearest Polish consulate/look for the local police station
      If ...

6. Suppose you see a street accident.
   A. What ...
   B. Ring for an ambulance/look the other way.
      If ...

7. Suppose you notice a fire in your flat.
   A. What ...
   B. Try to put it out/run away
      If ...

ĆWICZENIE XI

Przekształć poniższe zdania na okresy warunkowe III typu:

a) Wzór: It wasn't late, and so we didn't hurry.
         If it had been late, we would have hurried.

1. They didn't like the film, and so they didn't stay until the end.
2. She didn't switch on the radio, and so she didn't hear the news.
3. You didn't read the newspaper yesterday, and so you didn't see my photo.
4. We didn't get there in time, and so we didn't watch the President driving to the Parliament.
5. She didn't take the medicine, and so she didn't get better.

b) Wzór: It was late, and so they hurried.
         They wouldn't have hurried if it hadn't been late.

1. They were thirsty, and so they had a drink.
2. I was foolish, and so I lent him some money.

3. We missed the train, and so we had to wait for the next one.
4. The weather was frosty, and so we went skating.
5. She dropped the mirror, and so she broke it.

ĆWICZENIE XII

Uzupełnij wypowiedzi C w poniższym dialogu według wzoru:

Wzór: A.: If Mary had known you were coming, she would have baked
               a cake.
          B.: Did Mary know you were coming?
          C.: No, she didn't
          B.: What would she have done if she had known it?
          C.: She would have baked a cake

1. A.: If they hadn't been late, they would have met the artist.
   B.: Were they late?
   C.: Yes, ...
   B.: What would have happened if they hadn't been late?
   C.: ...
2. A.: If Tom hadn't asked for my opinion, I wouldn't have expressed it.
   B.: Did he ask for your opinion?
   C.: Yes, ...
   B.: What would you have done if he hadn't?
   C.: ...
3. A.: If John hadn't got a ticket, he wouldn't have gone to the opera.
   B.: Did John get a ticket?
   C.: Yes, ...
   B.: What would he have done if he hadn't?
   C.: ...
4. A.: If Sally had had enough money, she would have gone to the seaside.
   B.: Had Sally enough money?
   C.: No, ...
   B.: What would she have done if she had?
   C.: ...
5. A.: If John hadn't waited in the café, Lily would have been angry.
   B.: Did John wait in the café?
   C.: Yes, ...
   B.: What would have happened if he hadn't?
   C.: ...
6. A.: If Alan and Betty hadn't noticed Tom, they wouldn't have stopped
       him.
   B.: Did Alan and Betty notice Tom?
   C.: Yes, ...

B.: What would have happened if they hadn't?

C.: ...

7. A.: If it hadn't been so hot, we would have gone for a long walk.

   B.: Was it hot?

   C.: Yes, ...

   B.: What would you have done if it hadn't?

   C.: ...

ĆWICZENIE XIII

Uzupełnij zdania odpowiednią formą czasowników podanych w nawiasach:

1. If you had listened to what I said, this (never happen).
2. I would have lent you some money if I (not lose) my purse.
3. Alice (not marry) Jim if he had been poor.
4. He (not lose) his job if he had worked hard.
5. If you hadn't been so shy at the interview, you (get) the job.
6. We would have heard if anything (go wrong).
7. They would have come if it (not rain) yesterday.
8. I (not get) here in time if I had not found a taxi.
9. If we had known it was wrong, we (not do) it.
10. He wouldn't have finished packing so quickly if I (not help) him.

ĆWICZENIE XIV

Wyraź czasowniki podane w bezokoliczniku w odpowiednim czasie:

1. You were late. If you (not be) late, we (not miss) the bus.
2. She was a very charming woman. I'm sure you (like) her if you (meet) her.
3. If the driver (not see) the boy in time, he (run) him over.
4. We had to stand almost all the way. It was all your fault. If you (book) seats, we (have) a comfortable journey.
5. Why didn't you say that you were short of money? If I (know) I (lend) you some.
6. If you (be) there, what you (do)?
7. I had no maps – that's why I got lost. If I (have) a map I (be) all right.

ĆWICZENIE XV

Napisz maksymalną liczbę okresów III typu odnoszącą się do faktów podanych w poniższym opowiadaniu:

Last year Robert missed the last train to London and had to stay in a hotel in Birmingham. He went to the hotel restaurant and met Sylvia. He fell in love with her and some time later he married her.

Begin: If Robert hadn't missed the last train to London, he ...

ĆWICZENIE XVI

Odpowiedz na następujące pytania:

Wzór: What will happen if we don't hurry? (be late)
          If we don't hurry, we'll be late.

1. What would have happened if we had missed the last train? (spend the night at the station).
2. What will Helen do if she gets some money? (look for a better house).
3. What would you do if you lost your umbrella? (buy a new one).
4. What would have happened if Tom hadn't caught the early bus? (not arrive at the office before 9 a.m.).
5. What will happen if John gets his diploma next year? (start looking for a job).
6. What will happen if Jim comes late? (not get anything to eat).
7. What would have happened if George had worked more? (pass that difficult exam).
8. What would happen if Alan forgot to set the alarm-clock? (oversleep).

ĆWICZENIE XVII

Wybierz właściwą formę:

1. He ... you to the party if he thinks you want to come.
   A) will invite   C) invited
   B) would invite   D) invite
2. You ... him if you met him now.
   A) won't know   C) knew
   B) wouldn't know   D) didn't know
3. If you had arrived earlier, you ... me in bed.
   A) would have found   C) had found
   B) have found   D) find
4. If you went away now, your friends ... you.
   A) would have missed   C) would miss
   B) will miss   D) missed
5. The fire ... even more people if it hadn't been put out quickly.
   A) would have killed   C) had killed
   B) killed   D) would kill
6. If she met a handsome young man, she ... at you.
   A) wouldn't have looked C) won't look
   B) wouldn't look   D) didn't look
7. He ... if he hadn't forgotten his medicine.
   A) wouldn't have died   C) hadn't died
   B) won't die   D) hasn't died

8. The climate ... more unpleasant if the town were farther away from the sea.
   A) would be   C) was
   B) will be   D) would have been

ĆWICZENIE XVIII

a) Połącz poniższe zdania w okres warunkowy I typu za pomocą spójnika **unless**:

Wzór: You turn this switch. The motor will start.
           The motor won't start unless you turn this switch.

1. You don't have an appointment. You can't see the director.
2. The wind changes. It will rain.
3. You don't pay your debts. You'll lose your friends.
4. You don't wear better shoes. You will hurt your feet.
5. We finish work early. We want to go to the pub.

b) Zamień następujące zdania warunkowe z **if** na zdania z **unless.**

Wzór: You needn't go if you don't want to.
           You needn't go unless you want to.

1. Nobody has to drink whisky if he doesn't want to.
2. We won't come if he doesn't telephone.
3. Prices will go up if the government doesn't take action.
4. John won't accept the job if you don't want him to accept it.
5. Lilian won't tell you about her trip to Rome if you don't ask her.
6. Jim won't post the letter if he isn't told to.

ĆWICZENIE XIX

Uzupełnij poniższe dialogi według wzoru:

Wzór: A.: Ann is very unhappy in her marriage.
           B.: Didn't she listen to your advice?
           A.: If she had listened to my advice, she wouldn't be unhappy
               now.

1. A. Mary looks very tired.
   B. Didn't she have a holiday?
   A. ...
2. A. Look, Richard is here!
   B. Didn't he catch his plane?
   A. ...
3. A. We must look for a taxi.
   B. Didn't you come by car?
   A. ... (have to)

4. A. His financial situation is very difficult.
   B. Didn't he get a large loan?
   A. ...

5. A. I'm wet through!
   B. Didn't you take an umbrella?
   A. ...

ĆWICZENIE XX

a) Połącz podane niżej zdania w I okres warunkowy:

Wzór: Consider everything. You ought to make the right decision.
         If you consider everything, you ought to make the right decision.

1. Tell me what you want. I can get it for you.
2. You want us to come to the party. You must ask our cousin, too.
3. You've got a headache. You should take an aspirin.
4. Telephone in the evening. You may find her at home.
5. I'm not mistaken. That must be young Brown.

b) Uzupełnij według wzoru; stosując w zdaniu nadrzędnym **might** (przypuszczenie, szansa) lub **could** (możliwość, zdolność):

Wzór: If she were late every morning (lose her job).
         If she were late every morning, she might lose her job.

1. If it stopped raining, we (go for a walk).
2. If you bought a lottery ticket, you (win a prize).
3. If you stopped smoking, you (put on some weight).
4. If we had a fast car, we (get home in time).
5. If you walked a bit faster, you (catch the bus).

c) Uzupełnij poniższe zdania wprowadzając w zdaniu nadrzędnym **could have** (możliwość, zdolność) lub **might have** (przypuszczenie, szansa):

Wzór: What a pity the weather wasn't good! If the weather had been good, we (drive to the sea).
         If the weather had been good, we might have driven to the sea.

1. If I had known Mr. Robson's address, I (visit him).
2. John (win) some money if he had bought a lottery ticket.
3. What a pity Arthur and Sally didn't ring! If they had rung, we (ask) them to supper.
4. If Tom had promised never to do it again, his father (forgive him).
5. I (stay) to dinner if my hostess had insisted.

CWICZENIE XXI

Czasowniki podane w bezokoliczniku wyraź we właściwym czasie:

1. Jack rang while you were out. If I (know) he was going to ring, I (stay) at home.
2. It's a pity I haven't got a balcony. If I (have) a balcony, I (grow) plants in pots.
3. If the rain (come) early next year, there (be) a good harvest.
4. If you aren't going to live in the house, why (not sell) it? If I (have) a house I couldn't use, I (sell) it at once.
5. Have your read the story printed in this newspaper? The newspaper (not print) the story if (not be) true.
6. I don't know the way to the station. Unless Henry (come) with me I (get) lost.
7. It's a pity you have already seen this play! If you (tell) me that earlier, we (go) to another theatre.
8. You are completely wet! Come and change quickly. If you (not take off) your wet clothes, you (catch) a cold.
9. This flat would be all right if the people above us (not be) so noisy.
10. If he (take) his doctor's advice, he (not be) seriously ill now.

CWICZENIE XXII

Przetłumacz na angielski:

1. Będziesz miał wypadek, jeżeli nie będziesz ostrożniejszy.
2. Napisałbym do niego, gdybym miał czas.
3. Jeżeli nie będę o drugiej na przystanku, nie czekaj na mnie.
4. Nie byłbym zamknął okna, gdyby nie było zimno.
5. Mogę przyjść, jeżeli zatelefonujesz jutro rano.
6. Nie będzie padało, jeżeli wiatr się zmieni.
7. Ona nie byłaby znalazła tych dokumentów, gdyby policja jej nie pomogła.
8. Powiedziałby ci, gdyby znał odpowiedź.
9. Jeżeli nie będzie pociągu, pojedziemy autobusem.
10. Mógłbyś zdążyć, gdybyś leciał samolotem.
11. Gdybyś był włożył płaszcz, nie byłbyś teraz przemoczony.
12. Przeczytam ci opowiadanie, jeżeli zażyjesz lekarstwo.
13. Czy kupiłbyś tę płytę, gdybyś miał dosyć pieniędzy?
14. Gdybyś dostał bilety, mogliśmy byli wyjechać wczoraj.

CZĘŚĆ TRZECIA

Słowotwórstwo

W języku angielskim istnieją trzy główne mechanizmy tworzenia wyrazów:

a) tworzenie wyrazów pochodnych od wyrazów prostych za pomocą przedrostków i przyrostków,

2) tzw. konwersja, czyli przenoszenie wyrazu z jednej części mowy do innej bez zmiany jego postaci.

3) tworzenie wyrazów złożonych przez zestawienie z sobą wyrazów pojedynczych.

1. Przedrostki i przyrostki

Wyrazy pochodne to takie, w których można wyróżnić niepodzielną cząstkę zwaną rdzeniem, w której tkwi podstawowe znaczenie wyrazu, oraz elementy dodatkowe – przedrostki i przyrostki.

Wyrazy proste zwane są także rdzennymi, gdyż składają się z samego rdzenia. Od wyrazów prostych tworzymy wyrazy pochodne dodając do nich odpowiednio przedrostki (przed rdzeniem) i przyrostki (po rdzeniu), np.:

> grow – rosnąć   – **out**grow – przerosnąć
> work – praca, pracować   – work**er** – pracownik, robotnik

Ten sam wyraz może mieć zarówno przedrostek, jak i przyrostek, np.:

> **dis**covery – odkrycie

W tym samym wyrazie może wystąpić więcej niż jeden przedrostek i więcej niż jeden przyrostek, np.:

> **disem**bark – wylądować   cens**orship** – cenzura
> **e**lucid**ation** – wyjaśnienie   **ir**revo**cable** – nieodwołalny

Rdzeń, czyli niepodzielna cząstka wyrazu może stanowić wyraz samodzielny, np.:

cover — dis**cover** — dis**covery**
nakryć — odkryć — odkrycie

Rdzeń może też nie stanowić samodzielnego wyrazu, np.: **estim**ate, **val**ue, profe**ss**or, przy czym ten sam rdzeń można znaleźć w innych wyrazach pochodnych, np.:

estimate, **estim**ation, over**estim**ation, under**estim**ation
oceniać ocena przecenianie niedocenianie
value, **val**uate, **val**uation, over**val**uation, de**val**ue, deva**l**uation itp.
wartość oceniać ocena przecenianie dewaluować dewaluacja

Znaczenie wielu przedrostków jest łatwe do określenia.
Mamy więc grupę przedrostków wyrażających negację lub przeciwieństwo. Są to przedrostki: **dis, in, im, il, ir, non, un, ab** oraz **a**, np.:

to arm	— to **dis**arm	definite	— **in**definite
zbroić	— rozbrajać	określony	— nieokreślony
possible	— **im**possible	legal	— **il**legal
możliwy	— niemożliwy	prawny	— bezprawny
regular	— **ir**regular	sense	— **non**sense
regularny	— nieregularny	sens	— nonsens
dress	— **un**dress	normal	— **ab**normal
ubierać	— rozbierać	normalny	— nienormalny, nieprawidłowy
typical	— **a**typical	typowy	— nietypowy

Przedrostki **under** i **hypo** wyrażają niedostatek, zaniżenie, zbyt niski poziom, np.: to **under**estimate — niedoceniać, **hypo**tension — niedociśnienie.

Przedrostki **over** i **hyper**, przeciwnie, wyrażają nadmiar, przerost, zawyżenie, np.: to **over**estimate — przeceniać, **hyper**tension — nadciśnienie.

Przedrostek **over** bywa także odpowiednikiem polskiego **nad**, np.: **over**time — nadgodziny.

Przedrostek **homo** oznacza jednolitość, tożsamość, a **hetero** — różność, np.:

homogeneous — jednorodny
homogenize — ujednolicać
homonym — homonim
heterogeneous — różnorodny
heteromorphism — heteromorfizm, różnopostaciowość
heterochromous — różnobarwny itp.

Przedrostki te występują zwłaszcza w tekstach naukowych i specjalistycznych.

Te same przedrostki mogą występować w wyrazach należących do różnych części mowy, np.:

underworld – podziemie przestępcze
undermine – podkopywać
underfed – niedożywiony
define – określić
definite – określony
definitive – ostateczny, definitywny, stanowczy
definition – definicja

Przyrostki spełniają przede wszystkim funkcję gramatyczną, a mianowicie określają do jakiej części mowy należy dany wyraz. Istnieją przyrostki charakterystyczne dla rzeczowników, np.: **-er, -or** (np. work**er** – robotnik, tract**or** – traktor); dla przymiotników np. **-ful** (beauti**ful** – piękny), **-ous** (fam**ous** – sławny), **-able** (comfort**able** – wygodny); dla czasowników np. **-ize** (modern**ize** – modernizować), **-fy** (modi**fy** – modyfikować). Za pomocą odpowiednich przyrostków można przekształcać jedne części mowy na inne.

Większość przyrostków — podobnie jak przedrostki — ma jednak określone znaczenie. Na przykład przyrostki **-er** i **-or** dodane do czasownika zazwyczaj nadają wyrazowi znaczenie osoby wykonującej lub przyrządu wykonującego czynność określoną tym czasownikiem, np.:

work	– work**er**	convey	– convey**or**
pracować	– pracownik,	przewozić,	– transporter
lub praca	robotnik	transportować	
teach	– teach**er**	survey	– survey**or**
uczyć	– nauczyciel	1. przeglądać	– mierniczy
		2. mierzyć	

Przyrostek **-able** dodany do czasownika zazwyczaj przymiotnikowi powstałemu w ten sposób nadaje znaczenie: „zdolny do czynności lub podatny na czynność wyrażoną czasownikiem", np.:

to eat	– eat**able**	to read	– read**able**
jeść	– jadalny	czytać	– nadający się do czytania
to break	– break**able**		
łamać	– łamliwy		

Przyrostek **-ful** wskazuje na posiadanie jakiejś cechy, przyrostek **-less** wskazuje na jej brak, np.:

care**ful**	– uważny,	hope**ful**	– pełen nadziei
care**less**	– nieuważny,	hope**less**	– beznadziejny
colour**ful**	– barwny		
colour**less**	– bezbarwny		

Poniższe zestawienie przedstawia wybór przedrostków i przyrostków naj-częściej występujących w języku angielskim.

Przedrostki greckie i łacińskie

Przedrostek	Znaczenie	Przykład	Znaczenie
ante	przed	antedate	podać wcze-śniejszą datę
anti	przeciw	antibiotic	antybiotyk
circum	dookoła, wokół	circumference	obwód
con, com, co	razem	common, cooperate	wspólny, współpracować
contra, counter	przeciw	contradict	zaprzeczać, przeciwstawiać się, być sprzecz-nym
inter, medi	między	international	międzynarodo-wy
		Mediterranean	Śródziemne (Morze)
im, in	w	inside	wewnątrz
intra	w (coś), wewnątrz	intravenous	dożylny
post	po	postpone	odłożyć na póź-niej
pre	przed	preface	przedmowa, wstęp
pro	dla, naprzód	prominent	przodujący
re	ponownie	rewrite	przepisać po-nownie, przere-dagować
sub	pod	submarine	łódź podwodna
super, sur	zwierzchni, ponad	superman	nadczłowiek
sym, syn, homo	taki sam	symmetry	symetria
tele	łączący na od-ległość	telephone	telefon
trans	przez, poprzez	transparent	przejrzysty
ultra	skrajnie, w naj-wyższym stop-niu	ultramodern	ultranowo-czesny

Przedrostki negatywne

de	odwrotne działanie	dehydrate	odwodnić

Przedrostek	Znaczenie	Przykład	Znaczenie
mal	źle, niedosta-tecznie	malnutrition	niedożywienie
mis	źle, błędnie	misinform	błędnie poin-formować
im, in, il, non, un, dis	nie, bez, lub odwrócenie działania	immobile	nieruchomy
		indifferent	obojętny, nie zainteresowany
		illegal	bezprawny
		nonexistent	nieistniejący
		undress	rozebrać
		discharge	wyładować

Przedrostki określające ilość lub stopień

ambi	oba	ambidextrous	oburęczny
hyper	nadmiernie	hyperinflation	hyperinflacja
hypo	pod, poniżej	hypodermic	podskórny
hemi, semi	pół	semicircle	półkole
mono, uni	jedyny, jeden	monopoly, unilateral	monopol jednostronny
proto, prim	pierwszy	prototype	prototyp
di, bi	dwa, dwu-krotnie	bicycle	rower
tri, ter	trzy	trigonometry	trygonometria
tetra, quad	cztery	quadrilateral	czterostronny
penta, quint	pięć	pentagon	pięciokąt
hexa, sexa	sześć	hexameter	heksametr
hepta, sept	siedem	heptameter	heptametr
oct	osiem	octopus	ośmiornica
non	dziewięć	nonagon	dziewięciokąt
deca, dec, deci	dziesięć	decimal	dziesiętny
poly, multi	dużo, wiele	polygamy multipurpose	poligamia wielocelowy

Przedrostki będące jednocześnie samodzielnymi wyrazami

extra	ponad, ekstra	extraordinary	nadzwyczajny
out	poza, przekra-czając	outgrow	wyrosnąć (z czegoś)

Przedrostek	Znaczenie	Przykład	Znaczenie
over	zbyt dużo, po-nad	overweight	nadwaga
under	pod	underground	podziemny

Przyrostki charakterystyczne dla rzeczowników

Przyrostek	Przykład	Znaczenie
-ity	ability	zdolność
-ance	acceptance	zgoda, przyjęcie
-tion	nutrition	odżywianie
-ism	alcoholism	alkoholizm
-ment	monument	pomnik
-ness	coldness	chłód
-tude	gratitude	wdzięczność
-ure	aperture	otwór, szczelina
-ant	lubricant	smar
-ian	electrician	elektryk
-ist	dentist	dentysta
-ics	economics	ekonomia
-ogy	geology	geologia
-nomy	astronomy	astronomia

Przyrostki charakterystyczne dla czasowników

-ate	to calculate	obliczać
-ify	to electrify	elektryfikować
-ish	to demolish	niszczyć
-ize	to criticize	krytykować
-en	to shorten	skracać

Przyrostki charakterystyczne dla przymiotników

-al	manual	ręczny
-ic	academic	akademicki
-ant	dormant	śpiący
-ile	mobile	ruchomy
-ory	compulsory	przymusowy
-ate	ornate	ozdobny
-ible	audible	słyszalny
-ious	glorious	wspaniały

Przyrostek	Przykład	Znaczenie
-ive	mass**ive**	masywny
-less	stain**less**	nieskalany, nierdzewny
-ful	beauti**ful**	piękny

2. Konwersja

Zasada konwersji oznacza w praktyce, że ta sama forma wyrazowa może występować w funkcji różnych części mowy, przy czym podstawowe znaczenie może pozostać takie samo lub też całkowicie się zmienić, np.:

credit — to credit
kredyt — kredytować

book — to book
książka — rezerwować (bilet kolejowy, lotniczy itp.)

work — to work
praca — pracować

break — to break
przerwa — łamać

hope — to hope
nadzieja — mieć nadzieję

Najwięcej przykładów konwersji występuje w układzie rzeczownik/czasownik, ale występuje ona również w układzie innych części mowy, np.:

socialist — rzeczownik/przymiotnik
before — przyimek/przysłówek

3. Wyrazy złożone

Wyrazy złożone to takie, które składają się z dwóch lub kilku samodzielnych wyrazów, np.:

newcomer — przybysz   airport — lotnisko
man-of-war — okręt wojenny   daughter-in-law — synowa
matter-of-fact— rzeczowy

Znaczenie wyrazu złożonego może być sumą znaczeń jego poszczególnych elementów, np.: headache — ból głowy, pocket-knife — scyzoryk, („nóż kieszonkowy"), newcomer — przybysz, dining-room — jadalnia.

Wyraz złożony może też mieć znaczenie nowe, często metaforyczne, np. wspomiany już man–of–war — okręt wojenny, lub strawberry — truskawka.

Najbardziej charakterystyczne kombinacje wyrazów złożonych to zestawienia typu rzeczownik + rzeczownik, np.:

airport	– lotnisko	steamship	– parowiec
businessman	– biznesman	horseshoe	– podkowa
bookkeeper	– księgowy	strawberry	– truskawka
bathroom	– łazienka	earring	– kolczyk
baby-sitter	– pomoc do dziecka	ballpen	– długopis
screwdriver	– śrubokręt	woodcutter	– drwal, itp.

Zestawienia typu przymiotnik + rzeczownik lub rzeczownik + przymiotnik, np.:

greengrocer – zieleniarz

newcomer – przybysz

blackboard – tablica

worldwide – światowy, w skali światowej

hot-house – cieplarnia

lifelong – dożywotni

sweetheart – ukochany/a

airtight – hermetyczny

Zestawienia typu czasownik + rzeczownik, np.:

pickpocket – złodziej kieszonkowy

Zestawienia typu rzeczownik odsłowny (z końcówką **ing**) + rzeczownik, np.:

writing-paper – papier listowy, papeteria

looking-glass – lustro

dining-room – jadalnia

chopping-board – deska do krajania mięsa

reading-room – czytelnia

sleeping-car – wagon sypialny

Zestawienia typu rzeczownik + rzeczownik odsłowny

stock-taking – remanent   book-keeping – księgowość, księgowanie

Zestawienia typu przymiotnik + imiesłów bierny lub czynny, np.:

red-handed – (złapany) na gorącym uczynku

long-haired – długowłosy

easygoing – niefrasobliwy, łatwy we współżyciu

green-eyed – 1. zielonooki 2. zazdrosny

Cytowane powyżej przykłady bynajmniej nie wyczerpują wszystkich możliwych kombinacji różnych części mowy, w wyniku których powstają nowe wyrazy o różnych, nieraz zupełnie nieoczekiwanych znaczeniach. Warto zaznaczyć, że pisownia wyrazów złożonych bywa różna (razem, oddzielnie, z kreseczką) i że najpewniejszym sposobem uniknięcia błędu jest sprawdzenie pisowni danego wyrazu w słowniku.

Ćwiczenia

Uwaga: Przy wszystkich ćwiczeniach należy korzystać z pomocy słownika.

ĆWICZENIE I

Wpisz w odpowiednią kolumnę wyrazy podane poniżej:

Wyraz	Rzeczownik	Czasownik	Przymiotnik
1. Statistics			
2. Banker			
3. Creditor			
4. Diligent			
5. Colourless			
6. Beautiful			
7. Homeless			
8. Capable			
9. Modernize			
10. Multiply			
11. Dentist			
12. Physician			
13. Writer			
14. Incredible			
15. Traveller			

ĆWICZENIE II

Przetłumacz na polski następujące wyrazy:

Wyraz	Znaczenie
1. Distaste	
2. Incredible	
3. Misunderstanding	
4. Irregular	
5. Illegitimate	

6. Impossible
7. Malcontent
8. Dematerialize
9. Hypertension
10. Hypotension
11. Polygamy
12. Multilateral
13. Bilateral
14. Subordinate
15. Postwar
16. Premature
17. Counter-argument
18. Antiwar
19. Reread
20. Outdated
21. Overtime
22. Underestimate

ĆWICZENIE III

Przekształć poniższe rzeczowniki na przymiotniki stosując przyrostki **-al,
-ic**, **-ant**, **-ile**, **-ory**, **-ible**:

Rzeczownik	Przymiotnik
1. Extravagance	
2. Possibility	
3. Sentiment	
4. Mobility	
5. Satisfaction	
6. Catholicism	
7. History	
8. Criticism	
9. Tolerance	
10. Compulsion	

ĆWICZENIE IV

Z podanych poniżej rzeczowników utwórz przymiotniki za pomocą przyrostków **-ful** i **-less**. Podaj polskie znaczenie wyrazu wyjściowego i pochodnych:

Rzeczownik	Przymiotnik z przyrostkiem **-ful** (o ile taki istnieje)	Przymiotnik z przyrostkiem **-less** (o ile taki istnieje)
1. Beauty		
2. Home		
3. Help		

4. Hope
5. Penny
6. Use
7. End
8. Harm
9. Meaning
10. Child

ĆWICZENIE V

Przekształć poniższe rzeczowniki na czasowniki stosując przyrostki: **-ate,
-ify, -ish, -ize** (patrz: Konwersja)

Rzeczownik	Czasownik
1. Elimination	
2. Satisfaction	
3. Education	
4. Glory	
5. Recognition	
6. Monopoly	
7. Economy	
8. Enjoyment	
9. Demolition	
10. Creation	

ĆWICZENIE VI

Przekształć poniższe przymiotniki na czasowniki stosując przyrostki:
-ate, -ify, -ish, -en:

Przymiotnik	Czasownik
1. Modern	
2. Multiple	
3. Sweet	
4. Quick	
5. Deep	
6. Satisfactory	
7. Critical	
8. Tolerant	
9. Weak	
10. Glorious	

ĆWICZENIE VII

Przekształć poniższe rzeczowniki na rzeczowniki oznaczające osobę,
stosując przyrostki **-er, -or, -ist, -ian**:

1. Economy
2. Creation
3. Statistics
4. Mathematics
5. Journal
6. Music
7. Profession
8. Humour
9. Piano
10. Psychology

ĆWICZENIE VIII

Z podanych poniżej czasowników utwórz rzeczowniki oznaczające osobę, dodając przyrostki: **-er, -or, -ist** (patrz Konwersja):

Czasownik	Rzeczownik

1. Write
2. Invent
3. Teach
4. Learn
5. Construct
6. Baptize
7. Drive
8. Smoke
9. Play
10. Sing

ĆWICZENIE IX

Z następujących wyrazów dobierz dopowiednie pary tak, aby utworzyły wyrazy złożone; podaj ich polskie znaczenie:

> shop, writer, copy, straw, type, hot, how, easy, care, short, maker, keeper, book, dog, know, going, taker, hand, dress, hair, war, do, ship, berry.

ĆWICZENIE X

Przetłumacz na polski następujące zdania:

1. My youngest son is very fond of reading.
2. The book I wanted was available in the reading room.
3. Tom is a great reader of detective stories.
4. It's too dark – I cannot read.

5. We invited our neighbours to dinner.
6. The dining-room in our new flat is a little too small.
7. The foreign delegation will dine in the Town Hall.
8. Stop! Don't you see the road sign?!
9. Will you sign this paper, please?
10. This is not my signature.
11. Shere Khan in the „Jungle Book" was a man-eating tiger.
12. The eating customs of that country are very unusual.
13. A vegetarian eats mainly vegetables.
14. This food is uneatable!
15. Do you care for a drink?
16. Heavy drinking is very harmful.
17. I am thirsty – is there anything to drink?
18. The man was an idler and a drunkard.
19. Tom seldom drinks but when he does he gets drunk very quickly.
20. What shall we do with the drunken sailor? (The opening line of a popular English song).
21. Teaching is a difficult profession, but some professors like it.
22. Big bank robberies are usually the work of professional thieves.
23. Physicians are usually called doctors.
24. Frederic Joliot-Curie was a famous French physicist.
25. Please take care of the children – I've got to go out for an hour.
26. We were let into the building by the caretaker.
27. The short hand of the clock pointed to eleven.
28. It is very useful for a secretary to know shorthand.
29. What have you done to your hair?
30. This is the latest hairdo.

ĆWICZENIE XI

Przetłumacz na angielski:

1. Spotkaj się ze mną na lotnisku.
2. John wydaje się być bardzo rzeczowy.
3. Tom poszedł do kina ze swoją dziewczyną.
4. Wynalazek radia miał ogólnoświatowe znaczenie.
5. Jestem nowym przybyszem w tym mieście – nie znam tutaj nikogo.
6. Sklep był zamknięty z powodu remanentu.
7. Proszę się zgłosić do działu księgowości.
8. Rudowłosa dziewczyna spojrzała na mnie i uśmiechnęła się.
9. Nie będziesz miał kłopotów z twoim nowym kolegą – to człowiek łatwy we współżyciu.
10. To nie do wiary jak się zmieniłeś.
11. Moja żona znajdzie kontrargument przeciwko wszystkiemu co powiem.

12. Nie chcę dodatkowych pieniędzy i nie będę pracować w godzinach nad-
liczbowych.
13. Obawiam się, że nie doceniasz Johna – to człowiek niezwykle inteligentny!
14. Proszę przeredaguj ten tekst (napisz go na nowo).
15. Wczoraj odbyła się w naszym mieście wielka manifestacja antywojenna.
16. Myślę, że twoja radość jest przedwczesna.
17. Ten człowiek zawdzięcza swoje stanowisko przekupstwu.
18. Brownowie są bezdzietnym małżeństwem.
19. Nie spodziewaj się, że ci pożyczę pieniędzy – jestem bez grosza.
20. Czy chciałbyś być matematykiem? Nie, wolę być dziennikarzem.

Klucz do ćwiczeń

1. Określnik — the Determiner

1.1. Przedimek

ĆWICZENIE I

a) 1. I have received a letter from a cousin. 2. I have bought a gramophone and some records. 3. I am going to write a novel about a man who lived on a desert island. 4. In the room there was a bed, a table and some chairs. 5. Some students want to talk to you. b) 1. This stone is a diamond. 2. Tom Brown is an airman. 3. These flowers are tulips. 3. Our guests are foreigners. 5. Professor Jones is a scientist and inventor.

ĆWICZENIE II

Przydawki mogą być różne. Na przykład: 1. films about animals, 2. some jazz records, 3. a charming little village, 4. a small house with a red roof, 5. some good-looking girls in pretty summer dresses.

ĆWICZENIE III

Dodatkowe zdania mogą być różne. Na przykład: 1. The cat was a Siamese and the dog a collie. 2. The novel is long and rather dull but I like the short stories. 3. You can eat the eggs but leave the cheese for Mary. 4. The boy put his arm around the girl's shoulders. 5. I read the letter and looked at the photographs.

ĆWICZENIE IV

1. the longest river, 2. a town, 3. a famous English writer, the 19th century, 4. a radioactive element, 5. the men, the first flight to the moon, 6. the tie (pullover, scarf etc.), the girl (woman), 7. the Second World War, the 1st, 8. the product, 9. a new house, 10. the way, the nearest post-office (taxi-rank, telephone box, service station, etc.), a post-office (taxi-rank, telephone box, service station, etc.).

ĆWICZENIE V

1. the, a, 2. the, a, a, 3. the, the, 4. the, a, 5. a, the, an, 6. the, 7. the, a, a, 8. the, 9. a, a. the, 10. a.

1.2. Inne określniki

ĆWICZENIE I

a) 1. little. 2. much. 3. much. 4. few. 5. little. 6. little, 7. a lot of. 8. little, a lot of.
b) 1. a little. 2. a few. 3. much. 4. a few. 5. a little. 6. a few. 7. a little. 8. a lot of.

ĆWICZENIE II

1. I'm afraid few people will agree with you. 2. Have you read many books on that subject? 3. Poland has a lot of coal and a little iron ore. 4. He gets very few letters though he has been living here for five years. 5. How much money will you need? 6. He is a very interesting author though he has only written a few novels. 7. I'm very tired because I had little sleep last night. 8. He read a lot of historical novels when he was a young boy. 9. I'll cook potatoes because I've got too little rice. 10. I have little time and a lot of work. 11. Have you seen many films this month? 12. I'm afraid you won't pass your exam — there is little hope now that you have wasted so much time (such a lot of time). 13. If you're going to town, buy a few toys for the children. 14. He drinks little milk but a lot of strong tea. 15. There has been a little sunshine today but not much. 16. So far few workers have applied for that job. 17. We haven't much more to do. 18. Are there many languages more difficult than English? 19. Pass me the jug, please. There is a little (some) milk left. 20. I bought a few interesting books in that bookshop.

ĆWICZENIE III

1. My chair (seat) is in row fourteen on the right-hand side of the hall. 2. I have written my report twice already and I am not going to try for the third time. 3. My brother is fifty-three years old. 4. I have decided to save one fourth of my salary every month. 5. Hundreds of people saw that terrible accident at the airport. 6. In nineteen seventy-eight I was in London. 7. We have paid more than two hundred million zlotys for this house. 8. Each of the workers will get double pay for working on Saturday. 9. Open your books at page eighty-three and read Chapter Four. 10. The bank has lost hundreds of thousands of pounds on this operation. 11. John is three years older than his sister, who is nineteen. 12. The bill amounts (comes) to two thousand three hundred and forty-eight pounds and twenty-five pence.

ĆWICZENIE IV

Twenty-two; two hundred and ten; eighty-six; twenty-fifth of March; the year nineteen sixty-eight; page four hundred and fifteen; two thousand three hundred and eighty-five people; one hundred and five students.

2. Rzeczownik — the Noun

2.1. Podział rzeczowników

ĆWICZENIE

1. difficulties — Count; 2. difficulty — Non-Count; 3. help — Non-Count; 4. concert — Count; 5. music — Non-Count; 6. paper — Non-Count; 7. papers — Count; 8. pleasure — Non-Count; 9. life — Non-Count; 10. life — Count; 11. times — Count; 12. time — Non-Count.

2.2. Formy rzeczownika

ĆWICZENIE I

1. my father's house 2. my wife's photograph 3. our town's streets 4. Poland's new industries 5. my guardian's words 6. Mr. Brown's daughter 7. a ten miles' walk 8. India's future 9. our neighbours' opinion 10. our countries' friendship 11. my uncle's car 12. our debtors' money 13. a five days' journey 14. a hairdresser's work 15. a one month's holiday 16. the Queen of England's crown 17. a two years' leave 18. the children's dolls 19. our scientists' achievements 20. my grandparents' property.

ĆWICZENIE II

1. my friend's brother 2. our teacher's new book 3. our professor's new exhibition 4. these children's toys 5. my sister's new hat 6. my brother's pretty girl-friend 7. your manager's permission 8. the chairman's report 9. these people's tragic fate 10. the government's drastic measures.

ĆWICZENIE III

1. G. B. Shaw's plays are often staged in the theatres of our town. 2. We spent a three weeks, holiday at our parents' place. 3. The foreigner's car has been robbed. 4. This is not my camera, it is my friend's. 5. What do you think about Leonardo da Vinci's paintings? 6. The Browns' house was standing not far from river. 7. The book discusses the thousand years' history of our nation. 8. A lot of people came to my younger brother's wedding. 9. The president's speech was optimistic. 10. That man's life must have been interesting. 11. The kings of England's crowns can be seen in the Tower. 12. Have you ever walked in St. James's Park? 13. I have read all Shakespeare's works. 14. Where is our teacher's famous notebook?

2.3. Liczba rzeczownika

ĆWICZENIE I

fox, negro, child, swine, knife, foot, fish, party, chief, cargo, valley, mouse-trap, passer-by, mouse, tooth, daughter-in-law, workman, letter, man-servant, phenomenon, potato, housewife, hero, ox, louse, calf.

ĆWICZENIE II

1. men, children 2. teeth 3. sheep, oxen 4. women, men 5. thieves, guests 6. shoes, feet 7. stimuli, potatoes 8. phenomena 9. nephews, nieces, god-children 10. men-servants.

ĆWICZENIE III

1. In these woods there are foxes and deer. 2. Many farmers breed sheep and oxen. 3. Some people are afraid of mice. 4. If I go to the dentist, he will probably extract two of my teeth. 5. Have you read Steinbeck's book entitled "Of Mice and Men"? 6. Fruit is usually dear in winter. 7. Mary buys her clothes in London. 8. I think these trousers are too tight. 9. Who will take our luggage to the train? 10. This furniture has cost a lot of money. 11. The goods will be sent tomorrow. 12. My aunt has three daughters and just as many sons-in-law. 13. I don't need your advice! 14. Ask for information at any travel office. 15. The thief was arrested by two policeman. 16. Crowds of people came to the airport to welcome the delegation. 17. They say that the family are looking for him. 18. The economic crisis is the most important problem of the present day.

2.4. Rodzaj rzeczownika

ĆWICZENIE I

heiress, niece, waitress, heroine, traitress, goose, step-daughter, mother-in-law, lioness, murderess, poetess, princess.

ĆWICZENIE II

emperor, husband, bridegroom, bull, landlord, policeman, widower, steward, uncle.

1. My mother-in-law knows many famous actresses. 2. The lioness attacked the tigress. 3. My aunt is the manageress of a big firm. 4. Mary has a sister who is a widow. 5. The stewardess was asked to bring another cup of tea for my aunt. 6. My grandmother has a lovely figurine of a shepherdess on her desk. 7. The waitress brought our bill. 8. "This woman behaved like a heroine", said the princess. 9. My daughter will talk to your mother. 10. The postwoman brought me a letter from the mayoress of the town. 11. I'd like you to meet my step-daughter. 12. The bride is my twin sister. 13. The Queen of England was once also the Empress of India. 14. Our hostess is an extremely nice woman. 15. She is the heiress to the old woman's millions.

3. Zaimek — the Pronoun

3.1. Zaimki osobowe

ĆWICZENIE

a) 1. I'll buy her a new hat. 2. I'm not telephoning him. 3. I don't know him. 4. I haven't met them. 5. She hasn't given me the bill yet. 6. I'm not going to listen to him. 7. I will ask them.
b) 1. her. 2. them, them, them, him. 3. us, her. 4. her. 5. me.

3.2. Zaimki dzierżawcze

ĆWICZENIE

1. It isn't his, it's yours. 2. It isn't theirs, it's ours. 3. They aren't mine, they're his. 4. It isn't mine, it's theirs. 5. It isn't mine, it's his. 6. It isn't mine, it's hers.

3.3. Zaimki nieokreślone

ĆWICZENIE

1. Anybody. 2. Any. 3. Anybody, something. 4. Anything. 5. Any. 6. Anywhere. 7. Any, some. 8. Anybody, 9. Somebody, 10. Nothing, some. 11. Nobody. 12. Any. 13. Anywhere. 14. Nowhere. 15. Any, some. 16. Anything. 17. Anybody. 18. Any, some.

3.4. Zaimki zwrotne

ĆWICZENIE
1. Herself. 2. Himself. 3. Yourself. 4. Yourself. 5. Ourselves. 6. Themselves. 7. Ourselves. 8. Yourself.

3.5. Zaimki emfatyczne

ĆWICZENIE I

1. Myself. 2. Themselves. 3. Ourselves. 4. Himself. 5. Yourself. 6. Herself.

ĆWICZENIE II

a) 1. Did you enjoy yourselves at the party? 2. My daughter has bought herself a new car. 3. Will you keep this book for yourself? 4. The cake is on the table — please, help yourselves.

b) 1. We shall look for our coats ourselves. 2. He said it himself. 3. I am afraid I will have to do it myself. 5. The headmaster himself told us to go home.

4. Przymiotnik — the Adjective

4.1. Formy przymiotnika

ĆWICZENIE I

1. a late breakfast. 2. clean. 3. shallow. 4. blunt. 5. noisy. 6. careful.

ĆWICZENIE II

1. interesting, interested. 2. confusing, confused. 3. amusing, amused. 4. boring, bored. 5. irritating, irritated.

4.2. Użycie przymiotników z niektórymi określnikami i przysłówkami

ĆWICZENIE I

1. the dead. 2. The old, the young. 3. the blind. 4. The unemployed. 5. the middle-aged. 6. The strong, the weak. 7. The deaf.

ĆWICZENIE II

1. such. 2. such a. 3. such. 4. such an. 5. so. 6. such a. 7. such. 8. such a. 9. so. 10. such a. 11. such. 12. so. 13. so. 14. such.

ĆWICZENIE III

1. How. ... 2. What an ... 3. How ... 4. What ... 5. How ... 6. How ... 7. What ... 8. How ... 9. How ... 10. What ... 11. What an ... 12. What an ...

4.3. Stopniowanie przymiotników

ĆWICZENIE I

1. It's not so warm in March as in July. 2. Your hair isn't so long as Peter's. 3. John is as tall as Henry. 4. London isn't so large as New York. 5. My Russian is as good as my French. 6. The article on page five is as long as the one on page ten. 7. Mr. Smith doesn't work so hard as Mr. Brown.

ĆWICZENIE II

1. quieter than ... 2. healthier than ... 3. better than ... 4. more interesting than ... 5. more intelligent than ...

ĆWICZENIE III

1. John's car is older than mine. 2. Yesterday it was warmer than today. 3. Mary is taller than Helen. 4. Henry is a better student than Steve. 5. Adam's composition is longer than Peggy's (or: Peggy's composition is shorter than Adam's).

268

ĆWICZENIE IV

1. the best 2. the most interesting novel 3. the most difficult 4. the smallest 5. the most boring.

ĆWICZENIE V

1. better, the best 2. bigger, the biggest 3. more attractive, the most attractive 4. wider, the widest 5. finer, the finest 6. more useful, the most useful 7. more economical, the most economical.

ĆWICZENIE VI

1. The older you are, the more you know. 2. The finer the weather, the more pleasant the holidays. 3. The worse the road, the more difficult the driving. 4. The nicer the girl, the more friends she has. 5. The harder your work, the more comfortably you'll live.

ĆWICZENIE VII

1. the best 2. more dangerous 3. further 4. the most interesting 5. prettier 6. worse 7. eldest 8. busy, the busiest 9. the warmest 10. black 11. the kindest 12. the most original 13. the longest 14. the most amusing.

ĆWICZENIE VIII

1. It's the most beautiful picture I've ever seen. 2. Our holidays at the seaside were as pleasant as our stay in the mountains. 3. Where is the nearest petrol station? 4. This play is as interesting as the one I watched on TV yesterday. 5. I'm afraid you are more tired than I am. 6. A big flat is more comfortable than a small one. 7. The rich often have as serious problems as the poor.

5. Przysłówek — the Adverb

ĆWICZENIE I

kindly, foolishly, politely, freely, legally, expensively, immediately, fortunately, effectively, publicly, cheaply, happily, doubtfully, broadly, tactlessly, safely, necessarily, profoundly, obviously, regularly, patiently, fairly, generally, wisely, rightly, willingly, wrongly, perfectly, visibly, temporarily, handsomely, economically.

ĆWICZENIE II

a) przymiotniki
sleepy, original, central, intelligent, sorrowful, trustful, useful/useless, joyful, glorious, anxious, respectful, additional, beautiful, artistic, lucky, dangerous, contemptuous/contemptible, careful/careless, hot, hospitable.

b) przysłówki
sleepily/asleep, originally, centrally, intelligently, sorowfully, trustfully, usefully/uselessly, joyfully, gloriously, anxiously, respectfully, additionally, beautifully, artistically, luckily, dangerously, contemptuously/contemptibly, carefully/carelessly, hotly, hospitably.

ĆWICZENIE III

a) przymiotniki
hopeful/hopeless, hateful, imaginative/imaginable, variable, thankful/thankless, attractive, ceaseless, movable, full, possessive, obliging/obligatory, wonderful, neglectful, constructive, angry, obedient, protective, helpful/helpless, playful, pleasant

269

b) przysłówki

hopefully/hopelessly, hatefully, imaginatively/imaginably, variably, thankfully/thanklessly, attractively, ceaselessly, movably, fully, possessively, obligatorily, wonderfully, neglectfully, constructively, angrily, obediently, protectively, helpfully/helplessly, playfully, pleasantly.

ĆWICZENIE IV

1. good 2. badly 3. well, badly 4. bad, well 5. well, good 6. well, good 7. bad, well 8. badly 9. bad 10. bad, good.

ĆWICZENIE V

1. cold 2. coldly 3. slow, slowly 4. badly 5. bad 6. hard 7. hardly 8. lately 9. late 10. near 11. nearly 12. prettily 13. high 14. badly 15. bad 16. nice 17. nice 18. directly 19. fairly 20. highly.

ĆWICZENIE VI

1. brightly 2. happily 3. heroically 4. weakly 5. fast 6. madly 7. fairly 8. highly 9. heavily 10. hardly.

ĆWICZENIE VII

1. Have you ever been ... 2. Do you often go ... 3. He usually comes here ... 4. I have never seen ... 5. Mary has just arrived. 6. I am hardly able ... 7. We generally go ... 8. We were quite certain ... 9. We sometimes take him there ... 10. My daughter always sits ... 11. We have almost finished ... 12. I have rarely seen ... 13. We sometimes meet ... 14. John has just finished ... 15. Do you always treat ... 16. They will never come ... 17. Will you ever forget ... 18. I have never believed you. 19. Tom is often worried ... 20. Have you ever written ...

ĆWICZENIE VIII

1. faster 2. sooner, later 3. efficiently 4. better 5. more quickly 6. nearer, farther 7. more enthusiastically 8. willingly 9. more noisily 10. beautifully.

ĆWICZENIE IX

1. My husband unfortunately drinks a lot. 2. We have visited many museums lately. 3. Such behaviour was highly immoral. 4. They don't want to work hard. 5. I hardly meet him. 6. John looked at me sadly. 7. Why have you written this letter so carelessly? 8. Mary was almost sure we would come. 9. Cold milk tastes good on a hot day. 10. Close the door softly. 11. My uncle was speaking more and more loudly and walking nervously round the room. 12. I have paid for this house less than you suppose. 13. You have translated the third sentence best of all. 14. Tom was extremely tired and went to bed immediately. 15. Are you strong enough to lift this heavy table ? 16. Do you always get up so late? 17. George sometimes brings presents for our children. 18. Mr. Brown will soon explain everything. 19. Your room is not big enough for the party; however, we will remain here. 20. I have seen him only once and that's enough. 21. Your friends have simply forgotten to tell you about it. 22. A thief can easily get in here. 23. How can he drive a car when he hardly knows the rules? 24. How far is it to the railway station? 25. They seldom come here. 26. I still remember where you lived twenty years ago. 27. The matter has been partly settled. 28. Ann dropped the letter quickly into the pillar-box. 29. Why are you writing only on one side of the paper? 30. Only he can save us. 31. My brother got married only a week ago. 32. Pass me that book: I only want to see its title. 33. The woman looked angrily at the young men, who were laughing loudly. 34. We got to the theatre too late, and so we missed the beginning of the performance. 35. Your friend obviously didn't want to stay here any longer.

1. Who has given them away? 2. Why don't you put it on? 3. We will give it up. 4. You can't put it off. 5. We have put them aside.

ĆWICZENIE XI

1. Will you come to the station to see us off? 2. What time do you get up in the morning? 3. Take off your coat. It's warm here. 4. Pick up these papers! Pick them up, I tell you. 5. Switch the light on. It's getting dark. 6. I have broken off our engagement. 7. Will you ring me up at half past seven? 8. My sister has cleared away the empty dishes from the table. 9. Say again what you want. I can't make it out. 10. You must give up smoking. It is not good for your health. 11. I will gladly put you up for a few days. 12. I don't want to see them any more because they have run us down. 13. Everything has been done. Let them go away! 14. I have put aside the money you gave me. 15. I don't believe you. You won't take me in again.

6. Czasownik — the Verb

6.3. Czasy gramatyczne

6.3.1. Wyrażanie teraźniejszości

6.3.1.1. Present Simple

ĆWICZENIE I

1. buys 2. goes 3. drink 4. visit 5. go 6. smell 7. like 8. rains 9. changes 10. brings.

ĆWICZENIE II

1. Mary always drinks coffee for breakfast. 2. We sometimes buy bread in this shop. 3. John plays the piano beautifully. 4. This train is never late. 5. I like jam but I prefer honey. 6. In February we usually go to the mountains. 7. The earth turns round the sun. 8. I hate noise. 9. I see that you are tired. 10. Some people like jazz, others prefer classical music.

ĆWICZENIE III

1. She doesn't watch TV; she reads books. 2. The Browns don't like working in the garden; they prefer playing bridge. 3. John doesn't go for a walk; he is too lazy. 4. Peter doesn't cook his dinner himself; his mother does it. 5. Helen isn't late every time you meet her; she is always on time. 6. I don't often sit up late; I usually go to bed early. 7. Cats don't play by day and sleep by night; they do the opposite. 8. Our teacher doesn't always speak English to us; he often speaks Polish. 9. They don't do their homework well; they make a lot of mistakes. 10. Dogs do not bark at everybody; they usually bark at strangers only.

ĆWICZENIE IV

1. Peter doesn't play the piano well. He can't play at all. 2. My brother is not an actor. He is a teacher. 3. They don't need anything to eat. They are not hungry. 4. Tom doesn't sit up late. He goes to bed at ten. 5. George doesn't drink too much. He only drinks from time to time.

ĆWICZENIE V

1. Does her sister cook well too? 2. Can his wife speak Spanish too? 3. May my brother go home too? 4. Do Professor Smith's students read the classics too? 5. Is his son a doctor too? 6. Do you buy all the new records too? 7. Do you work too much too? 8. Does his mother help him too?

6.3.1.2. Present Continuous

ĆWICZENIE I

1. is raining, is blowing, are going 2. am writing 3. is knocking 4. are you doing, am waiting 5. am leaving, am packing 6. is reading 7. are you feeling 8. are the kids doing, are watching 9. is making, is listening .10. are having

ĆWICZENIE II

1. I am reading a very interesting book. 2. What are you doing upstairs? I am cleaning my room. 3. What are the children doing? They are playing in the garden. 4. I am going to the seaside in a week. 5. We are going to the theatre tonight. 6. I am writing a letter. 7. Mary is coming tomorrow. 8. Don't bother me, I am listening to the radio. 9. How are you feeling today? 10. What are you speaking about?

ĆWICZENIE III

1. is having 2. fly (are flying) 3. comes 4. are playing 5. is knocking 6. goes 7. knows 8. call 9. want 10. see, are reading.

ĆWICZENIE IV

1. writes 2. visit, pretend, try 3. is having, has 4. rains, is raining 5. smell, are you cooking 6. making, make 7. is looking, lives, visits, is writing.

ĆWICZENIE V

1. Is Mary watching TV? No, she never does it in the daytime. 2. Do you know this man? No, I see him for the first time. 3. May I take this book home? No, you may not. You must read it in the reading-room. 4. Peter ought to work more. He doesn't study regularly at home, and only comes to school from time to time. 5. Don't bother me! Don't you see I am busy now? 6. Is John at home? No, he is playing tennis. He always plays tennis on Mondays from 5 to 7.

6.3.2. Wyrażanie przeszłości

6.3.2.1. Present Perfect

ĆWICZENIE I

1. have you ever heard 2. has not come 3. has earned 4. has opened 5. has won 6. has left 7. has Barbara written 8. have come, haven't seen 9. have already finished 10. have you understood.

ĆWICZENIE II

1. Because she has left for London. 2. Because he has worked too much lately. 3. Because he has gone out. 4. Because somebody has locked it. 5. Because he has always been like that. 6. Because you haven't asked us to do so.

272

ĆWICZENIE III

1. They have just phoned to say that they will not come. 2. We have already finished work and we are going home. 3. I have read this book and I don't think it is worth reading. 4. I have just written a letter to the Browns and I am going to post it. 5. I have not seen any interesting films lately. 6. Can you repeat what you have said? 7. How do you know it is true? Mary has told me. 8. I have hidden that letter so well that I can't find it myself. 9. Have you heard the latest news? John and Mary have got married. 10. Have you learned to swim at last?

ĆWICZENIE IV

1. We have lived in Warsaw for ten years. 2. I haven't been in England since 1975 3. Mr. Brown has worked in a bank for twenty years. 4. We haven't talked to John since Monday. 5. Mary hasn't telephoned since last night. 6. I have known the Browns since last summer. 7. We haven't seen each other for years. 8. The students have been here since ten o'clock.

6.3.2.2. Present Perfect Continuous

ĆWICZENIE I

1. has been watching 2. have been listening 3. has been explaining 4. has been typing 5. has been reading 6. has been cooking 7. have been learning 8. have been building 9. have been writing 10. have been working.

ĆWICZENIE II

1. I have been working in the garden since early morning and everything is done at last. 2. We have been listening to lectures all day long and we are very tired now. 3. Tom has been learning German since his childhood, but he hasn't learned it yet. 4. We have been waiting for you for many years. 5. I have been looking for that book for the whole afternoon and I will go on looking for it till I find it. 6. Mary has been working too much lately and she must rest now. 7. Jane has been trying hard to improve her pronunciation and you can now admire the results. 8. Hasn't she finished her homework yet? No, she has been listening to records all the time.

6.3.2.3. Past Simple

ĆWICZENIE I

1. bought 2. visited 3. lived, were 4. came 5. did not work 6. lived 7. went, saw 8. did not cook, went 9. did not take, was.

ĆWICZENIE II

1. How much did you pay? 2. Why did he come so late? 3. Why didn't you ask me? 4. Why didn't you wash them up? 5. How did you manage to open it? 6. How many roses did he give her? 7. Where did you find it? 8. When did John come to see you? 9. And what did you answer? 10. Why didn't you say so at once?

ĆWICZENIE III

1. Where did you buy this watch? 2. Did you give John all the wine? 3. Why didn't you come to Jane's party? 4. How much did you pay for this dress? 5. Did you help George? 6. What time was it when it began to rain? 7. When was Mrs Brown's son born? 8. Where did you live in 1980? 9. Where did you find your key? 10. Where did you spend your holidays?

ĆWICZENIE IV

Odpowiedzi mogą być różne, na przykład takie:

1. I saw him three days ago. 2. I put it on your desk. 3. He phoned at eight o'clock. 4. Because he had a train to catch. 5. I paid 400 000 zł. 6. I gave her a watch.

ĆWICZENIE V

1. I often bought ties in that shop because they used to have a large selection. 2. They came yesterday evening, had supper and went to bed. 3. When I was in London I used to travel by tube every day. 4. Did you watch yesterday's TV programme? 5. Did you write to them about our coming? 6. When I was a child I liked to listen to fairy tales. 7. After a heavy snowfall all roads were slippery. 8. Agatha Christie wrote crime stories.

6.3.2.4. Past Continuous

ĆWICZENIE I

1. it was raining 2. was washing up 3. were watching 4. was buying 5. was sleeping 6. was cooking 7. was having.

ĆWICZENIE II

1. was sitting, came 2. was crossing, slipped, fell 3. started, were having 4. were, learnt 5. used, were 6. was laying, was making 7. was cleaning, fell 8. did not hurt, was.

ĆWICZENIE III

1. was passing, saw 2. went in, bought 3. began 4. was sitting, was reading, rang 5. opened, saw, was 6. came, gave, started 7. were having, struck 8. left, lived 9. went, took 10. came, preferred.

6.3.2.5. Porównanie użycia Present Perfect i Past Simple

ĆWICZENIE I

1. left 2. has just left 3. had no time 4. have not finished 5. have you read, read, was 6. liked, was 7. has already told. 8. listened 9. has not written, has been 10. visited, haven't seen.

ĆWICZENIE II

We saw this film last month. 2. You explained this problem to us in your last lecture and I think. 3. I paid for my new radio two days ago. 4. I was too tired last week to study for my exams.

ĆWICZENIE III

1. We have often visited the Smiths. 2. The Browns have lived here since 1970. 3. Mary has already told me about her new job. 4. John has always refused to help me.

ĆWICZENIE IV

Rozwiązania mogą być różne.

ĆWICZENIE V

1. a) Mary came to see me yesterday. b) She hasn't been to see me since Christmas. 2. a) Smith finished his latest novel a month ago. b) Smith has already finished his latest novel and is going to write a new one. 3. a) Last Saturday we invited the Joneses to tea; it was really a very pleasant

afternoon. b) We have invited the Joneses to tea, they'll be here at five. 4. a) Yesterday I did my flat, cleaned the windows and washed up all the dishes. b) I have just finished doing the room and I am going to do some shopping now. 5. a) Your girl-friend phoned when you were out. b) Don't go out. Your girl-friend has just phoned to say she is coming. 6. a) John worked too much last year; no wonder he ruined his health. b) No wonder you are tired; you have been working all night. 7. a) I saw Tom last in 1970. b) I haven't seen Tom since 1970. Why, he is quite a different man now. 8. a) We had a letter from Mike yesterday. b) What about Mike? Hasn't he written to you yet? 9. a) I sent you a book last week. b) I have sent you a book and I hope you'll get it soon. 10. a) I saw your wife only once, at your wedding party. b) I have never seen your wife. What is she like?

6.3.2.6. Past Perfect

ĆWICZENIE I

1. Visited, told, had left 2. Opened, saw, had read 3. Was, had gone 4. Had to, had been painted 5. Wanted, telephoned, was, had left 6. Wondered, had been, had done 7. Did you say, were, had never met 8. Was, could, told, had ordered 9. Asked, had ordered, said, had been 10. Opened, saw, had stolen, happened 11. Had got 12. Wanted, appeared, had done.

ĆWICZENIE II

1. came, saw, had been 2. had spent, came 3. came, saw, had left 4. had learnt, went 5. had, hadn't locked 6. found, had hidden 7. had never heard 8. knew, had informed 9. was, had opened, forgot 10. found, came, had eaten, hadn't bought.

ĆWICZENIE III

1. Because she had lost the key. 2. Because Mary had forgotten to post it. 3. Because she had not stayed till the end of the play. 4. Because she hadn't worked enough. 5. Because he had spent all his money. 6. Because he had lost his wallet. 7. Because he had slept badly. 8. Because he had caught a cold.

6.3.2.7. Past Perfect Continuous

ĆWICZENIE I

1. ... he had been working in his garden twelve hours a day. 2. ... he had been amusing himself instead of studying. 3. ... had been lecturing for three semesters (terms) ... 4. ... had been eating, drinking and singing all night. 5. ... had been crying for a long time. 6. ... although he had been learning that language since his childhood. 7. ... we had been waiting for you for several hours. 8. ... she had been playing the piano from morning till night.

6.3.3. Wyrażanie przyszłości

ĆWICZENIE I

1. will be cooking 2. will not be able 3. I'll phone 4. will graduate 5. will be correcting 6. will be flying 7. will be waiting 8. will you be using 9. will you be skiing 10. will have.

ĆWICZENIE II

1. will have planted 2. will have done 3. will have repaired 4. will have passed 5. will have been paid off 6. will have built 7. will have seen 8. will have eaten.

275

ĆWICZENIE III

1. The Browns are coming (arriving) tomorrow. 2. I'll be in the library between five and six. 3. He will pay a lot of money for that house. 4. We are going to buy ourselves a new car. 5. Spring will probably come early this year 6. I'll do it in spite of everything. 7. Will you give me your new book? 8. We will help you in all your difficulties. 9. Tomorrow at five John will be having an English lesson. 10. I'll wait (be waiting) for you from four to six. 11. How are you feeling? Shall I ring the doctor? 12. Why have you brought a type writer? Are you going to work here today? 13. At this time next month I will be sitting on the beach. 14. Will you please switch off the radio? (Will you switch off the radio, please?).

6.4. Czasowniki specjalne — Special Verbs

6.4.1. Czasowniki posiłkowe — Auxiliary Verbs

ĆWICZENIE I

1. What are we to do in order to satisfy you? 2. We were to come at 6 o'clock but the train was one hour late. 3. A new school is to be built in this village. 4. Who is to be blamed for this mistake? 5. If they ask me about you what am I to say?

ĆWICZENIE II

1. I must have this text copied. 2. You must have these sentences translated. 3. Have these letters answered at once. 4. You must have your coat shortened. 5. Why didn't you have your car washed? 6. You must have your room cleaned. 7. Mary had her watch repaired. 8. My neighbours had their fence mended. 9. Have the tea brought in. 10. I must have a new dress made.

ĆWICZENIE III

a) 1. We had all the flowers in the garden watered. 2. We will have the keys to our house changed. 3. Have your hair cut because it is too long. 4. Why didn't you have your flat done up?

b) 1. You had better forget about this incident! 2. You had better come back home at once! 3. We had better have that conference at a later date. 4. You had better visit us the next week.

c) 1. They have breakfast very early. 2. When do you have your bath, in the morning or in the evening? 3. Do you have letters from your sister every week? 4. I have a good time when I am in your company.

ĆWICZENIE IV

a) 1. I do understand what you mean. 2. He did know about it from the very beginning. 3. People do realize the difficult situation of the country. 4. Do try to do it once more! 5. We did prepare everything that was necessary.

b) 1. John knows nothing about this matter, and neither do I. 2. Do you learn French? No, I don't. 3. Professor Jones takes part in many conferences, and so does his wife. 4. You didn't answer my question, and neither did your brother. 5. Tom knows that as well as you do.

6.4.2. Czasowniki ułomne — Defective Verbs

ĆWICZENIE I

1. Mary może iść do domu, kiedy skończy pracę. 2. Powinienem mówić po angielsku, kiedy będę w Anglii. 3. Ona może zjeść pół tuzina jaj naraz. 4. Nie wolno ci pić zbyt wiele wina. 5. Nie

powinienem palić tylu papierosów dziennie. 6. John nie musi iść do lekarza, ponieważ jest zupełnie zdrów. 7. Możesz przyjść do mnie teraz. 8. Dzieciom nie wolno bawić się zapałkami. 9. Kierowcy nie powinni zbyt szybko jeździć. 10. Może będziemy zaproszeni na to przyjęcie.

ĆWICZENIE II

1. Our guests may come tomorrow. 2. You may go to the cinema. 3. John can work all day long. 4. They must not drink alcohol. 5. Mr. Smith needn't work. 6. Mr. Smith should not work. 7. You may smoke a cigarette. 8. Can you understand it? 9. I can't listen to it. 10. I mustn't listen to it.

ĆWICZENIE III

1. My friends will be able to come to breakfast tomorrow. 2. John didn't have to translate these letters into English. 3. We will have to ask Father for a loan. 4. May I get another cup of tea? 5. Will I be allowed to ask you one more question? 6. The teacher has never had to explain these things twice. 7. I don't think he will ever be able to understand us. 8. Mary had to bring in tea to the dining room herself. 9. On such beautiful days we are allowed to bathe in the sea. 10. You will have to forget about these plans.

ĆWICZENIE IV

1. Kiedy będziesz mógł wygłosić swój wykład? 2. Musiałem zdawać dwa egzaminy wczoraj. 3. Mary powinna wiedzieć o czym mówi. 4. Powinniśmy byli pamiętać o urodzinach Johna. 5. Dlaczego nie zostaniesz z nami dłużej? 6. Dyrektor nie powinien był zwalniać tylu robotników. 7. Powinieneś był znać go lepiej. 8. Czy rzeczywiście musisz pożyczyć tak dużo pieniędzy? 9. Dzieci powinny wcześnie chodzić spać. 10. Kiedy będziesz musiał zwrócić te książki?

ĆWICZENIE V

1. will 2. will 3. shall 4. shall 5. will 6. will 7. shall 8. will 9. will 10. shall.

ĆWICZENIE VI

1. would, would 2. should 3. would 4. should/would 5. should 6. would 7. should 8. should 9. should, should 10. should.

ĆWICZENIE VII

1. Niepotrzebnie go odwiedziliśmy. 2. Niepotrzebnie umyłeś samochód. 3. Nie potrzebowaliśmy innego środka transportu. 4. Niepotrzebnie martwiłaś się o mnie. Nic mi się nie stało. 5. Niepotrzebnie zadzwoniłeś, ponieważ drzwi są otwarte. 6. Nie potrzebowaliśmy więcej pieniędzy. 7. Niepotrzebnie przyszedłem w to miejsce. 8. Nie potrzebowaliśmy szukać nowego klienta. 9. Niepotrzebnie spieszyliśmy się. Było bardzo dużo czasu. 10. Nie potrzebowałem brać taksówki, ponieważ John zaofiarował się, że mnie podwiezie.

ĆWICZENIE VIII

1. How dare you say he is a thief? 2. You should understand our difficult situation. 3. Mary ought to have forgotten about that unpleasant incident. 4. The students used to bring sandwiches and eat them during the break. 5. Tom used to help us when we needed it. 6. Should I believe all these stories? 7. Dare you bring him here? 8. He must have known all the details if he managed to write such a good article. 9. Traffic regulations ought to be observed. 10. Must you get angry with us?

6.5. Zwroty o konstrukcji: So do I, Neither (nor) do I.

ĆWICZENIE I

1. Neither will he. 2. So is January. 3. So do oranges. 4. Neither are potatoes. 5. Neither does Robert. 6. Neither will my wife. 7. So was Keats. 8. So can Richard. 9. Neither should you. 10. Neither had Patrick. 11. Neither will Lucy. 12. So does the director. 13. So did we. 14. So must second year students.

ĆWICZENIE II

Rozwiązania mogą być różne, np.: 1. We must go now. 2. Mr. French doesn't smoke. 3. I like fresh air. 4. You shouldn't be late. 5. I will do my best. 6. You ought to work harder. 7. I didn't agree with the speaker. 8. He can do without her very well. 9. The Browns do not often give parties. 10. The Blacks haven't been abroad for years. 11. We are ready to go. 12. You must be patient. 13. I don't like the circus very much. 14. My daughter is going to be married.

6.6. Niektóre przypadki szczególnego użycia czasów

ĆWICZENIE I

1. were 2. could 3. had known 4. answered 5. had locked 6. rang 7. had 8. had not told 9. could 10. had not married 11. had 12. had gone 13. were 14. had not begun 15. did not put, would not put.

ĆWICZENIE II

1. John wishes he had sold his car. 2. I wish you knew my parents. 3. I wish you didn't talk so much! 4. I wish I had learnt to cook before I got married. 5. I wish you were quiet at last. 6. I wish I hadn't changed my job. 7. I wish we were going to France in the summer. 8. I wish you had followed my advice. 9. I wish we didn't live so far from the town. 10. I wish I hadn't forgotten my money — I can't buy anything to eat.

ĆWICZENIE III

1. had been 2. left 3. had never met 4. had read 5. were 6. did 7. had 8. demanded 9. came 10. had never bought.

7. Przyimek — the Preposition

ĆWICZENIE I

1. at eight 2. at seventeen 3. in Exeter 4. on Mondays 5. on that day, in time 6. in February, in June 7. in a minute 8. in spring 9. by the end 10. at 2.45 11. from three to six 12. for ages 13. since the day, 14. during 15. for a week, till June 16. after lunch 17. before 18. from London to Exeter 19. in London, to Bradford, in Bradford 20. at home, at.

ĆWICZENIE II

1. into, in 2. on, to 3. over 4. beside, between 5. behind 6. in front of 7. through, at 8. at 9.30 9. during, on 10. by 11. out, down 12. at 13. about 14. by, on 15. from 16. above.

ĆWICZENIE III

1. Ten człowiek jest oskarżony o kradzież.
2. Czy godzisz się zrobić to, czego chcemy?
3. Zgadzam się z tobą, że powinniśmy mu pomóc.
4. Wszystkie moje obecne wysiłki zmierzają do nauczenia się angielskiego.
5. W odpowiedzi na Pana list mamy przyjemność poinformować, że ...
6. Nie pochwalam twego zachowania.
7. Jeśli będziesz miał kłopot, zapytaj o mnie (wezwij mnie).
8. Jeśli będziesz spragniony, poproś o szklankę wody.
9. Spotkałem wczoraj Johna; pytał o ciebie.
10. Mówca wskazał na fakt, że zebranie trwało już dziesięć godzin, nie dając odpowiedzi na pytanie postawione na początku.
11. Wypijmy za twoje powodzenie!
12. Chciałbym wymienić swoje radio na magnetofon.
13. Mamy nadzieję, że będzie jak najlepiej.
14. Nie śmiej się z Johna, ale spróbuj mu pomóc.
15. Jeśli się oprzesz o tę ścianę, zabrudzisz ubranie farbą.
16. Słucham cię, słyszę co mówisz, ale to nie znaczy, że zamierzam zrobić, co zechcesz.
17. Dlaczego przeglądasz te stare papiery? Szukam zagubionego listu.
18. Zajrzyj do torby — może tam znajdziesz twój klucz.
19. Mary opiekuje się swoim braciszkiem i siostrzyczką.

ĆWICZENIE IV

1. ... we couldn't make out what he was aiming at.
2. Do you object to ...
3. ... I will see to it.
4. ... for the independence of their country.
5. ... she takes after her father.
6. ... I took you for a friend of mine by mistake.
7. ... think over ...
8. Translate ... into English.
9. Wait for me at ...

ĆWICZENIE V

1. The train from London to Exeter is just coming. 2. A delegation of English businessmen has come to Warsaw. 3. I came into this room an hour ago. 4. Put these plates on the tray and carry them to the dining room. 5. If the boys go on foot, you will see them on the way from the town to our house. 6. The Browns' house stands between two much bigger houses. 7. These tape-recorders differ in price and in quality. 8. John spent the whole evening in front of the TV set instead of studying for his examination. 9. The bus stop is behind our house. 10. Mr. Smith came to our town in August. 11. Can you come and see us on Monday at five? 12. I never come home before three. 13. During the day there is a lot of traffic in the streets of our town. 14. After work I usually go shopping. 15. This table is too big — it won't pass through the door. 16. Do you want to see Warsaw by night? 17. We will meet at the station at six. 18. Get into the 114 bus and get off at the third stop. 19. Tom always comes back home on foot, but he travels to work by bus, as he doesn't like getting up early. 20. I knocked at the door and went in. 21. Try to take full advantage of your stay in England — stay with an English family and speak only English. 22. We are very grateful for everything you have done for us. 23. Mary has a great influence over her husband. 24. I am not interested in space flights.

8. Konstrukcja: There + (be) i konstrukcja: It + (be)

8.1. Zastosowanie konstrukcji: There + (be)

ĆWICZENIE I

1. Is there ... 2. Are there ... 3. Is there ... 4. Is there ... 5. Is there ... 6. Is there ... 7. Is there ...
8. Is there ... 9. Are there ... 10. Is there . .

ĆWICZENIE II

1. How many plates are there ... 2. How much bread is there ... 3. How many restaurants are there ... 4. How much petrol is there ... 5. How many theatres are there ... 6. How much money is there ... 7. How many mistakes are there ... 8. How many rooms are there ...

ĆWICZENIE III

1. There isn't any ... There is no ... 2. There is some ... 3. There aren't any ... There are no ... 4. There is some ... 5. There is some ... 6. There aren't any ... There are no ... 7. There aren't any ... there are no.

ĆWICZENIE IV

1. There was ... 2. There are ... 3. There aren't ... 4. There will be ... 5. There has been ... 6. There were ... 7. There is ... 8. There will not (won't) be ... 9. There is ... 10. Is there ... 11. There was ... 12. There haven't been ... 13. There wasn't ... 14. Are there ...

8.2. Konstrukcja: There + (be) i konstrukcja It + (be). Porównanie

ĆWICZENIE I

1. It was ... 2. There are ... 3. It is ... 4. There was ... 5. It was ... 6. It was ... 7. It is ... 8. there will be ... 9. It was ... 10. It was ... 11. There is ... 12. It is ... 13. There is ... 14. It is ...

ĆWICZENIE II

1. Is there, there is, it is. 2. It is, there is. 3. Is it. 4. Is there, it will be. 5. It is, there are. 6. Is there, it is. 7. It was. 8. It was, there was. 9. It is. 10. It is, there are. 11. Is there, there isn't. 12. It is, it is, there is.

ĆWICZENIE III

1. There have been a lot of road accidents since the beginning of the year. 2. It's a pity Mary won't come and see us tomorrow. 3. There will be a lot of people at the meeting tomorrow. 4. There was a very good concert in the park yesterday. 5. It is nice to see you again. 6. There aren't any tall buildings in this small town. 7. It's no use trying to persuade her. She won't listen to you. 8. Are there any clean handkerchiefs in the cupboard? 9. It is not always easy to experiment. 10. There is a bus stop on the other side of the street.

9. Struktura zdań z dwoma dopełnieniami

ĆWICZENIE I

1. He bought her a ring. 2. He gave it to her yesterday. 3. I have bought them for John. 4. I have bought him a book. 5. I lent it to my brother. 6. He teaches them French. 7. He promised it to Peter. 8. She told everything. 9. She told it to her husband. 10. I am going to give the apples to Jane and the oranges to Mary.

ĆWICZENIE II

1. Give them to him. 2. Yes, I have shown it to him. 3. Show them to me. 4. Pass it to me. 5. Don't lend it to him. 6. John gave them to me. 7. No. John has lent it to her. 8. All right. I won't tell it to her.

10. Konstrukcje w stronie biernej

ĆWICZENIE I

1. are just being typed. 2. just being built. 3. just being made. 4. just being written. 5. are just being painted.

ĆWICZENIE II

2. A new shopping centre was built ... 3. The old cathedral was reconstructed. 4. The reconstruction was completed ... 5. Some of the old narrow streets were widened.

ĆWICZENIE III

1. it has been checked. 2. they have been answered. 3. they have been read. 4. it has been prepared. 5. they have been asked. 6. they have been told.

ĆWICZENIE IV

Will be invited, will be delivered, will be decorated, will be given, will be completed.

ĆWICZENIE V

1. The books ought to be returned ... 2. Cars must not be parked ... 3. He ought to be paid. 4. Butter should be kept ... 5. A school can be built ... 6. The police should be informed. 7. A lot of forms will have to be filled in. 8. Their old car can't be sold. 9. That old clock ought to be repaired. 10. This article need not be translated.

ĆWICZENIE VI

1. The thief was noticed ... 2. The facts are very well known. 3. The theatre was opened ... 3. Coffee is being served now. 5. The whole affair will soon be forgotten. 6. Those documents have been translated. 7. The answers must be written ... 8. Two of my books have been taken away. 9. A telephone number can easily be forgotten. 10. This type of transistor radio is now being

produced ... 11. The rooms are cleaned ... 12. This parcel will be sent ... 13. The work must be finished ... 14. The road to Winchester is being repaired. 15. The safe has been locked. 16. The tree will be cut down.

ĆWICZENIE VII

1. Those goods are sent ... by ... 2. This report was written by ... 3. Breakfast is usually cooked by ... 4. The exhibition will be opened by ... 5. The best tea is made by ... 6. The window had been opened by ... 7. Our car is being repaired by ... 8. My letter has been opened by ... 9. "Pygmalion" was written by ... 10. The jewellery has been stolen by ... 11. Mary's photograph was taken by .... 12. The boys are usually taken ... by ... 13. The kitchen has been cleaned by ... 14. The prizes will be given away by ...

ĆWICZENIE VIII

1. They are opened at ... 2. it will be discussed ... 3. it must be held ... 4. it is cleared ... 5. it must be posted ... 6. it hasn't been cleaned ...

ĆWICZENIE IX

1. Henry has been promised ... 2. John will be lent ... 3. The police has been told ... 4. Mr. Jones was offered ... 5. Mary was handed ... 6. Susan should be taught ... 7. Mr. Smith will be taken ...

ĆWICZENIE X

1. was given a ring. 2. wasn't shown how to do it. 3. I will be asked to come. 4. can't be arrested. 5. has been paid. 6. is being taught to swim. 7. won't be offered that job.

ĆWICZENIE XI

1. was corrected 2. ought to be posted 3. will be signed 4. hadn't been invited 5. I was paid

ĆWICZENIE XII

1. A big swimming pool is being built in our district. 2. My daughter's portrait was painted by a famous artist. 3. Spanish is spoken in most South American countries. 4. Passengers are requested to fasten their seat belts. 5. It has been announced that the president will arrive in Rome tomorrow. 6. This book must be returned immediately. 7. Dinner was just being served when we came in. 8. Why haven't the letters been typed yet? 9. Rice is eaten mostly in the East. 10. I wasn't told that the guests had already left. 11. Will Jim be invited to the party? 12. The window had been opened before you went to bed. 13. This picture hasn't been paid for. 14. Your book will be published next year. 15. Helen's novel will be finished by her husband.

11. Konstrukcje pytające

11.1. General Questions — Pytania o rozstrzygnięcie

ĆWICZENIE I

1. Has the strike at the Heathrow Airport ended at last? 2. Is the conference being held in that building? 3. Can your guest speak Spanish fluently? 4. Was he driving ...? 5. Has Mary been playing the piano all the time? 6. Had Henry left before ...? 7. Are the children already asleep?

8. Would you like to ...? 9. Will your secretary book my air ticket? 10. Does Miss Wilson do her shopping ...? 11. Did Robert visit ...? 12. Does Jane always go ...? 13. Will the Browns bring ...? 14. Did Mr. Smith leave the office before you? 15. Did Jane like the ring you gave her for her birthday?

ĆWICZENIE II

1. Can't they come ...? 2. Weren't you going to a dance ...? 3. Don't they go to bed too late? 4. Wouldn't it be better to buy a new one? 5. Won't it be ...? 6. Isn't his name ...? 7. Don't you like coffee? 8. Shouldn't we buy her a present? 9. Didn't you see her? 10. Haven't you got a dictionary?

11.2. Special Questions — Pytania o uzupełnienie

ĆWICZENIE I

1. And what's his job? 2. Who is she? 3. What's her job? 4. What's his job?

ĆWICZENIE II

1. What's your name? 2. What's your first name? 3. What's your date of birth? 4. What's your nationality? 5. What's your passport number? 5. What's your profession? 6. What's your permanent address?

ĆWICZENIE III

1. What's he like? 2. What is it like? 3. How is he? 4. What is he like? 5. How is she?

ĆWICZENIE V

1. How long can you stay with us? 2. Why are you so angry? What's the matter? 3. How long have you been learning English? 4. Why must you leave so soon? 5. Where are my glasses? 6. How much is it? 7. What can I do for you? 8. When is Mary coming to London? 9. Where can they stay? 10. Why has your watch stopped? 11. What is your brother's new car like? 12. What are the children doing? 13. Who will help me to unpack my bag? 14. How is your daughter? 15. How long have you been waiting for Lucy?

ĆWICZENIE VI

1. What did they offer you first? 2. What did you have next? 3. Who did you meet? 4. Whose cousin is he? 5. What did he tell you? 6. Who did he know? 7. Who did he introduce you to? 8. What did you ask her to do? 9. What did she sing? 10. Who did you see?

ĆWICZENIE VII

1. Where did you buy it? 2. Where are you going? 3. Where did you find them? 4. Where does he work? 5. Where did he stay? 6. Where did you meet her? 7. Where did you lose it?

ĆWICZENIE VIII

1. When did you pass it? 2. When should I telephone her? 3. When will they move? 4. When did he tell you about them? 5. When did he get it? 6. When did you make that trip? 7. When is he leaving?

ĆWICZENIE IX

1. Why are you tired? 2. Why did they sell their car? 3. Why is your sister going to Italy? 4. Why does he want to stay here? 5. Why should I turn the radio off?

ĆWICZENIE X

1. How much flour do you use to bake a cake? 2. How many eggs do you put in it? 3. How long does it take to bake a sponge cake? 4. How do you clean the windows? 5. How long do you cook potatoes? 6. How often do you wash the curtains? 7. How do you polish the furniture?

ĆWICZENIE XI

1. What is Jane like? 2. Where does she work? 3. What's her job? 4. How does she get to work? 5. What time does she start work? 6. What does she usually have for lunch? 7. What does she do in the evening? 8. How does she spend the weekends? 9. Where does she spend her holidays?

ĆWICZENIE XII

1. Who left it open, then? 2. Who uses it, then? 3. Who has drunk it, then? 4. Who searched it, then? 5. Who lost it, then? 6. Who takes them, then? 7. Who has borrowed it, then?

ĆWICZENIE XIII

1. Who painted "Mona Lisa"? 2. Who discovered penicillin? 3. Who discovered America? 4. Who invented the steam engine? 5. Who wrote "Othello"? 6. Who won the battle of Austerlitz?

ĆWICZENIE XIV

1. Who wants some more tea? 2. Whose cup is this? 2. What brings rain? 4. Which of you hasn't got a passport? 5. What made you so tired? 6. Whose car was left in the street last night? 7. What causes environment pollution? 8. What countries export a lot of oil? 9. How many students have decided to spend their holidays in the mountains? 10. Who rang before dinner?

11.3. Inne konstrukcje pytające

ĆWICZENIE I

1. Will you have a glass of wine ro some orange juice? 2. Have you taken your own umbrella or mine? 3. Is this suitcase made of leather or of plastic? 4. Will the conference take place in May or in June? 5. Do you want to get a ball or a doll; or: Would you like to get a ball or do you prefer a doll?

ĆWICZENIE II

1. Where does she come from? 2. What does she spend it on? 3. What were you talking about?; or: What about? 4. Who is he waiting for? 5. Who is she talking to? 6. Whose car did you put it in? 7. Who has she borrowed it from?

ĆWICZENIE III

1. What are you waiting for? 2. What is she speaking about? 3. What forms did you ask for? 4. Who are you going to the cinema with? 5. Who are you writing to? 6. Whose side will he be on? 7. What did you buy that picture for? 8. What are you laughing at? 9. What have you hurt yourself with? 10. Who have you left your address to?

ĆWICZENIE IV

1. Who was the telegram addressed to? 2. What have you been thinking about? 3. Who are you going to have dinner with? 4. What is Granny looking for? 5. What is Mary looking at? 6. Who have you been waiting for?

ĆWICZENIE V

1. What ... for? 2. Which ... at? 3. Who ... with? 4. Who ... from? 5. What ... of? 6. What ... about? Who ... about? Who ... to? 7. What (who) ... about? 8. Which ... for?

ĆWICZENIE VI

1. isn't it? 2. won't you? 3. doesn't he? 4. can't he? 5. hasn't he? 6. wasn't she? 7. didn't they? 8. shan't we? 9. was it? 10. does he? 11. was there? 12. will he? 13. has he? 14. have they? 15. did he? 16. will you?

ĆWICZENIE VII

1. There is some food left over, isn't there? There isn't any food left over, is there? 2. You had your house repainted last year, didn't you? You didn't have your house repainted, did you? 3. John is older than you, isn't he? John isn't older than you, is he? 4. Your children always tell the truth, don't they? Your children don't always tell the truth, do they? 5. Mr. Black is going to speak now, isn't he? Mr. Black isn't going to speak now, is he? 6. There are some good hotels in your town, aren't there? There aren't any good hotels in your town, are there? 7. Are we going to meet Walter at the party, aren't we? We aren't going to meet Walter at the party, are we? 8. You have got a temperature, haven't you? You haven't got a temperature, have you? 9. We could meet here tomorrow, couldn't we? We couldn't meet here tomorrow, could we? 10. Your grandfather lived in Japan, didn't he? Your grandfather didn't live in Japan, did he? 11. Joan likes her new job, doesn't she? Joan doesn't like her new job, does she? 12. You can come at five, can't you? You can't come at five, can you? 13. Your brother has already come home, hasn't he? Your brother hasn't come home yet, has he? 14. Alan painted this picture himself, didn't he? Alan didn't paint this picture himself, did he? 15. There will be enough food for all of us, won't there? There won't be enough food for all of us, will there? 16. Larry always comes home so late, doesn't he? Larry doesn't always come home so late, does he?

12. Konstrukcje rozkazujące

ĆWICZENIE I

A) Przykładowo: 1. Look at the time. Tell the time. 2. Wash your hands. Dry your hands. 3. Switch on (switch off) the television set. 4. Answer my question. Write down my question. 5. Close (shut, open, wash) the window. 6. Take the medicine.

B) Don't make so much noise. 2. Don't eat (don't bring, don't buy) so many sweets. 3. Don't ask (don't answer) such silly questions. 4. Don't go out in the rain. 5. Don't tell so many lies. 6. Don't buy (don't put on, don't wear) this dreadful hat.

ĆWICZENIE II

1. Let Jim take ... 2. Let Jane correct ... 3. Let them come ... 4. Let Miss Jones take ... 5. Let the gardener plant ... 6. Let him wait. 7. Let Robert telephone. 8. Let Mr Clerk check ... 9. Let Tom offer ... 10. Let the witness repeat ...

ĆWICZENIE III

1. Where are your gloves? Let me see. I think I left them in the car. Let my son look for them. 2. Ask him for advice. 3. Let him clean his shoes himself. 4. Don't shout at me. 5. Don't repeat my question. 6. The weather is fine — let's go for a walk. 7. I can't speak to him now. Let him wait. 8. When did you last see her? Let me think ... it was at Jane's party. 9. Open your textbooks and read the passage about urban transport. 10. Don't be impatient — let's repeat this song once again. 11. I've got a headache — let's go for a walk. 12. I'm very thirsty — let John bring me a cool drink. 13. Is it Tom's birthday tomorrow? Let me think — yes, he'll be seven years old tomorrow. 14. Don't switch off the radio. I want to listen to the music.

13. Konstrukcje bezokolicznikowe

13.1. Formy i funkcje bezokolicznika

ĆWICZENIE I

1. I have too little time to come to the cinema with you. 2. Are you clever enough to solve this problem on your own? 3. I am too depressed to do anything. 4. The film is too bad to amuse us. 5. John is too ill to leave his bed. 6. Mary was too angry to look at me. 7. We were too bored to stay any longer. 8. Tom was too intelligent to believe such lies. 9. Father was too pleased to be angry with us. 10. The teacher was too kind-hearted to blame us.

ĆWICZENIE II

1. The Browns will be the only people to accept these conditions. 2. John is sure to pass this examination successfully. 3. My sister was the last to leave the room. 4. The police are sure to look for these men. 5. The boss is sure to blame you for this.

ĆWICZENIE III

1. ... to have neglected ... 2. ... to have forgotten ... . 3. ... to have missed ... . 4. ... not to have come ... . 5. ... to have see ... .

286

ĆWICZENIE IV

1. ... to have received a box of chocolates. 2. ... to teach us as much as possible. 3. ... to have been absent from the meeting (not to have been present at the meeting). 4. ... to be produced. 5. ... to forgive us. 6. ... to be missed. 7. ... to have given up that idea. 8. ... to be trusted. 9. ... to see us all soon. 10. ... to have asked about it.

13.2. Konstrukcje zdaniowe z bezokolicznikiem

ĆWICZENIE I

1. I saw the postman drop some letters in our letter-box. 2. Many people believe money to be the most important thing in life. 3. I noticed John enter the room. 4. We expect the Joneses to return our lawn-mower. 5. The secretary knows her boss to be very busy. 6. I heard the door close. 7. I do not expect him to understand his mistake. 8. The teacher hates his students to lie about their homework. 9. She felt her hands tremble. 10. The chairman declared the meeting to be over.

ĆWICZENIE II

1. I saw a man die in the tram. 2. I heard the children sing. 3. He felt somebody touch his arm. 4. I saw a car run over a dog. 5. My wife made me write to Aunt Agatha. 6. We believe her to be an extremely rich woman. 7. We judged him to be over sixty years old. 8. We heard Jane speak to a stranger. 9. I saw Mary open your bookcase. 10. We heard John play some Chopin on the piano.

ĆWICZENIE III

1. I want you to translate six sentences into English. 2. John expects the money to be sent next week. 3. What do you want me to do about it? 4. The police made him leave the town. 5. Let me have my own opinion on that matter. 6. Mother made Mary go and see a doctor. 7. I want you to lend me some money. 8. He was seen to leave this house at 5 o'clock p.m. 9. Don't make me do what I don't want to do. 10. Everybody believes you to be an honest man. 11. Nobody likes to be reminded of his mistakes. 12. I saw the car skid. 13. I heard you talk about me. 14. Why do John's parents want him to marry Mary?

ĆWICZENIE IV

1. The conference is reported to be over. 2. The two brothers are known to hate each other. 3. The headmaster is said to approve of our plans for the summer. 4. The new administration is expected to make numerous reforms. 5. Our team was reported to have won the football match. 6. The earthquake is supposed to have caused much damage. 7. The epidemic is said to be very serious. 8. The police are believed to have caught the thieves two days later. 9. Similar accidents are said to have happened before. 10. No progress was reported to have been made.

ĆWICZENIE V

1. The public are requested not to smoke in the hall. 2. The minister was reported to have come earlier than expected. 3. The firm of Brown & Co is said to be in financial difficulties. 4. The conditions of the agreement are said to have been changed. 5. Travel is generally believed to broaden

the mind. 6. John and Mary are known to have once met in London. 7. They are considered to be good partners in trade. 8. The ministers are reported to have discussed the new economic reform. 9. The new system of prices is generally believed to be effective. 10. Mr. Green is known to have lost a lot of money at the races.

ĆWICZENIE VI

1. It is impossible for people to forget the war. 2. It is necessary for food to be kept in a refrigerator. 3. The next problem for us to discuss is how to get credit. 4. It was too late for the director to call a conference. 5. Was it difficult for you to get this information? 6. It is impossible for Jane to invite you to her wedding. 7. It is natural for young girls to think about love. 8. It was too late for the participants of the conference to stay any longer. 10. It is difficult for us to see to everything at once.

13.3. Zwroty bezokolicznikowe

ĆWICZENIE

1. To cut a long story short, I had to pay for the damage I had caused. 2. To tell the truth, we have no way out. 3. To begin with, I want to stress that I am not going to criticise anybody. 4. To be sure, we have nothing to worry about. 5. This is, so to speak, a temporary solution. 6. To be quite frank, I wouldn't take too hasty decisions. 7. To be brief, we must give up many privileges. 8. We fully appreciate your efforts, to say nothing of your generally known devotion to our case. 9. That man wants one hundred pounds a week, to begin with. 10. These matters, to be sure, will cause us many difficulties.

14. Konstrukcje imiesłowowe

14.1. Formy i funkcje imiesłowu

ĆWICZENIE I

1. singing 2. rising 3. suggested, accepted 4. entitled, laughing 5. spoken, written 6. exciting, staged 7. shocked, confused 8. wounded, numbered 9. sinking 10. shown.

ĆWICZENIE II

1. The written examination will not be very long. 2. The town seen from afar seems to be more beautiful and mysterious. 3. Do you want a boiled egg or a fried one? 4. My lost wallet was found yesterday. 5. The expected letter came this morning. 6. Where did you find the stolen things? 7. The film we saw yesterday was very exciting. 6. It was a very tiring conference. 9. We are selling these goods at reduced prices. 10. The growing number of starving people in the world should worry the governments of developed countries.

14.2. Konstrukcje zdaniowe z imiesłowem

ĆWICZENIE I

1. uncorked, 2. stand 3. having sold 4. xeroxed 5. hearing 6. examined 7. stopping 8. redecorated 9. pick 10. done.

ĆWICZENIE II

1. Entering the hall, she ... 2. Having translated the text, Mary ... 3. Shocked by her little brother's behaviour, Mary ... 4. ... hoping to find the missing document. 5. Being accused of lying, he ... 6. Trying to solve the problem, I ... 7. ..., accompanied by a group of officials. 8. Being angry with us, Henry ... 9. Being very tired, I ... 10. Knowing nothing about the accident, we ...

ĆWICZENIE III

1. Did you see Jane doing her room? 2. Nobody noticed the children disappearing. 3. John was seen handling this apparatus. 4. I observed the birds eating crumbs. 5. John was heard quarrelling with his wife. 6. They were noticed taking some papers out of that box. 7. The car was seen running at great speed. 8. We heard him discussing this offer. 9. My daughter saw her friend leaving the garden in a hurry. 10. I heard them laughing at me.

ĆWICZENIE IV

1. The appeal having been read, everybody signed it. 2. The man's manners being very unpleasant, we decided to ask him to leave. 3. The inscriptions in the museum being in Polish, the foreign visitors couldn't understand them. 4. The demand for the new model being very big, our firm decided to increase production. 5. The letter having been wrongly addressed, I never got it. 6. The storm being over, the travellers left their shelter. 7. Our guide falling ill, we had to wait for another one. 8. There being no means of transport, we decided to walk. 9. The plan having been approved, we could start production. 10. The weather being very bad, we had to stay home.

ĆWICZENIE V

a) 1. We heard somebody calling for help. 2. We observed the workers repairing the bridge. 3. We had both rooms cleaned. 4. I had my car painted green.

b) 1. Having finished our work in the garden, we decided to have some coffee. 2. Having found an envelope with money in it, we started looking for the owner. 3. Waiting for the train, John was reading a newspaper. 4. Feeling very tired, the teacher hurried home.

c) 1. The weather being fine, we went to the seaside. 2. The agreement having been signed, the ministers left the room. 3. The food being very expensive, many people were starving. 4. There being no taxi, they had to walk.

14.3. Zwroty z imiesłowem

ĆWICZENIE

1. Generally speaking, the plan seems to be good. 2. Considering his age, he must be extremely gifted. 3. Strictly speaking, I didn't promise you anything. 4. Judging by his behaviour, he must feel offended. 5. Putting it mildly, waren't you making too much noise? 6. Frankly speaking, I don't like your new dress.

15. Konstrukcje z rzeczownikiem odsłownym

15.1. Formy i funkcje rzeczownika odsłownego

ĆWICZENIE I

1. talking, looking, 2. accepting, holding 3. breaking 4. mentioning 5. spelling 6. drinking 7. trying 8. talking, listening 9. disregarding 10. coming

ĆWICZENIE II

1. Would you mind looking at this picture? 2. Would you mind taking my daughter to the cinema? 3. Would you mind copying this recipe for me? 4. Would you mind taking this coat to the cleaners'? 5. Would you mind leaving us for a few minutes? 6. Would you mind translating this article into English? 7. Would you mind buying two tickets for the concert on Monday? 8. Would you mind switching on the radio? 9. Would you mind speaking a little louder? 10. Would you mind bringing me a glass of water?

15.2. Zdania z konstrukcjami gerundialnymi

ĆWICZENIE I

1. writing, waiting 2. laughing, tell 3. leaving, saying 4. to look, to have 5. taking, to do 6. to study, reading, listening 7. to conciliate, offering 8. to go, cutting 9. being, to apologize 10. being caught, jumping.

ĆWICZENIE II

1. His not being successful in his work made him miserable. 2. Our grandfather's getting weaker every day depressed the whole family. 3. I don't remember his having ever mentioned these facts. 4. He was fined for not having paid the taxes in time. 5. John's refusing to answer my questions made me angry.

ĆWICZENIE III

a) 1. We all like discussing politics. 2. On coming to London we started looking (to look) for a cheap hotel. 3. The manager is busy showing the clients round the factory. 4. I was tired of walking in the streets of the town and dreamt of drinking a nice cup of tea. 5. There is no harm in visiting that man. 6. I must postpone paying off my debts till next year. 7. Mary is fond of baking cakes for the whole family. 8. Excuse my coming so late.

b) 1. Our meeting here after so many years is a great surprise. 2. Mary insists on my visiting her next week. 3. Their being English explains everything. 4. I don't remember ever having stayed in this hotel. 5. Excuse my interrupting you but I must add one more detail. 6. Some day you will be sorry for being so cruel to her.

16. Zdania przydawkowe

ĆWICZENIE I

1. which 2. whose 3. whose 4. — 5. which 6. — 7. whose 8. whose 9. — 10. whom.

ĆWICZENIE II

1. I know the man you are speaking of. 2. The man in whose house we are going to stay is our neighbour's brother. 3. The room I sleep in is cold. 4. The palace our teacher is going to speak about is a historical monument. 5. The doctor you sent for will arrive in half an hour. 6. I will send the documents you asked me for. 7. We have a garden we can grow flowers in. 8. The landscape you are looking at was painted by Rapacki. 9. The girls we are talking about will not attend the lessons. 10. John expressed an opinion we can rely on.

ĆWICZENIE III

1. My younger sister, whom you met at Zakopane, is ill. 2. That woman, whose name is Mrs. Gardiner, will help us. 3. My brother, who lives in England, will pay me a visit. 4. Mary, whose husband is seriously ill, asked me for help. 5. George, who caused a car accident, has been arrested.

ĆWICZENIE IV

1. Mr. Smith, whom you have offended, will never forgive you. 2. The man you are asking about was killed a few days ago. 3. The plan you are working on seems unrealistic. 4. The parcel I had sent to London hasn't arrived yet. 5. The conference whose aim (the aim of which) was to discuss the problem of unemployment did not take place. 6. The house I should like to buy must be comfortable and not very expensive. 7. The boy you see in front of the shop is my son's schoolmate. 8. Is this the place you told me about? 9. The dentist extracted one of my teeth, which was very painful. 10. All our family stayed in London for a month, which was extremely expensive.

17. Zdania czasowe

ĆWICZENIE I

Rozwiązania mogą być różne. Na przykład: 1. we have time 2. I come back 3. you are well again 4. comes 5. see John 6. leave 7. moves 8. return 9. make up your mind 10. fall off 11. are invited 12. go away? 13. we start off 14. arrive 15. it is necessary.

ĆWICZENIE II

1. when 2. when 3. before 4. before 5. as soon as 6. when 7. until 8. before 9. till 10. when 11. as soon as 12. when 13. when 14. as soon as.

ĆWICZENIE III

1. You must wait till the meeting ends. 2. When I have seen it with my own eyes, I'll believe you. 3. I will remember you as long as I live. 4. I will stay here till I finish my report. 5. I will tell him about it as soon as I see him. 6. When it gets warmer, I'll go to the country. 7. As long as we

are together, nothing wrong will happen. 8. We will sell this house before you come back from abroad. 9. When I have learned this poem by heart, I will recite it to you. 10. He will bring his drawings as soon as he finishes them. 11. As long as you work in this firm you will have enough to live on. 12. I will come to say good-bye before I leave for America. 13. When you come back, your room will be waiting for you. 14. As soon as you ring the bell, we will all be ready. 15. I won't buy anything valuable till I earn more money.

18. Zdania celowe

ĆWICZENIE I

1. may understand them 2. should have time to take it down 3. should not have to wait 4. might read it 5. could have dinner 6. to understand the world better 7. may have everything he needs 8. to buy a new radio 9. can see your face clearly 10. can sleep.

ĆWICZENIE II

1. The conductor gave a signal ... 2. Close that door ... 3. The foreigner spoke very distinctly ... 4. The teacher told the pupils ... 5. They hid the document well ... 6. He spoke French ... 7. Put on a thick coat ... 8. The boy collected all compositions ... 9. Henry brought the flowers home ... 10. I invite you to dinner ...

ĆWICZENIE III

1. ... so that I can feel ... 2. so that he should not ... 3. ... so that we may ... 4. so that everybody can ... 5. so that yqu should not ... 6. ... so that we might ... 7. ... so that you should not ... 8. so that the car should not ... 9. so that the criminal should not ... 10. so that we should ...

ĆWICZENIE IV

1. We moved to the country so that the children should live in a healthier environment. 2. John sat aside in order to watch us. 3. Send the telex at once so that our clients may know that the goods are ready. 4. Mary spoke in a low voice so that nobody might hear her. 5. Mr. Brown worked without a break for lunch in order to return home earlier. 6. The teacher explained the problem once more so that all students should understand it. 7. You should (ought to) buy more fruit so that each child may get at least two apples. 8. I'll give up smoking so that my family may stop worrying about my health. 9. John was driving very slowly in order to see the numbers of the houses distinctly. 10. The police did all they could to catch the thief. 11. I gave him some money so that he could buy a new suit. 12. We must start right now in order to arrive in time. 13. Bring the binoculars so that we may see what is going on there. 14. I want to invite your brother for the holidays so that my son may have company. 15. I let my sister know that you were coming so that she might get ready for your visit. 16. John hurried to the bus so as not to be late for work. 17. I am giving you this map so that you should not lose your way. 18. I suggested a later conference so that everybody might consider the matter once more. 19. The minister repeated his statement once more in order to avoid any misunderstanding. 20. I have counted the money very carefully in order to be sure that there is no mistake.

19. Następstwo czasów i mowa zależna

19.1. Zasady następstwa czasów

ĆWICZENIE I

1. I didn't know you wanted to see me tomorrow. 2. I thought you were looking for a job. 3. I hoped your brother would pay me back £ 100. 4. The judge wanted to know when you had last seen that man. 5. He was sure he had never met you before. 6. I explained that the report would soon be ready. 7. I thought you were writing a letter to Canada. 8. I believed you would never leave me. 9. I thought you had already forgotten me. 10. Peter hoped he would get a better position.

ĆWICZENIE II

1. was sure, would pass. 2. thought, had stayed. 3. was afraid, was. 4. believed, was. 5. thought, would sing. 6. saw, couldn't. 7. thought, had left. 8. saw, had already finished. 9. complained, were. 10. heard, had gone. 11. didn't think, liked. 12. was, was. 13. thought, would be. 14. hoped, would stay. 15. was sure, had. 16. remembered, had seen. 17. hoped, would be able. 18. saw, had already prepared. 19. thought, had written ... the week before. 20. was sure, knew.

ĆWICZENIE III

1. Tom had. 2. John had already left. 3. He had met ... 4. Father would leave. 5. Jack had passed. 6. You could borrow. 7. Would be open.

19.2. Mowa zależna

ĆWICZENIE I

1. Mary told Ann that she had just bought ... 2. She asked Ann how she liked it. 3. Ann said it was ... 4. She asked Mary if she was ... 5. Mary said she was ... 6. She said that was just why she had bought it.

ĆWICZENIE II

1. ... she had to visit Aunt Helen. 2. ... she was going to her sister's birthday party. 3. ... she couldn't go out as her parents were coming to see her. 4. But she told me she had an appointment with her dentist. 5. But she said she had lectures until ... 6. She said she would ring me up on Tuesday evening. 7. She said she hoped to meet me on Wednesday.

ĆWICZENIE III

1. She said they had had ... had been. 2. She said there had been ... 3. She said they had had some drinks in the bar. 4. She said they had got ... 5. She said their friends had come ... and taken ... 6. She said they had found ... 7. She said they had decided ... 8. She said they had visited ... and had gone ... 9. She said they had done ... 10. She said she had met ... 11. She said she had spoken and ... had understood ... 12. She said they had returned ...

ĆWICZENIE IV

1. Mrs. Gold said the specialist had examined her ... 2. She said he had asked her ... 3. She said he had told her ... 4. She said he had ordered her ... 5. She said he had forbidden her ... 6. She said he had told her not to ... 7. She said he had advised her ... 8. She said he had prescribed ... 9. She said he had told her ... 10. She said he had taken ...

ĆWICZENIE V

1. ... he hadn't been. 2. ... Tom had broken. 3. ... the letters hadn't been posted. 4. ... he had never heard ... 5. ... Mary had sent him ... 6. ... she had just bought ... 7. ... the thief had taken 8. ... two policemen had been shot ... 9. ... that the clock ... had stopped. 10. ... he had tried ... 11. ... she hadn't been told ... 12. ... I hadn't found ... though I had looked everywhere.

ĆWICZENIE VI

1. ... he had been staying ... 2. She said he had been writing ... 3. She said he had been telling her ... 4. She said she had been trying ... what she thought ...

ĆWICZENIE VII

1. ... Peter would leave ... 2. ... he would catch ... 3. ... Peter would speak ... 4. ... they would send ... 5. ... he would visit ... 6. ... she hoped Peter would have ... 7. ... he would bring her ... 8. ... he would write ...

ĆWICZENIE VIII

1. —C. 2. —D. 3. —B. 4. —D. 5. —D.

ĆWICZENIE IX

1. Mr. Smith said he was sure he hadn't left ... 2. He said he expected Mary would help him ... 3. He said he didn't often lose things. 4. He said he thought he had left ... 5. He said he believed he had put ... 6. He said he wouldn't tell his wife he had lost them.

ĆWICZENIE X

Mrs. White said to her husband that her friend Sylvia was coming for the weekend. Mr. White answered that he was afraid he would have to go to town on Saturday to see Uncle Henry. Mrs. White asked if he couldn't go another day. She said Sylvia wanted to meet him. She had come from Canada and wouldn't stay in England long. Mr. White agreed to stay at home. He said he would telephone Uncle Henry and tell him he would visit him the following week.

ĆWICZENIE XI

a) 1. Mrs. Brown asked me what time I started work. 2. She asked me how many languages I knew. 3. She asked me why Mary was looking so unhappy. 4. She asked me where I wanted to go on Sunday. 5. She asked me when my wife was coming back.

b) 1. She asked me how much I had paid for my shoes. 2. She asked me what time I had dinner. 3. She asked me who I had met on Saturday. 4. She asked me how I had learnt about John's arrival. 5. She asked me when the Smiths had come to Rome.

ĆWICZENIE XII

a) 1. Mrs. Black asked Mr. White if he often met ... 2. ... if he was going to tell his wife about their meeting. 3. ... if he found his new job ... 3. ... if he worked ... 5. ... if he was feeling tired.

b) 1. Mrs. Black asked Mr. White if he had got ... 2. ... if he had brought. 3. ... if he had told ... 4. ... if his firm had got ... 5. ... if his director had left. ... .

c) 1. Mrs. Black asked Mr. White if he had ever been ... 2. ... if he had ever read ... 3. ... if he had heard ... 4. ... if he had met her husband. 5. ... if his secretary had given him her message.

d) 1. Mrs. Black asked Mr. White if he would have to look for ... 2. ... if his secretary would find time to type their report. 3. ... if his son would be able to study medicine. 4. ... if his daughter would marry ... 5. ... if he would see her on Tuesday.

ĆWICZENIE XIII

1. I asked if you knew ... 2. ... if you liked ... 3. ... if you smoked. 4. ... if you often went to parties. 5. ... if you wanted a drink. 6. ... if you felt tired. 7. ... if you always made people repeat ... .

ĆWICZENIE XIV

1. I was asked if I had come by plane. 2. ... if the flight had been good. 3. ... which university I worked at. 4. ... if I had got ... 5. ... if people in my country were learning ... 6. ... if they were keen ... 7. ... what I thought ... 8. .. which part of Britain I liked best. 9. ... where I was going ... 10. ... when I would return home.

ĆWICZENIE XV

1. — B. 2. — C. 3. — D. 4. — B.

ĆWICZENIE XVI

1. He told her to let him know if she wanted ... 2. He told her to make up her mind soon if she wanted 3. He told her to call him on Wednesday. 4. He told her she ought to see it. 5. Jane told him to come and fetch her on Friday at six.

ĆWICZENIE XVII

1. Mother told the children to be quiet. 2. The doctor advised him not to work too much 3. Mr. White told Robert not to be late again. 4. Henry asked the waiter to bring him ... 5. George asked both of us to his birthday party. 6. The teacher told Helen to sit down. 7. The little girl asked her Dad to help her. 8. My teacher told me to write this exercise again. 9. Tom asked Rose to come back soon. 10. Mother asked Ronald not to smoke so much.

ĆWICZENIE XVIII

1. Father asked me to wash the car. 2. My wife told me to buy a bottle of milk. 3. The policeman told me not to park my car in front of the house. 4. The passer-by advised me to ask a policeman. 5. The commanding officer ordered the soldiers to cross the bridge. 6. The conductor asked the passenger to show his ticket. 7. The doctor told me to weigh myself every week and to drink no alcohol. 8. The captain ordered the crew to leave the ship. 9. Lilian asked me to post her letter. 10. Mother told me not to forget to pack my toothbrush.

ĆWICZENIE XIX

Mrs. Brown asked her son: "What have you been doing since morning?" Mrs Brown asked her son what he had been doing ... 2. Mr. Smith asked his wife: "Are you ready?" Mr. S. asked his wife if she was ready. 3. Mary said to her friend: "I'm afraid we'll miss our train". Mary told her friend she was afraid they would miss their train. 4. Mrs. Brown asked Mrs. Jones: "My husband left on Friday". Mrs. Brown told Mrs. Jones that her husband had left on Friday. 5. Tom asked his brother: "Have you taken my ball?" Tom asked his brother if he had taken his ball. 6. Mary said to her sister: "I have a cold". Mary told her sister she had a cold. 7. Her sister asked: "Why don't you call a doctor?" Her sister asked why she didn't call a doctor. 8. The teacher said to his class: "Don't make so much noise". The teacher told his class not to make so much noise.

ĆWICZENIE XX

1. The man told me to get out of his way. 2. I told Ann she could phone from my office. 3. Another passenger came in and asked if that seat was taken. 4. My English teacher asked me if I had read Graham Greene's latest novel. 5. My father told me not to say anything to make Mother angry. 6. The teacher told me not to forget to put my name ... 7. The policeman asked if any of us had seen the accident happen. 8. The children said they were waiting for the school bus. 9. I told Jack I had a message for his brother. 10. Ann asked Betty who she had given the money to. 11. My friends said they would wait for me if I was late. 12. The telephone operator asked who I wanted to speak to. 13. Helen told Jim not to smoke so much.

ĆWICZENIE XXI

1. Mr. Brown said his car was being repaired. 2. The teacher said the test questions had been prepared ... 3. The professor said the examination would be taken by ... 4. The shopkeeper said the order couldn't be made out immediately. 5. The doctor stated the man had been killed the night before. 6. The clerk said information could be obtained ...

ĆWICZENIE XXII

1. Jim said he would have to be ... the next day. 2. Mrs. Smith told us we must not come in without knocking. 3. Jane said she had to fly ... the following week. 4. Mother told the children they must not play with knives. 5. Father told Jim he might have the car if he wanted it. 6. He asked if I had to make so much noise. 7. Lucy said Charles might have ... 8. I asked Tom if he had to do all ...

ĆWICZENIE XXIII

1. John asked if I had ever seen a plane crash and I said I hadn't. 2. Ann suggested giving a party (or: that they should give a party). 3. John asked if I would come to meet him at the station and I answered I would. 4. He suggested staying there until the storm had passed. 5. Jim asked Mary whether she often went to the Zoo and she answered she didn't. 6. Tom asked Jim whether he would help him. Tom thanked him and said it was very kind of him. 7. Henry greeted Tom and asked when he had arrived in London.

20. Okresy warunkowe

ĆWICZENIE I

1. Will he pass ...? Only if he works hard. And if he doesn't ...? He'll fail. 2. Will you spend ...? Only if I get ... . And if you don't get ...? I'll stay ... . 3. Will you stay ...? Only if I have ... And if you don't have ...? I'll look for ... . 4. Will Peter join ...? Only if he gets ... . And if he doesn't get ...? He won't come. 5. Will you take ...? Only if you give ... . And if I don't give ...? I'll pour ... .

ĆWICZENIE II

1. find, will stay. 2. buys, I'll buy. 3. We'll catch, we leave. 4. he'll help us, it is. 5. it doesn't seem, you walk. 6. I'll join, you want. 7. We'll go, I don't feel. 8. I cook, will you wash. 8. will you study, you become. 10. we won't wait, doesn't come. 11. will let, she is. 12. I won't be able, I don't have. 13. it snows, we'll go.

ĆWICZENIE III

1. He'll go ... 2. He'll miss ... 3. I'll go ... 4. I'll take ... 5. He'll bark. 6. I'll telephone ...7. It will break. 8. He'll try ... 9. I'll try ... 10. I'll take ...

ĆWICZENIE IV

And what will you do of you don't pass it? 2. ... if John doesn't meet you? 3. ... if you can't find one? 4. ... if you don't get a lift? 5. ... if your boss doesn't pay you? 6. ... if she isn't ...?

ĆWICZENIE V

1. If I change ..., I'll earn ... . 2. If she becomes ..., she will work ... 3. If I go, I'll learn ... 4. If he gets ... he'll spend ... 5. If I eat less, I'll lose ... 6. If I pay ..., I'll meet ...

ĆWICZENIE VI

1. If I could get ..., I'd buy ... 2. If I were ..., I'd write ... 3. If I had ..., I'd go ... 4. If I could afford ..., I'd visit ... 5. If I lost ..., I'd buy ... 6. If I had ..., I'd buy...

ĆWICZENIE VII

1. I would (I'd) have new ones made. 2. I'd call ... 3. I'd visit ... 4. I'd call ... 5. He would feel better. 6. I'd offer ... 7. I'd take ...

ĆWICZENIE VIII

1. If he took ..., he wouldn't be ... 2. If she worked ..., she would earn ... 3. If my number was (were) ..., people would ring ... 4. If I had more ..., I would read more. 5. If they cleaned ..., ... wouldn't look ... . 6. If I could park ..., I would come ... . 7. If I had a map, I would be able to direct you.

ĆWICZENIE IX

1. Came, would have. 2. would lock, gave. 3. offered, wouldn't take. 4. would live, didn't drink. 5. were, would become. 6. would drive, took. 7. would buy, had. 8. would stay, offered.

9. would come, could. 10. would improve, got. 11. would be, wasn't (weren't). 12. got, would visit. 13. wrote, would answer. 14. waited, would meet. 15. would understand, spoke.

ĆWICZENIE X

1. ... if you saw ...? I would ask somebody to ... (or: I would ask her to ...). 2. ... if a thief took ...? I would run ... (or: I would look ...). 3. ... if you smelt ...? I would shout ... (or: I would open ...). 4. ... if you had ...? I would take ... (or: I would consult ...). 5. ... if you lost ...? I would go ... (or: I would look ...). 6. ... if you saw ...? I would ring ... (or: I would look ...). 7. ... if you noticed ...? I would try ... (or: I would run away).

ĆWICZENIE XI

a) 1. If they had liked it, they would have stayed ... 2. If she had switched it on, she woud have heard ... 3. If you had read it, you would have seen ... 4. If we had got there ..., we would have watched ... 5. If she had taken it, she would have got better.

b) 1. They wouldn't have had a drink if they hadn't been thirsty. 2. I wouldn't have lent him any money if I hadn't been foolish. 3. We wouldn't have had to wait for the next train if we hadn't missed the earlier one. 4. We wouldn't have gone skating if the weather hadn't been frosty. 5. She wouldn't have broken the mirror if she hadn't dropped it.

ĆWICZENIE XII

1. Yes, they were. They would have meet the artist. 2. Yes, he did. I wouldn't have expressed ... 3. Yes, he did. He wouldn't have done ... 4. No, she didn't. She would have gone ... 5. Yes, he did. Lily would have been angry. 6. Yes, they did. They wouldn't have stopped him. 7. Yes, it was. We would have gone for a long walk.

ĆWICZENIE XIII

1. ... would never have happened, 2. ... had not lost, 3. wouldn't have married, 4. wouldn't have lost, 5. would have got, 6. had gone wrong, 7. hadn't rained, 8. wouldn't have got, 9. wouldn't have done, 10. had not helped.

ĆWICZENIE XIV

1. hadn't been, wouldn't have missed, 2. would have liked, had met, 3. had not seen, would have run, 4. had booked, would have had, 5. had known, would have lent, 6. had been, what would you have done, 7. had had, would have been.

ĆWICZENIE XV

If Robert hadn't missed the last train to London, he wouldn't have had to stay in a hotel. If he hadn't stayed in a hotel, he wouldn't have gone to the hotel restaurant. If he hadn't gone to the hotel restaurant, he wouldn't have met Sylvia. If he hadn't met her, he wouldn't have fallen in love with her. If he hadn't fallen in love with her, he wouldn't have married her.

ĆWICZENIE XVI

1. We would have spent ... 2. She will look for ... 3. I would buy ... 4. He wouldn't have arrived ... 5. He will start looking for ... 6. He won't get ... 7. He would have passed ... 8. He would oversleep.

ĆWICZENIE XVII

1. — A. 2. — B. 3. — A. 4. — C. 5. — A. 6. — B. 7. — A. 8. — A.

ĆWICZENIE XVIII

a) 1. You can't see the director unless you have ... 2. It won't rain unless the wind changes. 2. You'll lose your friends unless you pay your debts. 4. You will hurt your feet unless you wear better shoes. 5. We won't go to the pub unless we finish our work.

b) 1. ... unless he wants to. 2. unless he telephones. 3. unless the government takes action. 4. unless you want him to accept it. 5. unless you ask her. 6. unless he is told to.

ĆWICZENIE XIX

1. If she had had a holiday, she wouldn't look tired now. 2. If he had caught his plane, he wouldn't be here now. 3. If we had come by car, we wouldn't have to look for a taxi. 4. If he had got a large loan, his financial situation wouldn't be difficult. 5. If I had taken an umbrella, I wouldn't be wet through now.

ĆWICZENIE XX

a) 1. if you tell me ..., I can get ... 2. If we come ..., you must ask ... 3. If you've got ... you should take ... 4. If you telephone ..., you may find ... 5. If I'm not mistaken, that must be ... .

b) 1. we would. 2. might win. 3. might put on. 4. might (could) get. 5. could (might) catch.

c) 1. I could have visited him. 2. John might have won ... 3. ... we could have asked them to supper. 4. ... his father might have forgiven him. 5. I could have stayed ... .

ĆWICZENIE XXI

1. had known, would have stayed. 2. had, would grow. 3. comes, there will be. 4. why don't you sell it? had, would sell. 5. wouldn't have printed, hadn't been. 6. comes, I will. 7. had told, would have gone. 8. don't take off, will catch. 9. were not, 10. had taken, wouldn't be.

ĆWICZENIE XXII

1. You'll have an accident unless you are more careful. 2. I would (I'd) write to him if I had time, 3. If I'm not at the bus stop at two o'clock, don't wait for me. 4. I wouldn't have closed the window if it hadn't been cold. 5. I can come if you telephone tomorrow morning. 6. It won't rain if the wind changes. 7. She wouldn't have found those documents if the police hadn't helped her. 8. He would tell you the answer if he knew it. 9. If there is no train, we'll go by bus. 10. You could be in time if you went by plane. 11. If you had put your coat on, you wouldn't be wet through now. 12. I'll read you a story if you take the medicine. 13. Would you buy this record if you had enough money? 14. We could have left yesterday if you had got the tickets.

Słowotwórstwo

ĆWICZENIE I

1. Rzeczownik 2. Rzeczownik 3. Rzeczownik 4. Przymiotnik 5. Przymiotnik 6. Przymiotnik 7. Przymiotnik 8. Przymiotnik 9. Czasownik 10. Czasownik 11. Rzeczownik 12. Rzeczownik 13. Rzeczownik 14. Przymiotnik 15. Rzeczownik.

ĆWICZENIE II

1. Niesmak 2. Niewiarygodny 3. Nieporozumienie 4. Nieregularny 5. Nieprawny 6. Niemożliwy 7. Malkontent 8. Dematerializować 9. Nadciśnienie 10. Niedociśnienie 11. Wielożeństwo 12. Wielostronny 13. Dwustronny 14. Podwładny 15. Powojenny 16. Przedwczesny 17. Kontrargument 18. Antywojenny 19. Przeczytać ponownie 20. Przestarzały 21. Godziny nadliczbowe 22. Nie doceniać.

ĆWICZENIE III

1. Extravagant 2. Possible 3. Sentimental 4. Mobile 5. Satisfactory 6. Catholic 7. Historical 8. Critical 9. Tolerant 10. Compulsory.

ĆWICZENIE IV

1. Beautiful — piękny 2. Homeless — bezdomny 3. Helpful — pomocny, helpless — bezradny 4. Hopeful — pełen nadziei, obiecujący, hopeless — beznadziejny 5. Penniless — bez grosza 6. Useful — użyteczny, useless — bezużyteczny 7. Endless — bez końca 8. Harmful — szkodliwy, harmless — nieszkodliwy 9. Meaningful — znaczący, meaningless — nic nie znaczący 10. Childless — bezdzietny.

ĆWICZENIE V

1. Eliminate 2. Satisfy 3. Educate 4. Glorify 5. Recognize 6. Monopolize 7. Economize 8. Enjoy 9. Demolish 10. Create.

ĆWICZENIE VI

1. Modernize 2. Multiply 3. Sweeten 4. Quicken 5. Deepen 6. Satisfy 7. Criticize 8. Tolerate 9. Weaken 10. Glorify.

ĆWICZENIE VII

1. Economist 2. Creator 3. Statistician 4. Mathematician 5. Journalist 6. Musician 7. Professor 8. Humorist 9. Pianist 10. Psychologist.

ĆWICZENIE VIII

1. Writer 2. Inventor 3. Teacher 4. Learner 5. Constructor 6. Baptist 7. Driver 8. Smoker 9. Player 10. Singer.

ĆWICZENIE IX

1. Shopkeeper — sklepikarz 2. Typewriter — maszyna do pisania 3. Copyright — prawo autorskie 4. Hot dog — kiełbaska w bułce na gorąco 5. Easygoing — niefrasobliwy 6. Caretaker — dozorca 7. Shorthand — stenografia 8. Dressmaker — krawcowa 9. Hairdo — uczesanie, fryzura 10. Warship — okręt wojenny 11. Strawberry — truskawka 12. Know-how — znajomość rzeczy, wtajemniczenie.

ĆWICZENIE X

1. Mój najmłodszy syn bardzo lubi czytać (czytanie) 2. Książka, której potrzebowałem, była dostępna w czytelni. 3. Tom jest zapalonym czytelnikiem kryminałów. 4. Jest za ciemno — nie mogę czytać. 5. Zaprosiliśmy sąsiadów na obiad. 6. Jadalnia w naszym nowym mieszkaniu jest trochę za mała. 7. Zagraniczna delegacja będzie jadła obiad w ratuszu. 8. Stop! Czy nie widzisz znaku drogowego? 9. Czy możesz podpisać ten dokument? 10. To nie jest mój podpis. 11. Shere Khan z "Księgi Dżungli" był tygrysem ludożercą. 12. Zwyczaje tego kraju związane z jedzeniem są bardzo niezwykłe. 13. Jarosz je głównie jarzyny. 14. To jedzenie jest niejadalne! 15. Czy masz ochotę się napić? 16. Picie na wielką skalę jest bardzo szkodliwe. 17. Jestem spragniona — czy jest coś do picia? 18. Ten człowiek był leniem i pijakiem. 19. Tom pije rzadko, ale gdy pije upija się bardzo szybko. 20. Co zrobimy z pijanym marynarzem? (Początek popularnej angielskiej piosenki). 21. Nauczanie jest trudnym zawodem, ale niektórzy profesorowie lubią je. 22. Wielkie rabunki banków są zwykle dziełem złodziei-zawodowców. 23. Lekarze są zwykle nazywani doktorami. 24. Fryderyk Joliot-Curie był sławnym fizykiem francuskim. 25. Proszę zajmij się dziećmi — muszę wyjść na jakąś godzinę. 26. Zostaliśmy wpuszczeni do budynku przez dozorcę. 27. Mała wskazówka zegara wskazywała godzinę jedenastą. 28. Znajomość stenografii jest bardzo ważna dla sekretarki. 29. Co zrobiłaś ze swymi włosami? 30. To jest najnowsza fryzura.

ĆWICZENIE XI

1. Meet me at the airport. 2. John seems to be very matter-of-fact. 3. Tom went to the cinema with his sweetheart. 4. The invention of the radio had a world-wide importance. 5. I am a newcomer in this town — I know nobody here. 6. The shop was closed because of stock-taking. 7. Please apply to the book-keeping department. 8. The red-haired girl looked at me and smiled. 9. You will have no trouble with your new colleague — he is an easygoing man. 10. It's incredible how you have changed. 11. My wife will find a counter-argument against anything I say. 12. I don't want any extra money and I will not work overtime. 13. I am afraid you underestimate John — he is an extremely intelligent man. 14. Please rewrite this text. 15. Yesterday there was a great anti-war manifestation in our town. 16. I think (that) your joy is premature. 17. That man owes his position to bribery. 18. The Browns are a childless couple. 19. Don't expect me to lend you any money — I am penniless. 20. Would you like to be a mathematician? No, I would rather be a journalist.